実績！やっぱり合格った！
(うか)

JN026252

あてる 「あてる」**第2予想より**

本試験

本試験でこんなふうに出た！

商業簿記

問題（25点）

次のT株式会社に関する資料にもとづいて、下記の各問に答えなさい。なお、税効果会計適用に当たっては、すべての期間にわたって実効税率を30％とする。計算の途中で生じた端数については、千円未満を四捨五入して解答しなさい。

問1　[資料1]における①～⑤の空欄に当てはまる金額を求めなさい。
問2　20×5年度（20×5年4月1日から20×6年3月31日まで）におけるT株式会社の損益計算書を作成しなさい。
問3　20×5年度末におけるT株式会社の貸借対照表における以下の金額を求めなさい。
　a．売掛金（貸倒引当金控除前）　b．繰延税金資産　c．資産除去債務　d．資本準備
　e．その他資本剰余金

損益計算書

[資料1] 決算整理前残高試算表

決算整理前残高試算表　（単位：千円）

現 金 預 金	194,484	買 掛 金	42,000
売 掛 金	172,800	仮 受 金	120,000
有 価 証 券	44,510	リ ー ス 債 務	（ ② ）
商 品	60,000	長 期 借 入 金	39,600
仮 払 法 人 税 等	12,000	社 債	（ ③ ）
自 己 株 式	48,000	退 職 給 付 引 当 金	（ ④ ）
建 物	1,152,000	貸 倒 引 当 金	2,400
備 品	24,000	建物減価償却累計額	384,000
リ ー ス 資 産	（ ① ）	リース資産減価償却累計額	（ ⑤ ）
土 地	1,440,000	資 本 金	600,000
長 期 貸 付 金	48,000	資 本 準 備 金	60,000
繰 延 税 金 資 産	36,720	その他資本剰余金	19,200
商 品 売 上 原 価	1,032,000	利 益 準 備 金	24,000
販 売 費	36,000	繰 越 利 益 剰 余 金	432,000
給 料 手 当	30,000	新 株 予 約 権	18,000
退 職 給 付 費	31,200	商 品 売 上 高	1,200,000
一 般 管 理 費	24,000	手 数 料 収 入	199,200
支 払 リ ー ス 料	30,000	有 価 証 券 利 息	480

本試験

本試験でこんなふうに出た！

商業簿記

問題（25点）

下記の[資料1]～[資料3]に基づいて、次の各問に答えなさい。なお、P社およびS社の各事業年度ならびに連結会計期間は、各年3月末日に終了する1年間である。計算過程で生じる千円未満の端数については、四捨五入して解答しなさい。消費税は無視し、税効果会計は適用しないものとする。

問1　P社の20X4年度（20X4年4月1日～20X5年3月31日）の個別損益計算書を作成しなさい。
問2　P社の土地A、建物Cおよび備品から構成される資産グループに係る20X4年度末における使用価値を求めなさい。
　　　　　　20X4年度末の連結貸借対照表および20X4年度の連結損益及び包括利益計算書における答案用　　　　の各科目の金額を求めなさい。P社の連結子会社はS社のみとし、その他の包括利益はその他有価　　　　証券評価差額金のみから生じるものとする。

[資料1] P社の20X4年度末における決算整理前残高試算表

決算整理前残高試算表　（単位：千円）

現 金 預 金	47,259	買 掛 金	23,500
売 掛 金	80,000	契 約 負 債	5,600
クレジット売掛金	64,930	仮 受 金	7,200
仮 払 法 人 税 等	6,000	貸 倒 引 当 金	500
繰 越 商 品	50,000	建物減価償却累計額	95,000
建 物	430,000	備品減価償却累計額	900
備 品	9,000	長 期 借 入 金	400,000
車 両 運 搬 具	12,000	退 職 給 付 引 当 金	35,519
土 地	500,000	資 本 金	300,000
ソ フ ト ウ ェ ア	21,000	資 本 準 備 金	100,000
関 係 会 社 株 式	52,000	繰 越 利 益 剰 余 金	265,000
投 資 有 価 証 券	22,000	新 株 予 約 権	2,700
自 己 株 式	7,700	売 上	540,000
仕 入	400,000	受 取 配 当 金	4,000
販 売 費	14,000	自己株式処分差益	370
支 払 手 数 料	4,600		

あてる 「あてる」**プラスワン予想より**

本試験

本試験でこんなふうに出た！

原価計算

問題（25点）

当社は、製品A、製品Bおよび製品Cを生産・販売する企業であり、現在、翌期の予算を編成中である。そこで下記の各問に答えなさい。なお、月初、月末において棚卸資産はないものとする。

[問1] 当社における過去6か月間の機械稼働時間と製造間接費の実績記録は、下記のとおりである。これらはすべて正常なデータである。これらのデータにもとづき最小自乗法によって変動費率と固定費を求めなさい。

月	機械稼働時間（時間）	製造間接費（千円）
1	1,600	10,800
2	1,550	10,650
3	1,650	10,950
4	1,750	11,250
5	1,200	9,600
6	1,250	9,750
合 計	9,000	63,000

最適セールス・ミックス

[問2] 次の各製品の貢献利益率を計算しなさい。製品A、製品Bおよび製品Cの販売単価はそれぞれ6,800円、製品Bが4,000個、製品Cが2,500個と見積もられている。仮に、貢献利益の高い順に生産・販売するとした場合の月間の損益分岐点販売量とそのときの売上高を求めなさい。なお、損益分岐点販売量については製品A、製品Bおよび製品Cの合計を解答し、1個未満の端数が生じる場合は小数点以下を切り上げること（端数処理については以下の問も同様）。

[問4] [問3]における月間最大販売数量はそのままで販売組合せの条件を変更し、製品A、製品Bおよび製品Cの販売量を5：3：2の割合で販売するとした場合の、各製品の損益分岐点販売量を求めなさい。

[問5] 前問までの月間最大販売数量はそのままで販売組合せの条件は前問、製品Aを1,950個、製品Bを1,200個および製品C800個を月間最低販売量とした場合の月間の最適セールス・ミックスを求めなさい。なお、当社で使用している機械の月間最大生産能力は、1,750時間である。

[問6] [問5]の条件の他に、さらに、製品A、製品Bおよび製品Cの1個あたりの標準直接作業時間はそれぞれ0.2時間、0.3時間および0.2時間であり、直接作業時間の月間最大利用可能量が2,000時間であったとしたときの月間の最適セールス・ミックスおよびそのときの月間営業利益を求めなさい。

本試験

本試験でこんなふうに出た！

第2問

当工場では、生産ラインを新設し、売れ行き好調な製品Aと製品Bの生産を計画している。どちらの製品も設備Xと設備Yを使用する。月間生産能力は設備Xが16,000時間、設備Yが15,000時間を予定している。次の[資料]にもとづき、下記の問に答えなさい。

[資料]

1．設備ごとの各製品1個当たり標準作業時間

	製品A	製品B
	2.5 時間	4.0 時間
	3.0 時間	2.0 時間

売計画

	製品A	製品B
	1,100 円	900 円
	1,600 個	3,500 個

3．営業費予算（月間）

	製品A	製品B
単位当たり変動費	515 円	380 円
共通固定費	10,900,000 円	

問1　製品Aと製品Bの最適セールス・ミックスを求めなさい。
問2　いま仮に、設備Yの月間生産能力が18,500時間に引き上げられたとする。このときの製品Aと製品Bの最適セールス・ミックスを求めなさい。
問3　製品Aの原材料価格が高騰しており、単位当たり変動費が上昇する見込みである。製品Aの販売単価を含めて、他の条件に変化はないものとして（問2の条件は考慮しない）、製品Aの単位当たり変動費がいくらを超えると、問1で求めた最適セールス・ミックスが変化するか。

1

第168回の出題

商業簿記

第1予想
損益計算書作成の総合問題

第2予想
本支店合併財務諸表作成の総合問題

第3予想
連結財務諸表作成の総合問題

プラスワン予想
貸借対照表作成の総合問題

会計学

第1予想

【第1問】	【第2問】	【第3問】
理論問題	連結会計	金融商品（有価証券・デリバティブ取引）

第2予想

【第1問】	【第2問】	【第3問】
理論問題	固定資産	キャッシュ・フロー計算書

第3予想

【第1問】	【第2問】	【第3問】
理論問題	企業結合	収益認識

プラスワン予想

【第1問】	【第2問】	【第3問】
理論問題	会計上の変更	税効果会計

　商業簿記では、主に**総合問題**が出題されます。ここでは、個別論点が横断的に出題されますので、幅広い学習が必要です。それぞれの処理の基本となる考え方を理解したうえで、計算の練習をしておき、問われる角度が多少変わっても対応できるようにしておきましょう。また、構造論点としては、**連結会計、本支店会計**があります。自分がどのような処理を何のためにしているのか、常に念頭において学習を進めましょう。商業簿記では、解答欄すべてにおいて正答することは非常に難しく、問題量が多くなることもありますので**いかに効率的に部分点を取れるかがポイント**になります。学習段階から意識して練習しておきましょう。そして、本試験では、あきらめずに最後までどこかに手がかりはないかという気持ちで解き続けることが大切です。

　会計学では、第1問に**理論問題**が出題されます。**正誤問題、語句記入（訂正）問題**、どちらにも対応できるように日ごろから基礎的な事項については、きちんと頭の中で整理をして、学習しておきましょう。

　第2問、第3問は、主に**個別論点の計算問題**が出題されます。ここでもあらゆる論点が出題されますので、少しでも得点できるように、ある程度論点を網羅し、さらに、計算だけでなく、理論的思考もあわせて身につけられるように学習しましょう。

次は「P／L」と「標準」!?

予想はこれだ!!

工業簿記

第1予想

標準工程別総合原価計算
（仕損・減損）

第2予想

原価の部門別計算

第3予想

工程別実際
総合原価計算

プラスワン予想

標準原価計算
（配合差異・歩留差異）

原価計算

第1予想

業務的意思決定

第2予想

事業部の業績測定

第3予想

CVP 分析
最適セールス・ミックスの決定

プラスワン予想

設備投資の意思決定

　工業簿記では、主に**伝統的原価計算**や、**理論問題**が出題されます。データを収集して整理する能力も求められますので、日ごろから問題集などで、計算のトレーニングを積んでおきましょう。非常に手間のかかる問題も出題されますので、スピーディに計算することも重要です。**標準原価計算**においては、**有利差異・不利差異、借方差異・貸方差異**などで間違えてしまうことも多く、これは非常にもったいないことです。日ごろから確実な理解を心がけましょう。また、記述式の問題が出題されることもありますので、専門用語については、うろ覚えにせず、きちんとおさえておきましょう。本試験での誤字脱字などはもってのほかです。日ごろから文字を丁寧に正しく書くように心がけましょう。

　原価計算では、主に**予算や意思決定**の論点が出題されます。ここで注意すべきなのは、1問あたりの配点が大きい問題が多いことです。そのため、計算間違いをすると、大きく減点されてしまうので、注意深く計算する能力が必要です。また、**活動基準原価計算**などの戦略的原価計算は対策が手薄になりがちなので、注意が必要です。根本的な理解が足りていないと、計算問題では簡単な論点も、理論問題になると解けなくなるようなことが起こります。常に理論と計算をあわせて本質的な理解をするよう、心がけて学習するようにしていきましょう。

\「あてる」で合格(うか)る！/

本書の必勝活用術

これだけやれば、絶対うかる！
次ページから詳しく解説！

STEP 1 本試験までの
合格スケジュールを作成！

読者特典①
 「合格カレンダー」を参考に
自分のスケジュールを作り、実行

STEP 2 時間を計って
自力で問題を解く！

「問題・答案用紙」を
本書からとり外す ▶ 時間を計って
問題を解く

 何回でも
OK!

1級の制限時間は
商業簿記・会計学　：90分
工業簿記・原価計算：90分

第1予想からプラスワン予想までの4回分、
本試験に沿った問題形式で"本番さながら"の演習が可能！

机の上の限られたスペースをどう使うか、といったことも、
試験当日に焦らないための意外と重要な試験対策。
試験を模擬体験する気持ちで解いてみましょう。

STEP 3 答えあわせをして、
今の実力をチェック！

「解答・解答への道」
を見て、答えあわせ ▶ **読者特典②**
「繰り返しシート」
に点数・時間を記録

1級の合格基準は
70点以上

第1予想			商業簿記		会計学		点数 工業簿
1回目	日付 /	分	Ⓐ	/69点	Ⓑ	/28点	
2回目	日付 /	分	Ⓐ	/69点	Ⓑ	/28点	
3回目	日付 /	分	Ⓐ	/69点	Ⓑ	/28点	

答えあわせをしたら、解答に付いているⒶⒷⒸマークそれ
ぞれがどのくらい合っていたかをチェックしましょう。

Ⓐ 絶対に落としてはいけない ◀全て得点したい
Ⓑ できれば落としたくない ◀半分得点したい
Ⓒ 余力があれば取りたい

繰り返し学習が
合格のカギ！ **最低3回は繰り返そう！**

STEP 4 復習すべき論点がわかったら、弱点を集中特訓！

読者特典③
 解説動画
「解き方レクチャー」
で論点を確実に理解

読者特典④
 スマホ対応！
「理論カード」で
基準を極める

 「集中学習論点シート」
で論点の
ポイントを把握

STEP 1 本書の必勝活用術

本試験までの 合格スケジュールを作成!

\タイムマネジメントが合格のカギ/
合格カレンダーで進捗管理!

読者特典❶

合格カレンダー
14、15ページ

▌ 短期合格に欠かせないスケジュールの 作成と実行は「合格カレンダー」におまかせ!

　現在、自分がどの位置にいて、合格というゴールまでにあとどれくらい走らなくてはならないのか、きっちりと把握・管理することは短期合格のためには欠かせない重要な学習習慣といえます。本書掲載の合格スケジュールを参考に、ご自身のスケジュールを作成して直前期の学習を実りあるものにしましょう。

▼ 合格カレンダーの使い方

ご自身の学習進捗度にあわせて2か月、1か月、2週間の3バージョンから最適な期間を選び、合格スケジュールを参考にご自身のスケジュールを作成しましょう。

2か月で合格へ!! 合格プロジェクト2か月バージョン

1か月で合格へ!! 合格プロジェクト1か月バージョン

2週間で合格へ!! 合格プロジェクト2週間バージョン

▶「合格カレンダー」はダウンロードもできます(⇒ P4)。

STEP 2 本書の必勝活用術

時間を計って 自力で問題を解く!

本試験そっくり!
予想問題 4回分収載

何回でもOK!
解答用紙 ダウンロード サービス付き

2024年度
日商簿記検定試験対策
第168回試験をあてる TAC直前予想模試
問題用紙
1 級 - I
商業簿記・会計学
第1予想
TAC簿記検定講座

問題用紙

2024年度
日商簿記検定試験対策
第168回試験をあてる TAC直前予想模試
答案用紙
1 級 - I
商業簿記・会計学
第1予想

答案用紙

▌ 解いて解いて覚えちゃうまで解きまくろう!

　まずは時間を計って、問題を解いてみましょう。1級の制限時間は商業簿記・会計学、工業簿記・原価計算それぞれ90分です。本番だと思って解いてみましょう。また、問題は一度解いたら終わりではありません。ほとんどの合格者が実践しているのが、繰り返し学習法です。これは、問題集を2回3回と繰り返し解くことで、知識を定着させ、解く手順を身につけていく学習法です。本書には、解答用紙ダウンロードサービスがついていますので、何度もダウンロードして、繰り返し、問題を解くようにしてください。

答えあわせをして、今の実力をチェック!

解き終わったらすぐ答えあわせ! 復習すべき論点を把握しよう!

答えあわせは、単に数字合わせの作業にするのではなく、なぜ間違えたのかを検証し、目標得点を取れているか（Ａ・Ｂランク論点をどのくらい取れていたか）チェックし、復習すべき論点を把握しましょう。

解答への道

現役講師によるわかりやすく丁寧な解説をつけているので、正解できなかった問題も、きちんと克服できます。解答のポイントとなる「ここ重要!」など、充実した内容となっています!

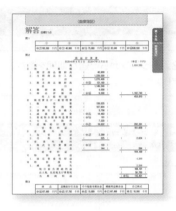

合格るタイムライン

本試験は時間との闘いでもあります。捨てるべき問題は捨て、取るべき問題は確実に得点しなくてはなりません。合格者がどのような時間配分で、どのような順序で解いていくのか、合格るタイムラインで確認しましょう。

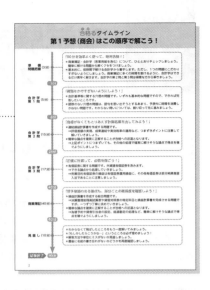

合格る下書用紙

誰もが何となく書いている下書用紙、あなたの下書用紙は本当に「合格できる」下書用紙になっているでしょうか? ここでは合格者が書いている下書用紙を大公開します。ご自身の下書用紙と照らし合わせ、効率よく、時間内で解くためには、どのような下書用紙を書けばよいのか、把握してください。

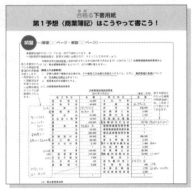

繰り返しシートを使用し、弱点集中特訓に役立てよう!

「繰り返しシート」に点数・時間を記録し、徐々に点数があがり、最後には合格点を取れるようになったか、時間内に解き終えるようになったか、確認してください。

▼ 繰り返しシートの使い方

日付と解答時間を書き込みます。制限時間と比べてみましょう。

点数もきっちりチェックします。本試験の合格点は70点です。

読者特典❷
繰り返しシート
16ページ

第1予想		点 数					メ モ
		商業簿記	会計学	工業簿記	原価計算	合計	
1回目	日付 9/16 商業簿記・会計学（110）分 工業簿記・原価計算（100）分	16 Ａ 43／69点	10 Ｂ 4／28点	8 Ｃ 0／3点	13	47	
2回目	日付 11/4 商業簿記・会計学（85）分 工業簿記・原価計算（80）分	20 Ａ 66／69点	16 Ｂ 10／28点	20 Ｃ 0／3点	20	76	

解答に付いているＡＢＣマークは、「Ａ：絶対に落としてはいけない、Ｂ：できれば落としたくない、Ｃ：余力があれば取りたい」です。答えあわせをしたら、それぞれがどのくらい合っていたかをチェックしましょう。Ａ＋Ｂ／2＝約70点で設定しています。ですから、Ａはもちろんのこと、Ｂをどれだけ攻略できるかがポイントです!
1回目は第1目標、2回目以降は第2目標をめざして、がんばりましょう。

問題を繰り返し解き、点数が徐々に上がっていっているか、確認しましょう。

ここには復習すべき論点等を記載しましょう。

▶ 「繰り返しシート」はダウンロードもできます（⇒ P4）。

復習すべき論点がわかったら、弱点を集中特訓!

独学者を強力バックアップ!
本書「あてる」の問題の解説動画を無料配信!

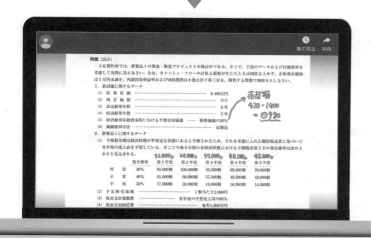

読者特典❸

**解説動画
解き方レクチャー**

解説動画「解き方レクチャー」を見て、弱点を強化しよう!

「あてる」では、本書掲載の問題のうち、第1予想の全問題を解説した動画「解き方レクチャー」を無料配信!

問題を解き、答えあわせが終わったら、「解き方レクチャー」を見て、弱点を強化しましょう。どうやって解けば、学んだ知識を生かせるかがきっとわかるはず。

問題の本質を捉え、どのような問題にも対峙できる本試験突破力を身につけよう!

本質的な理解と言われても、どうすればいいの?と、不安を増大させている受験生もいらっしゃるのではないでしょうか。

「解き方レクチャー」では、本試験を解ききるために必要な要素はもちろん、重要論点・新論点や応用的な出題の考えられる論点については特に詳しく解説します。本質的な理解を求められる今の試験対策には欠かせない内容満載でお届けしますので、ぜひこの動画を最大限活用してみなさんの弱点を払拭し、不安なく本試験に立ち向かっていってください!

▼ 解説動画「解き方レクチャー」の使い方

●視聴方法

① Safariなどブラウザアプリで「TAC出版」を検索。
② 「サイバーブックストア」→「書籍連動ダウンロードサービス」バナーをタップ。
③ 本書のパスワード欄に書籍記載のパスワード(9桁)(⇒P4)を入力し、「ダウンロードページを開く」をタップ。
④ 「解き方レクチャー動画」をタップし、視聴。

●配信期間

2024年9月中旬
〜
2024年12月末日まで

●効率良く学習できるよう、次のように動画を活用してみてください。

STEP
1
「解き方レクチャー」を見る前に
自力で問題(第1予想)を解く!

STEP
2
「解き方レクチャー」を視聴する!

STEP
3
「解き方レクチャー」の解説を
意識して、もう一度問題を解く!

覚えていないとはじまらない基準の暗記は、「理論カード」で基準を極める！

会計学で必ずといっていいほど出題される理論問題は範囲が広い割に配点が低いため、出題可能性の非常に高いものだけを短時間で確認しておくというのが、最適な学習方法です。本書の付録「理論カード」には、これまでの出題傾向を分析し、原価計算基準も含め、頻出論点だけをまとめていますので、これを活用して、通勤・通学時間や、お昼休みなどのスキマ時間に理論対策をしておきましょう。Ａランクは、絶対に覚えておきたい基準、Ｂランクは、できれば覚えておきたい基準です。

スマホ版はボーナスカード付き！

理論カードについては、読者サービスとして、「スマホ版・理論カード」も無料でダウンロードできます。iPhone、Androidどちらにも対応しています。下記のダウンロード方法を参考に、ぜひダウンロードして、スキマ時間を有効活用してください。

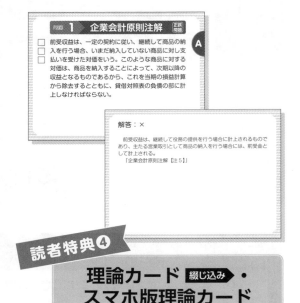

読者特典❹

理論カード 綴じ込み **・ スマホ版理論カード**

▼ 理論カードの使い方

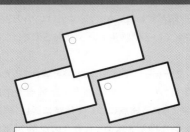

理論カードを本体から取りはずし、ミシン目に沿って1枚ずつ切り離す。

シャープペンシルなど、先の細いものでリング穴をはずし、市販のリングやひもでとじれば、理論カードのできあがり！

▼ スマホ版理論カードのダウンロード方法

●iPhone、iPadの場合

① App Store から「Apple Books（無料）」をダウンロード。(PDF ファイルを開くアプリがインストールされている方は不要)
② Safari などブラウザアプリで「TAC 出版」を検索。
③ 「サイバーブックストア」→「書籍連動ダウンロードサービス」バナーをタップ。
④ 本書のパスワード欄に書籍記載のパスワード(9桁)(⇒P4)を入力し、「ダウンロードページを開く」をタップ。
⑤ 「日商簿記1級　理論カード」をタップして開く。
⑥ ページ下中央の共有アイコン（⬆️）をタップして、中段をスワイプし、「ブックにコピー」をタップします。

●Androidの場合

① ブラウザアプリで「TAC 出版」を検索。
② 「サイバーブックストア」→「書籍連動ダウンロードサービス」→本書のパスワード欄に書籍記載のパスワード(9桁)(⇒P4)を入力し、「日商簿記1級 理論カード(PDF ファイル)」をタップしてダウンロードする。
③ ダウンロードしたファイルを開く。

(注) サービスのご利用は無料ですが、ダウンロードにかかるパケット通信料はお客様のご負担となります。
※ iPhone、iPadは、Apple Inc.の商標です。※ Androidは、Google LLCの商標または登録商標です。

第168回検定対応 集中学習論点シートで弱点を集中特訓する

復習すべき論点がわかったら、「第168 回検定対応・集中学習論点シート」（10 ～ 13 ページ）を使って、論点のポイントを把握するとともに、お手元の問題集や過去問題集などで、該当論点の復習をしましょう。
TAC の問題集にはすべて解答用紙ダウンロードサービスがついていますので、繰り返し演習して、解答の精度とスピードを高めていきましょう。

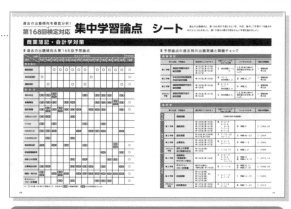

集中学習論点シート

合格戦略に必要不可欠！

日商1級試験はこんな試験！

日商簿記1級試験は、過去の合格率の平均が10%前後となっており、この数字だけを見れば、難関試験といえます。
また、2級までと比べて学習論点も非常に多く、計算も複雑になっているため、十分な学習時間を確保する必要があります。
しかし、適切な勉強方法と根気があれば必ず合格できる試験でもあります。はじめて1級にチャレンジしようと考えている人も、
1級に再挑戦しようと考えている人も、本書で紹介する効率的な学習方法を実践し、あとは根気で合格を目指しましょう。

配点は科目ごとに25点、全体で70点以上取れば合格となりますが、科目ごとの得点が10点未満の場合には、足切りで不合格
となってしまいます。そのため、すべての科目を偏りなく学習して苦手科目をつくらないようにすることが非常に大切です。

試験科目	試験時間	配点	合格基準（1科目ごと）	合格基準（全体）
商業簿記	90分	25点	40%以上	70%以上
会計学		25点	40%以上	
工業簿記	90分	25点	40%以上	
原価計算		25点	40%以上	

CONTENTS

『読者様限定　書籍連動ダウンロードサービス』へのアクセス方法　▶P4

第168回検定対応　集中学習論点

商業簿記・会計学対策

■ 過去の出題傾向＆第168回予想論点

論点＼回数	147	149	150	152	153	156	157	158	159	161	162	164	165	167	予想論点 168
商業簿記															
個別会計			○	○	○	○	○	○		○	○	○	○	○	◎
本支店会計	○								○						◎
連結会計		○				○		○						○	◎
会計学															
棚卸資産	理論	理論	理論／計算					理論		理論	理論	理論		理論	
金融商品	理論	理論	理論		理論	計算				理論	理論	理論	理論／計算	理論	◎
固定資産	理論	理論／計算	理論	理論／計算	理論	理論	計算			計算	計算	理論		理論	◎
退職給付会計	理論	計算				理論									
引当金	理論		理論					理論			理論				
純資産会計	理論	理論	計算				計算			計算	理論	計算		計算	
外貨換算会計		理論				理論									
税効果会計	計算		計算		理論			理論					理論／計算		◎
収益認識基準											計算			理論	◎
会計上の変更						理論		計算				理論	理論		◎
企業結合会計	理論	計算				理論	計算	理論	計算		理論			計算	◎
連結・持分法	理論／計算		計算	理論／計算	計算	計算	計算	計算	計算	計算	計算	計算	計算	計算	◎
キャッシュ・フロー計算書				理論		理論				理論	理論	理論			◎

（注）◎印は第168回の予想論点です。会計学の 理論 は理論問題を、 計算 は計算問題を示します。

シート　過去の出題傾向と、第168回の予想にもとづき、今回、集中して学習すべき論点を次のようにまとめました。第1予想から第3予想を中心に学習を進めましょう。

■ 予想論点の過去問の出題実績と類題チェック

商業簿記

	第168回 予想論点	過去問のここをやる！	合格トレーニング Ver.18.0等	スッキリわかる	簿記の問題集
第1予想	損益計算書作成の総合問題	第152回,第153回,第157回,第161回,第164回,第165回第167回	Ⅱ 総合問題1～3, 6	Ⅰ,Ⅱ,Ⅲ(第3章まで)個別論点を学習しましょう。	1 模擬試験第2回
第2予想	本支店合併財務諸表作成の総合問題	第147回,第159回	Ⅲ 10-3 総合問題1, 2	Ⅲ 問題26, 27	3 模擬試験第6回
第3予想	連結財務諸表作成の総合問題	第149回,第156回,第158回	Ⅲ 6-2, 4 7-1 総合問題3, 4	Ⅳ 問題32	3 模擬試験第5回
プラスワン予想	貸借対照表作成の総合問題	第156回,第161回,第162回	Ⅱ 総合問題4, 5	Ⅰ,Ⅱ,Ⅲ(第3章まで)個別論点を学習しましょう。	2 模擬試験第4回

会計学

		第168回 予想論点	過去問のここをやる！	合格トレーニング Ver.18.0等	スッキリわかる	簿記の問題集
第1問		理論問題	「究極の会計学理論集」			
第2問	第1予想	連結会計	第149回,第150回,第152回,第153回,第157回,第161回,第162回,第164回,第165回,第167回	Ⅲ 5-2～5 6-2, 4, 6～8 7-1～5 8-1～6	Ⅳ 問題31	3 CH04, 05
	第2予想	固定資産	第149回,第153回(商),第157回,第159回	Ⅱ 7-15～25 10-1, 2	Ⅱ 問題48～53	2 CH04
	第3予想	企業結合	第146回,第147回,第149回,第157回,第159回,第167回	Ⅲ 2-2～7 9-1～11	Ⅳ 問題1～8	3 CH02
	プラスワン予想	会計上の変更及び誤謬の訂正	第152回(商),第158回	Ⅰ 1-16, 17	Ⅱ 問題4, 31	1 CH09
第3問	第1予想	金融商品(有価証券・デリバティブ取引)	第146回,第156回	Ⅱ 4-6～11 5-3, 4 6-2～7, 11～13	Ⅱ 問題22 Ⅲ 問題4, 9, 10	1 CH13, 14
	第2予想	キャッシュ・フロー計算書	最近の出題なし(最終出題：第140回)	Ⅲ 11-1～5	Ⅲ 問題30, 31 Ⅳ 問題37, 38	3 CH08, 09
	第3予想	収益認識	第161回(商),第162回(商・会),第164回(商),第165回(商),第167回(商)	Ⅰ 4-1～11 5-1～5	Ⅰ 問題12～19	1 CH03
	プラスワン予想	税効果会計	第147回,第150回,第153回,第165回	Ⅱ 1-1～4 7-16	Ⅲ 問題17～23	2 CH12

工業簿記・原価計算対策

■ 過去の出題傾向＆第168回予想論点

論点		147	149	150	152	153	156	157	158	159	161	162	164	165	167	168
工業簿記																
実際原価計算制度	費目別計算		原		○	○	○		○							
	部門別計算								○			○			○	◎
	実際個別（ロット別）原価計算	○														
	単純総合原価計算			○									原			
	工程別総合原価計算					○									○	◎
	連産品	原														
標準原価計算制度	**標準工程別総合原価計算**									○						◎
	標準総合原価計算										○					
	標準個別（ロット別）原価計算													○		
	仕損・減損															◎
	配合・歩留差異										原					◎
	原価差異の処理									○						
	企業予算の編成				原	原					原					
直接原価計算	直接実際原価計算															
	直接標準原価計算															
その他	本社工場会計		○													
原価計算																
短期利益計画	**CVP分析**	○						○	○			理				◎
	最適セールス・ミックス								○						○	◎
	期間損益の比較												工			
	価格決定															
短期利益統制	**事業部の業績測定**									○						◎
	予算実績差異分析						○	工							○	
意思決定会計	**業務的意思決定**	○		○								○				◎
	設備投資の意思決定						○		○			理		○		◎
戦略的原価計算	活動基準原価計算		○	工		工	○									
	ライフサイクル・コスティング										理		理			
	原価企画・維持・改善		○				○					理				
	品質原価計算											理				

（注）◎印は第168回の予想論点です。出題分布の 理 は理論問題、工 は工業簿記、原 は原価計算での出題を示します。

■ 予想論点の過去問の出題実績と類題チェック

工業簿記

	第168回　予想論点	過去問のここをやる！	合格トレーニング Ver.8.0	スッキリわかる	簿記の問題集
第1予想	標準工程別総合原価計算（仕損・減損）	第159回	Ⅱ　6-15, 19 7-14, 17, 18	Ⅱ　問題21, 23, 24	2　CH06, 07
第2予想	原価の部門別計算	第158回, 第162回, 第167回	Ⅰ　8-6〜9 9-1〜13	Ⅰ　問題25〜32	1　CH08
第3予想	工程別実際総合原価計算	第152回, 第167回	Ⅱ　3-2〜12, 15, 17, 21	Ⅱ　問題11〜13	2　CH03
プラスワン予想	標準原価計算（配合差異・歩留差異）	第159回（原）	Ⅱ　7-20〜25	Ⅱ　問題25, 26	2　CH08

原価計算

	第168回　予想論点	過去問のここをやる！	合格トレーニング Ver.8.0	スッキリわかる	簿記の問題集
第1予想	業務的意思決定	第147回, 第150回, 第162回	Ⅲ　10-1〜22	Ⅳ　問題1〜7	3　CH08
第2予想	事業部の業績測定	第159回	Ⅲ　7-1〜7	Ⅲ　問題13〜15	3　CH06
第3予想	CVP分析	第147回, 第157回, 第158回	Ⅲ　5-3〜18	Ⅲ　問題7, 8	3　CH03
	最適セールス・ミックスの決定	第157回, 第167回	Ⅲ　6-1〜3	Ⅲ　問題9, 10	3　CH04
プラスワン予想	設備投資の意思決定	第153回, 第157回, 第165回	Ⅲ　11-1〜26	Ⅳ　問題9, 14, 15, 17	3　CH09

＼タイムマネジメントが合格のカギ／
合格カレンダーで進捗管理！

● 合格カレンダーの使い方は、5ページを参照してください。　● 合格カレンダーはダウンロードできます。

2か月で合格へ‼ 合格プロジェクト2か月バージョン

月 Monday	火 Tuesday	水 Wednesday	木 Thursday	金 Friday	土 Saturday	日 Sunday
9/16	17	18	19	20	21	22
1巡目（弱点把握）「あてる」の 第1予想からプラスワン予想まで 解き、弱点を把握する						
23	24	25	26	27	28	29
						→
30	10/1	2	3	4	5	6
弱点を把握したら、弱点を集中特訓！ 絶対に落としてはいけない Ａ ランク論点でダメだったところの弱点集中特訓をする（テキスト・問題集）						
7	8	9	10	11	12	13
弱点を把握したら、弱点を集中特訓！ 絶対に落としてはいけない Ａ ランク論点でダメだったところの弱点集中特訓をする（過去問題集）						
14	15	16	17	18	19	20
弱点を把握したら、弱点を集中特訓！ できれば落としたくない Ｂ ランク論点でダメだったところの弱点集中特訓をする（テキスト・問題集）						
21	22	23	24	25	26	27
弱点を把握したら、弱点を集中特訓！ できれば落としたくない Ｂ ランク論点でダメだったところの弱点集中特訓をする（過去問題集）						
28	29	30	31	11/1	2	3
弱点を把握したら、弱点を集中特訓！ 余力があればとりたい Ｃ ランク論点でダメだったところの弱点集中特訓をする（テキスト・問題集・過去問題集）						
4	5	6	7	8	9	10
2巡目（総仕上げ）「あてる」の 第1予想からプラスワン予想まで 時間を計って解く（総仕上げ）						
11	12	13	14	15	16	17 がんばれ 本試験

14

短期合格に欠かせないもの、それはスケジュールの作成と実行です。
以下に本書を使った2か月バージョン、1か月バージョン、2週間バージョンの直前期の
合格スケジュールを示しました。これを参考に、ご自身にあったスケジュールを作成しましょう。
作ったら最後、あとは本試験に向けてヤルのみです！

1か月で合格へ!! 合格プロジェクト1か月バージョン

月 Monday	火 Tuesday	水 Wednesday	木 Thursday	金 Friday	土 Saturday	日 Sunday
10/14	15	16	17	18	19	20
1巡目（弱点把握） 「あてる」の 第1予想からプラスワン予想まで 解き、弱点を把握する						
21	22	23	24	25	26	27
弱点を把握したら、弱点を集中特訓！ 絶対に落としてはいけない Aランク論点でダメだったところの弱点集中特訓をする（テキスト・問題集）						
28	29	30	31	11/1	2	3
弱点を把握したら、弱点を集中特訓！ 絶対に落としてはいけない Aランク論点でダメだったところの弱点集中特訓をする（過去問題集）						
4	5	6	7	8	9	10
弱点を把握したら、弱点を集中特訓！ できれば落としたくない Bランク論点でダメだったところの弱点集中特訓をする（テキスト・問題集・過去問題集）						
11	12	13	14	15	16	⑰ がんばれ 本試験
2巡目（総仕上げ） 「あてる」の 第1予想からプラスワン予想まで 時間を計って解く（総仕上げ）						

2週間で合格へ!! 合格プロジェクト2週間バージョン

月 Monday	火 Tuesday	水 Wednesday	木 Thursday	金 Friday	土 Saturday	日 Sunday
11/4	5	6	7	8	9	10
1巡目（弱点把握） 「あてる」の 第1予想からプラスワン予想まで 解き、弱点を把握する				弱点を把握したら、弱点を集中特訓！ Aランク論点の弱点集中特訓		
11	12	13	14	15	16	⑰ がんばれ 本試験
Aランク論点の弱点集中特訓		**2巡目**（総仕上げ） 「あてる」の 第1予想からプラスワン予想まで 時間を計って解く（総仕上げ）				

15

＼合格る人はみんな使ってる／
繰り返しシートで合格をゲット！

繰り返し学習法が合格への近道！ぜひ本書を納得するまで解き直し、合格を確実なものにしてください。

●繰り返しシートの使い方は、6ページを参照してください。　●繰り返しシートはダウンロードもできます。

第1予想			点数 商業簿記	点数 会計学	点数 工業簿記	点数 原価計算	合計	メ モ
1回目	日付 ／	商業簿記・会計学 （　　　）分 工業簿記・原価計算 （　　　）分	A ／69点	B ／28点	C ／3点			
2回目	日付 ／	商業簿記・会計学 （　　　）分 工業簿記・原価計算 （　　　）分	A ／69点	B ／28点	C ／3点			
3回目	日付 ／	商業簿記・会計学 （　　　）分 工業簿記・原価計算 （　　　）分	A ／69点	B ／28点	C ／3点			

第2予想			点数 商業簿記	点数 会計学	点数 工業簿記	点数 原価計算	合計	メ モ
1回目	日付 ／	商業簿記・会計学 （　　　）分 工業簿記・原価計算 （　　　）分	A ／72点	B ／27点	C ／1点			
2回目	日付 ／	商業簿記・会計学 （　　　）分 工業簿記・原価計算 （　　　）分	A ／72点	B ／27点	C ／1点			
3回目	日付 ／	商業簿記・会計学 （　　　）分 工業簿記・原価計算 （　　　）分	A ／72点	B ／27点	C ／1点			

第3予想			点数 商業簿記	点数 会計学	点数 工業簿記	点数 原価計算	合計	メ モ
1回目	日付 ／	商業簿記・会計学 （　　　）分 工業簿記・原価計算 （　　　）分	A ／63点	B ／36点	C ／1点			
2回目	日付 ／	商業簿記・会計学 （　　　）分 工業簿記・原価計算 （　　　）分	A ／63点	B ／36点	C ／1点			
3回目	日付 ／	商業簿記・会計学 （　　　）分 工業簿記・原価計算 （　　　）分	A ／63点	B ／36点	C ／1点			

プラスワン予想			点数 商業簿記	点数 会計学	点数 工業簿記	点数 原価計算	合計	メ モ
1回目	日付 ／	商業簿記・会計学 （　　　）分 工業簿記・原価計算 （　　　）分	A ／65点	B ／34点	C ／1点			
2回目	日付 ／	商業簿記・会計学 （　　　）分 工業簿記・原価計算 （　　　）分	A ／65点	B ／34点	C ／1点			
3回目	日付 ／	商業簿記・会計学 （　　　）分 工業簿記・原価計算 （　　　）分	A ／65点	B ／34点	C ／1点			

問題 1　企業会計原則注解　[正誤問題]　A

☐
☐
☐
前受収益は、一定の契約に従い、継続して商品の納入を行う場合、いまだ納入していない商品に対し支払いを受けた対価をいう。このような商品に対する対価は、商品を納入することによって、次期以降の収益となるものであるから、これを当期の損益計算から除去するとともに、貸借対照表の負債の部に計上しなければならない。

問題 2　企業会計原則注解　[正誤問題]　A

☐
☐
☐
受取手形、売掛金、支払手形、買掛金は流動資産または流動負債に属するが、前払金、前受金については、貸借対照表日の翌日から起算して一年以内に商品の受入れまたは引渡しの期限が到来するものは、流動資産または流動負債に属するものとし、その期限が一年を超えて到来するものは投資その他の資産または固定負債に属するものとする。

問題 3　棚卸資産の評価に関する会計基準　[正誤問題]　A

☐
☐
地価の下落傾向が続いているため、B不動産会社が所有している分譲用の土地についてもその取得原価が正味売却価額よりもやや高くなっている。この場合、この土地を決算上、正味売却価額で評価しなければならない。

問題 4　金融商品に関する会計基準　[正誤問題]　A

☐
☐
☐
社債を発行した場合、その払込金額が社債金額より低いとき、当該価額をもって貸借対照表に記載する。この場合においては、その差額に相当する金額を償還期に至るまで毎期一定の方法で逐次貸借対照表の金額に加算しなければならない。

問題 5　金融商品に関する会計基準　[正誤問題]　A

☐
☐
☐
その他有価証券の評価差額金の処理は、全部純資産直入法と部分純資産直入法のいずれかの方法によるが、いずれの方法においても税効果会計を採用しなければならない。

問題 6　連結財務諸表に関する会計基準、金融商品に関する会計基準　[正誤問題]　A

☐
☐
☐
A社がB社の議決権の60％に相当する株式を所有し、さらにA社とB社がそれぞれC社の議決権の30％に相当する株式を所有している場合において、もしもC社の株式が市場価格のある株式であれば、A社は、C社の株式を時価で評価する。

問題 7　固定資産の減損に係る会計基準　[正誤問題]　A

☐
☐
☐
減損会計を適用した結果として、ある資産又は資産グループに関して減損損失を計上した後で、適用対象となった資産又は資産グループの回収可能価額が回復した場合、取得原価又は減損損失を計上しなかった場合の償却後原価までであれば、減損損失の戻入れを行う。

問題 8　リース取引に関する会計基準　[正誤問題]　A

☐
☐
☐
ファイナンス・リース取引は、リース契約上の諸条件に照らしてリース物件の所有権が借手に移転すると認められるものをいう。
また、それ以外の取引のことをオペレーティング・リース取引という。

解答：○

　売買目的有価証券、満期保有目的の債券、子会社株式及び関連会社株式以外の有価証券（以下「その他有価証券」という。）は、時価をもって貸借対照表価額とし、評価差額は洗い替え方式に基づき、次のいずれかの方法により処理する。
　(1) 評価差額の合計額を純資産の部に計上する。
　(2) 時価が取得原価を上回る銘柄に係る評価差額は純資産の部に計上し、時価が取得原価を下回る銘柄に係る評価差額は当期の損失として処理する。
　　なお、純資産の部に計上されるその他有価証券の評価差額については、税効果会計を適用しなければならない。
　「金融商品に関する会計基準18」

解答：×

　前受収益は、継続して役務の提供を行う場合に計上されるものであり、主たる営業取引として商品の納入を行う場合には、前受金として計上される。
　　「企業会計原則注解【注5】」

解答：×

　C社はA社の子会社に該当するため、A社はC社の株式を取得原価で評価する。
　「連結財務諸表に関する会計基準6、7」、
　「金融商品に関する会計基準17」

解答：×

　企業の主目的たる営業取引から生じた前払金および前受金は、期限にかかわらず、流動資産または流動負債に属するものとする。
　　「企業会計原則注解【注16】」

解答：×

　減損損失の戻入れは行わない。
　「固定資産の減損に係る会計基準三・2」

解答：○

　不動産会社が所有する分譲用土地は、棚卸資産に該当するため、通常の商品と同様に、正味売却価額が取得原価よりも下落している場合には、正味売却価額で評価する。
　　「棚卸資産の評価に関する会計基準7」

解答：×

　ファイナンス・リース取引は、リース契約上の諸条件に照らしてリース物件の所有権が借手に移転すると認められるもの（以下「所有権移転ファイナンス・リース取引」という。）と、それ以外の取引（以下「所有権移転外ファイナンス・リース取引」という。）に分類する。
　　「リース取引に関する会計基準8」

解答：○

　社債を発行した場合、その払込金額が社債金額より低いとき、当該価額をもって貸借対照表に記載する。この場合においては、その差額に相当する金額を償還期に至るまで毎期一定の方法で逐次貸借対照表の金額に加算しなければならない。
　　「金融商品に関する会計基準26」

問題 9　貸借対照表原則、企業会計原則注解　正誤問題

☐
☐ 将来の期間に影響する特定の費用は、次期以後の期間に配分するため、経過的に貸借対照表の資産の部に記載しなくてはならない。

A

問題 10　研究開発費等に係る会計基準注解　正誤問題

☐
☐ 特定の研究開発目的にのみ使用され、他の目的に使用できない機械装置を取得した場合の原価は、取得時の研究開発費として、すべてその年度の費用に計上しなければならない。

A

問題 11　企業会計原則注解　正誤問題

☐
☐
☐ 未払費用とは、一定の契約に従い、継続して役務の提供を受ける場合、すでに提供された役務に対していまだその対価の支払いが終わらないものをいう。ただし、契約上の役務提供期間が満了しているにもかかわらず、対価を支払っていないものについては、未払金として処理しなければならない。

A

問題 12　企業会計原則注解　正誤問題

☐
☐ 会社は事務所建物につき、火災保険をつける代わりに、火災が発生したときに生ずる損失に備えて、毎年保険料に相当する金額を引当金に繰り入れることも認められる。

A

問題 13　役員賞与に関する会計基準　正誤問題

☐
☐ 期末後に開催される株主総会の決定事項となる、当該事業年度の職務に係る役員賞与について、当該支給は株主総会の決議が前提となるので、費用計上せず、繰越利益剰余金から控除する。

A

問題 14　税効果会計に係る会計基準　正誤問題

☐
☐ 繰延税金資産と繰延税金負債は、支払または回収が見込まれる期の税率により計算し、同一納税主体の繰延税金資産と繰延税金負債は純額で計上しなければならない。

A

問題 15　退職給付に関する会計基準　正誤問題

☐
☐ 退職給付債務は、退職給付見込額のうち、退職時までに発生していると認められる額を割り引いて計算する。

A

問題 16　自己株式及び準備金の額の減少等に関する会計基準　正誤問題

☐
☐ 自己株式は純資産の部の株主資本の区分の末尾に自己株式として控除する形式で表示し、自己株式処分差益はその他資本剰余金に計上するが、自己株式処分差損はその他資本剰余金から減額せずに特別損失に計上する。

A

解答：×

　役員賞与は、発生した会計期間の費用として処理する。
　なお、金額が未確定の場合には、「役員賞与引当金」を設定し、金額が確定している場合には、「未払役員報酬等」を計上する。
　　「役員賞与に関する会計基準３、13」

解答：×

　将来の期間に影響する特定の費用を次期以後の期間に配分することは、任意であり、強制されない。
　　「貸借対照表原則一・Ｄ」、「企業会計原則注解【注15】」

解答：○

　繰延税金資産又は繰延税金負債の金額は、回収又は支払が行われると見込まれる期の税率に基づいて計算するものとする。
　　「税効果会計に係る会計基準　第二　二　２」

　同一納税主体の繰延税金資産と繰延税金負債は、双方を相殺して表示する。
　異なる納税主体の繰延税金資産と繰延税金負債は、双方を相殺せずに表示する。
　　「企業会計基準第 28 号「税効果会計に係る会計基準」の一部改正」

解答：○

　特定の研究開発目的にのみ使用され、他の目的に使用できない機械装置を取得した場合の原価は、取得時の研究開発費として、すべてその年度の費用に計上しなければならない。
　　「研究開発費等に係る会計基準注解【注１】」

解答：×

　退職給付債務は、退職給付見込額のうち、期末までに発生していると認められる額を割り引いて計算する。
　　「退職給付に関する会計基準16」

解答：○

　契約上の役務提供期間が満了し、すべての役務の提供を受けている場合には、単なる代金の未払いであり、未払費用ではなく、未払金として処理される。
　　「企業会計原則注解【注５】」

解答：×

　自己株式処分差損は、その他資本剰余金から減額する。
　　「自己株式及び準備金の額の減少等に関する会計基準10」

解答：×

　発生の可能性の低い偶発事象に対して引当金を設定することは認められない。
　　「企業会計原則注解【注18】」

問題 17　外貨建取引等会計処理基準　[正誤問題]　A

連結財務諸表の作成にあたり、在外子会社の外国通貨で表示されている財務諸表項目のうち、収益および費用については原則として期中平均相場による円換算額を付するが、資産、負債および純資産に属する項目については、決算時の為替相場による円換算額を付する。

問題 18　1株当たり当期純利益に関する会計基準　[正誤問題]　A

1株当たり当期純利益は、普通株式に係る当期純利益を普通株式の期中平均株式数で除して算定する。

問題 19　金融商品に関する会計基準　[正誤問題]　A

デリバティブ取引により生じる正味の債権および債務は、時価をもって貸借対照表価額とし、評価差額は、原則として、当期の純資産の部に計上し、当期の損益には影響させない。

問題 20　金融商品に関する会計基準　[正誤問題]　A

経営状態に重大な問題が生じていない債務者に対する債権を貸倒懸念債権という。また、経営破綻の状態には至っていないが、債務の弁済に重大な問題が生じているか又は生じる可能性の高い債務者に対する債権を破産更生債権等という。

問題 21　連結財務諸表に関する会計基準　[正誤問題]　A

Ａ社がＢ社の議決権の45％を取得して実質的にＢ社を支配している場合には、Ｂ社はＡ社の子会社となり、Ａ社は、連結財務諸表の作成にあたり、Ｂ社株式に対して持分法を適用しなければならない。

問題 22　連結財務諸表に関する会計基準　[正誤問題]　A

連結会社が振り出した手形を他の連結会社が銀行で割り引いたときは、連結貸借対照表上、これを借入金として記載する。

問題 23　連結財務諸表に関する会計基準　[正誤問題]　A

連結財務諸表の期末商品の価額の決定において、ダウン・ストリームの場合、それに含まれている未実現利益は、その全額を商品から控除するとともに、親会社と該当する子会社の非支配株主との持分比率に応じて、親会社の持分と該当子会社の非支配株主持分に配分する。

問題 24　連結キャッシュ・フロー計算書等の作成基準　[正誤問題]　A

連結キャッシュ・フロー計算書が対象とする資金の範囲は、現金及び現金同等物とする。現金同等物には、取得日から満期日又は償還日までの期間が3か月以内の短期投資である定期預金は含まれない。

解答：×

　子会社株式は、原則として通常の連結手続を適用し、子会社の資本の勘定と相殺消去しなければならない。
　「連結財務諸表に関する会計基準7⑵、13」

解答：×

　子会社株式を取得したときの純資産のうち資本に属する項目は、取得時の為替相場による円換算額を付し、取得後に生じた資本の項目は、発生時の為替相場による円換算額をする。
　「外貨建取引等会計処理基準三・2」

解答：○

　連結会社が振り出した手形を他の連結会社が銀行で割り引いたときは、連結貸借対照表上、これを借入金として記載する。
　「連結財務諸表に関する会計基準（注10⑵）」

解答：○

　1株当たり当期純利益は、普通株式に係る当期純利益を普通株式の期中平均株式数で除して算定する。
　「1株当たり当期純利益に関する会計基準12」

解答：×

　ダウン・ストリームの場合には、消去した未実現利益の全額を親会社が負担する。
　「連結財務諸表に関する会計基準36、38」

解答：×

　デリバティブ取引から生じた評価差額は、原則として、当期の損益として処理する。
　「金融商品に関する会計基準25」

解答：×

　現金同等物には、例えば、取得日から満期日又は償還日までの期間が3か月以内の短期投資である定期預金、譲渡性預金、コマーシャル・ペーパー、売戻し条件付現先、公社債投資信託が含まれる。
　「連結キャッシュ・フロー計算書等の作成基準第二1（注2）」

解答：×

　経営状態に重大な問題が生じていない債務者に対する債権を一般債権という。また、経営破綻の状態には至っていないが、債務の弁済に重大な問題が生じているか又は生じる可能性の高い債務者に対する債権を貸倒懸念債権という。
　「金融商品に関する会計基準27」

15　「原価回収基準」とは、（　　　　　）を充足する際に発生する費用のうち、回収することが見込まれる費用の金額で（　　　　　）する方法をいう。

77　顧客から対価を受け取る前又は対価を受け取る期限が到来する前に、財又はサービスを顧客に移転した場合は、収益を認識し、（　　　　　）又は（　　　　　　　）を貸借対照表に計上する。

17（一部抜粋）

収益を認識するために、次の(1)から(5)のステップを適用する。
(1) 顧客との契約を識別する。
(2) 契約における（　　　　）を識別する。
(3) （　　　　）を算定する。
(4) 契約における（　　　　）に（　　　　）を配分する。
(5) （　　　　）を充足した時に又は充足するにつれて収益を認識する。

5　「時価」とは、算定日において（　　　　　）間で秩序ある取引が行われると想定した場合の、当該取引における（　　　　　）によって受け取る価格又は負債の移転のために支払う価格をいう。

41　一定の期間にわたり充足される履行義務については、（　　　　　　　　　　　　）を見積り、当該（　　　）に基づき収益を一定の期間にわたり認識する。

8　貸借対照表の純資産の部における（　　　　　　　）の各項目は、（　　　　　）、（　　　　　）及び（　　　　　）に区分し、当期変動額は（　　　）で表示する。ただし、当期変動額について主な変動事由ごとにその金額を表示（注記による開示を含む。）することができる。

48　顧客により約束された対価の性質、時期及び金額は、取引価格の見積りに影響を与える。取引価格を算定する際には、次の(1)から(4)のすべての影響を考慮する。
(1) 変動対価
(2) 契約における（　　　　　　　）
(3) （　　　）以外の対価
(4) （　　　）に支払われる対価

17　（　　　　　　　　　　）は、当該変更が変更期間のみに影響する場合には、（　　　　　　　）に会計処理を行い、当該変更が将来の期間にも影響する場合には、（　　　　　）会計処理を行う。

収益認識に関する会計基準

77　顧客から対価を受け取る前又は対価を受け取る期限が到来する前に、財又はサービスを顧客に移転した場合は、収益を認識し、（**契約資産**）又は（**顧客との契約から生じた債権**）を貸借対照表に計上する。

収益認識に関する会計基準

15　「原価回収基準」とは、（**履行義務**）を充足する際に発生する費用のうち、回収することが見込まれる費用の金額で（**収益を認識**）する方法をいう。

時価の算定に関する会計基準

5　「時価」とは、算定日において（**市場参加者**）間で秩序ある取引が行われると想定した場合の、当該取引における（**資産の売却**）によって受け取る価格又は負債の移転のために支払う価格をいう。

収益認識に関する会計基準

収益を認識するために、次の⑴から⑸のステップを適用する。
⑴　顧客との契約を識別する。
⑵　契約における（**履行義務**）を識別する。
⑶　（**取引価格**）を算定する。
⑷　契約における（**履行義務**）に（**取引価格**）を配分する。
⑸　（**履行義務**）を充足した時に又は充足するにつれて収益を認識する。

株主資本等変動計算書に関する会計基準

8　貸借対照表の純資産の部における（**株主資本以外**）の各項目は、（**当期首残高**）、（**当期変動額**）及び（**当期末残高**）に区分し、当期変動額は（**純額**）で表示する。ただし、当期変動額について主な変動事由ごとにその金額を表示（注記による開示を含む。）することができる。

収益認識に関する会計基準

41　一定の期間にわたり充足される履行義務については、（**履行義務の充足に係る進捗度**）を見積り、当該（**進捗度**）に基づき収益を一定の期間にわたり認識する。

会計上の変更及び誤謬の訂正に関する会計基準

17　（**会計上の見積りの変更**）は、当該変更が変更期間のみに影響する場合には、（**当該変更期間**）に会計処理を行い、当該変更が将来の期間にも影響する場合には、（**将来にわたり**）会計処理を行う。

収益認識に関する会計基準

48　顧客により約束された対価の性質、時期及び金額は、取引価格の見積りに影響を与える。取引価格を算定する際には、次の⑴から⑷のすべての影響を考慮する。
⑴　変動対価
⑵　契約における（**重要な金融要素**）
⑶　（**現金**）以外の対価
⑷　（**顧客**）に支払われる対価

問題 9　会計上の変更及び誤謬の訂正に関する会計基準　空欄補充　B

19　（　　　　　　　）を（　　　　　　　　　　）と区別することが困難な場合については、（　　　　　　）と同様に取り扱い、遡及適用は行わない。

問題 13　金融商品に関する会計基準　空欄補充　B

20　満期保有目的の債券、子会社株式及び関連会社株式並びにその他有価証券のうち、市場価格のない株式等以外のものについて時価が（　　　　　　）したときは、（　　　　　　）があると認められる場合を除き、（　　　）をもって貸借対照表価額とし、評価差額は（　　　　　　）として処理しなければならない。

問題 10　財務会計の概念フレームワーク　空欄補充　A

第3章
9　純利益とは、（　　　　　　　　　）までに生じた純資産の変動額（報告主体の所有者である株主、子会社の（　　　　　　　）、及びオプションの所有者との直接的な取引による部分を除く。）のうち、その期間中にリスクから開放された（　　　　　　）であって、報告主体の所有者に帰属する部分をいう。

問題 14　金融商品に関する会計基準　空欄補充　B

21　市場価格のない株式等については、発行会社の財政状態の悪化により（　　　　　　）が（　　　　　　）したときは、（　　　　　　）をなし、評価差額は（　　　　　　）として処理しなければならない。

問題 11　金融商品に関する会計基準　空欄補充　A

有価証券
15　売買目的有価証券は、（　　　）をもって貸借対照表価額とし、評価差額は当期の（　　　）として処理する。
16　満期保有目的の債券は（　　　　　）をもって貸借対照表価額とする。

問題 15　金融商品に関する会計基準　空欄補充　B

25　デリバティブ取引により生じる（　　　　　　　　　）は、（　　　）をもって貸借対照表価額とし、評価差額は、原則として、（　　　　　　）として処理する。

問題 12　金融商品に関する会計基準　空欄補充　A

18　売買目的有価証券、満期保有目的の債券、子会社株式及び関連会社株式以外の有価証券（以下「（　　　　　　）」という。）は、（　　　）をもって貸借対照表価額とし、評価差額は（　　　　　　）に基づき、次のいずれかの方法により処理する。
(1)　評価差額の合計額を（　　　　　）に計上する。
(2)　時価が取得原価を上回る銘柄に係る評価差額は（　　　　　）に計上し、時価が取得原価を下回る銘柄に係る評価差額は（　　　）として処理する。
　　なお、純資産の部に計上されるその他有価証券の評価差額については、（　　　　　）を適用しなければならない。

問題 16　固定資産の減損に係る会計基準　空欄補充　A

3　減損損失の測定
　減損損失を認識すべきであると判定された資産又は資産グループについては、（　　　　）を（　　　　）まで減額し、当該減少額を減損損失として（　　　　）とする。

金融商品に関する会計基準

20　満期保有目的の債券、子会社株式及び関連会社株式並びにその他有価証券のうち、市場価格のない株式等以外のものについて時価が（**著しく下落**）したときは、（**回復する見込**）があると認められる場合を除き、（**時価**）をもって貸借対照表価額とし、評価差額は（**当期の損失**）として処理しなければならない。

会計上の変更及び誤謬の訂正に関する会計基準

19　（**会計方針の変更**）を（**会計上の見積りの変更**）と区別することが困難な場合については、（**会計上の見積りの変更**）と同様に取り扱い、遡及適用は行わない。

金融商品に関する会計基準

21　市場価格のない株式等については、発行会社の財政状態の悪化により（**実質価額**）が（**著しく低下**）したときは、（**相当の減額**）をなし、評価差額は（**当期の損失**）として処理しなければならない。

財務会計の概念フレームワーク

第3章
9　純利益とは、（**特定期間の期末**）までに生じた純資産の変動額（報告主体の所有者である株主、子会社の（**少数株主**）、及びオプションの所有者との直接的な取引による部分を除く。）のうち、その期間中にリスクから開放された（**投資の成果**）であって、報告主体の所有者に帰属する部分をいう。

金融商品に関する会計基準

25　デリバティブ取引により生じる（**正味の債権及び債務**）は、（**時価**）をもって貸借対照表価額とし、評価差額は、原則として、（**当期の損益**）として処理する。

金融商品に関する会計基準

有価証券
15　売買目的有価証券は、（**時価**）をもって貸借対照表価額とし、評価差額は当期の（**損益**）として処理する。
16　満期保有目的の債券は（**取得原価**）をもって貸借対照表価額とする。

固定資産の減損に係る会計基準

3　減損損失の測定
　　減損損失を認識すべきであると判定された資産又は資産グループについては、（**帳簿価額**）を（**回収可能価額**）まで減額し、当該減少額を減損損失として（**当期の損失**）とする。

金融商品に関する会計基準

18　売買目的有価証券、満期保有目的の債券、子会社株式及び関連会社株式以外の有価証券（以下「（**その他有価証券**）」という。）は、（**時価**）をもって貸借対照表価額とし、評価差額は（**洗い替え方式**）に基づき、次のいずれかの方法により処理する。
(1)　評価差額の合計額を（**純資産の部**）に計上する。
(2)　時価が取得原価を上回る銘柄に係る評価差額は（**純資産の部**）に計上し、時価が取得原価を下回る銘柄に係る評価差額は（**当期の損失**）として処理する。
　　なお、純資産の部に計上されるその他有価証券の評価差額については、（**税効果会計**）を適用しなければならない。

問題 17 資産除去債務に関する会計基準 【空欄補充】 A

4　資産除去債務は、有形固定資産の取得、建設、開発又は通常の使用によって（　　　　　）に（　　）として計上する。

問題 18 資産除去債務に関する会計基準 【空欄補充】 A

7　資産除去債務に対応する（　　　　　）は、資産除去債務を負債として計上した時に、当該負債の計上額と同額を、関連する有形固定資産の（　　　　　）に加える。
　資産計上された資産除去債務に対応する（　　　　　）は、（　　　　　）を通じて、当該有形固定資産の（　　　　　）にわたり、各期に（　　　　　）する。

問題 19 資産除去債務に関する会計基準 【空欄補充】 A

割引前将来キャッシュ・フローの見積りの変更による調整額に適用する割引率
11　割引前の将来キャッシュ・フローに重要な見積りの変更が生じ、当該キャッシュ・フローが増加する場合、（　　　　　）の割引率を適用する。これに対し、当該キャッシュ・フローが減少する場合には、（　　　　　）の割引率を適用する。なお、過去に割引前の将来キャッシュ・フローの見積りが増加した場合で、減少部分に適用すべき割引率を特定できないときは、（　　　　　）した割引率を適用する。

問題 20 リース取引に関する会計基準 【空欄補充】 A

5　「（　　　　　　　　　　）」とは、リース契約に基づくリース期間の中途において当該契約を（　　　　　　　　　　）又はこれに準ずるリース取引で、借手が、当該契約に基づき使用する物件（以下「リース物件」という。）からもたらされる（　　　　　）を（　　　　　）することができ、かつ、当該リース物件の使用に伴って生じる（　　　）を（　　　　　）することとなるリース取引をいう。

問題 21 リース取引に関する会計基準 【空欄補充】 A

10　借手は、リース取引開始日に、通常の（　　　　　　　　　　）に準じた会計処理により、リース物件とこれに係る債務を（　　　　　）及び（　　　　　）として計上する。

問題 22 リース取引に関する会計基準 【空欄補充】 A

12　所有権移転ファイナンス・リース取引に係るリース資産の減価償却費は、自己所有の固定資産に適用する減価償却方法と（　　　　　）により算定する。また、所有権移転外ファイナンス・リース取引に係るリース資産の減価償却費は、原則として、（　　　　　）を耐用年数とし、残存価額を（　　　）として算定する。

問題 23 研究開発費等に係る会計基準 【空欄補充】 A

四4　ソフトウェアの計上区分
　市場販売目的のソフトウェア及び自社利用のソフトウェアを（　　　）として計上する場合には、（　　　　　　　）の区分に計上しなければならない。
　ただし、制作途中のソフトウェアの制作費については、無形固定資産の（　　　）として計上することとする。

問題 24 研究開発費等に係る会計基準 【空欄補充】 A

四5　ソフトウェアの減価償却方法
　無形固定資産として計上したソフトウェアの取得原価は、当該ソフトウェアの性格に応じて、（　　　　　　　）に基づく償却方法その他合理的な方法により償却しなければならない。
　ただし、毎期の償却額は、（　　　　　）に基づく（　　　　　）を下回ってはならない。

リース取引に関する会計基準

10　借手は、リース取引開始日に、通常の（**売買取引に係る方法**）に準じた会計処理により、リース物件とこれに係る債務を（**リース資産**）及び（**リース債務**）として計上する。

資産除去債務に関する会計基準

4　資産除去債務は、有形固定資産の取得、建設、開発又は通常の使用によって（**発生した時**）に（**負債**）として計上する。

リース取引に関する会計基準

12　所有権移転ファイナンス・リース取引に係るリース資産の減価償却費は、自己所有の固定資産に適用する減価償却方法と（**同一の方法**）により算定する。また、所有権移転外ファイナンス・リース取引に係るリース資産の減価償却費は、原則として、（**リース期間**）を耐用年数とし、残存価額を（**ゼロ**）として算定する。

資産除去債務に関する会計基準

7　資産除去債務に対応する（**除去費用**）は、資産除去債務を負債として計上した時に、当該負債の計上額と同額を、関連する有形固定資産の（**帳簿価額**）に加える。
　　資産計上された資産除去債務に対応する（**除去費用**）は、（**減価償却**）を通じて、当該有形固定資産の（**残存耐用年数**）にわたり、各期に（**費用配分**）する。

研究開発費等に係る会計基準

四4　ソフトウェアの計上区分
　　市場販売目的のソフトウェア及び自社利用のソフトウェアを（**資産**）として計上する場合には、（**無形固定資産**）の区分に計上しなければならない。
　　ただし、制作途中のソフトウェアの制作費については、無形固定資産の（**仮勘定**）として計上することとする。

資産除去債務に関する会計基準

割引前将来キャッシュ・フローの見積りの変更による調整額に適用する割引率
11　割引前の将来キャッシュ・フローに重要な見積りの変更が生じ、当該キャッシュ・フローが増加する場合、（**その時点**）の割引率を適用する。これに対し、当該キャッシュ・フローが減少する場合には、（**負債計上時**）の割引率を適用する。なお、過去に割引前の将来キャッシュ・フローの見積りが増加した場合で、減少部分に適用すべき割引率を特定できないときは、（**加重平均**）した割引率を適用する。

研究開発費等に係る会計基準

四5　ソフトウェアの減価償却方法
　　無形固定資産として計上したソフトウェアの取得原価は、当該ソフトウェアの性格に応じて、（**見込販売数量**）に基づく償却方法その他合理的な方法により償却しなければならない。
　　ただし、毎期の償却額は、（**残存有効期間**）に基づく（**均等配分額**）を下回ってはならない。

リース取引に関する会計基準

5　「（**ファイナンス・リース取引**）」とは、リース契約に基づくリース期間の中途において当該契約を（**解除することができないリース取引**）又はこれに準ずるリース取引で、借手が、当該契約に基づき使用する物件（以下「リース物件」という。）からもたらされる（**経済的利益**）を（**実質的に享受**）することができ、かつ、当該リース物件の使用に伴って生じる（**コスト**）を（**実質的に負担**）することとなるリース取引をいう。

問題 25　退職給付に関する会計基準　空欄補充　A

13　退職給付債務から（　　　　）の額を控除した額を（
　）として計上する。
　　ただし、年金資産の額が退職給付債務を超える場合には、
（　）として計上する。

問題 29　自己株式及び準備金の額の減少等に関する会計基準　空欄補充

12　その他資本剰余金の残高が負の値となった場合には、会
計期間末において、その他資本剰余金を零とし、当該負の
値をその他利益剰余金（（　　　　　　　　））から減額する。

問題 26　退職給付に関する会計基準　空欄補充　A

退職給付見込額の期間帰属
19　退職給付見込額のうち（　　）までに発生したと認めら
れる額は、期間定額基準と給付算定式基準を選択適用して
計算する。この場合、いったん採用した方法は、原則とし
て、（　　　　　）適用しなければならない。

問題 30　自己株式及び準備金の額の減少等に関する会計基準　空欄補充　A

14　自己株式の取得、処分及び消却に関する（　　　　）は、
損益計算書の（　　　　　）に計上する。

問題 27　退職給付に関する会計基準　空欄補充　A

年金資産
22　年金資産の額は、期末における（　　）により計算する。
23　期待運用収益は、（　　）の年金資産の額に（　　）期
待運用収益率を乗じて計算する。

問題 31　税効果会計に係る会計基準　空欄補充　A

第二　税効果会計に係る会計基準
二　繰延税金資産及び繰延税金負債等の計上方法
1　一時差異等に係る税金の額は、将来の会計期間において
回収又は支払が見込まれない税金の額を除き、（
　　）又は（　　　　　　　）として計上しなければならな
い。（　　　　　　　）については、将来の回収の見込みに
ついて毎期見直しを行わなければならない。

問題 28　退職給付に関する会計基準　空欄補充　A

28　退職給付費用については、原則として（　　　　）又は
（　　　　　　　　　　　）に計上する。
　　ただし、新たに退職給付制度を採用したとき又は給付水
準の重要な改訂を行ったときに発生する（　　　　　　）
を発生時に全額費用処理する場合などにおいて、その金額
が重要であると認められるときには、当該金額を（
　）として計上することができる。

問題 32　税効果会計に係る会計基準　空欄補充　A

第二　税効果会計に係る会計基準
二　繰延税金資産及び繰延税金負債等の計上方法
2　繰延税金資産又は繰延税金負債の金額は、（　　）又は
（　　）が行われると見込まれる期の（　　）に基づいて
計算するものとする。

自己株式及び準備金の額の減少等に関する会計基準

12　その他資本剰余金の残高が負の値となった場合には、会計期間末において、その他資本剰余金を零とし、当該負の値をその他利益剰余金（**繰越利益剰余金**）から減額する。

退職給付に関する会計基準

13　退職給付債務から（**年金資産**）の額を控除した額を（**負債**）として計上する。
　　ただし、年金資産の額が退職給付債務を超える場合には、（**資産**）として計上する。

自己株式及び準備金の額の減少等に関する会計基準

14　自己株式の取得、処分及び消却に関する（**付随費用**）は、損益計算書の（**営業外費用**）に計上する。

退職給付に関する会計基準

退職給付見込額の期間帰属
19　退職給付見込額のうち（**期末**）までに発生したと認められる額は、期間定額基準と給付算定式基準を選択適用して計算する。この場合、いったん採用した方法は、原則として、（**継続して**）適用しなければならない。

税効果会計に係る会計基準

第二　税効果会計に係る会計基準
二　繰延税金資産及び繰延税金負債等の計上方法
1　一時差異等に係る税金の額は、将来の会計期間において回収又は支払が見込まれない税金の額を除き、（**繰延税金資産**）又は（**繰延税金負債**）として計上しなければならない。（**繰延税金資産**）については、将来の回収の見込みについて毎期見直しを行わなければならない。

退職給付に関する会計基準

年金資産
22　年金資産の額は、期末における（**時価**）により計算する。
23　期待運用収益は、（**期首**）の年金資産の額に（**長期**）期待運用収益率を乗じて計算する。

税効果会計に係る会計基準

第二　税効果会計に係る会計基準
二　繰延税金資産及び繰延税金負債等の計上方法
2　繰延税金資産又は繰延税金負債の金額は、（**回収**）又は（**支払**）が行われると見込まれる期の（**税率**）に基づいて計算するものとする。

退職給付に関する会計基準

28　退職給付費用については、原則として（**売上原価**）又は（**販売費及び一般管理費**）に計上する。
　　ただし、新たに退職給付制度を採用したとき又は給付水準の重要な改訂を行ったときに発生する（**過去勤務費用**）を発生時に全額費用処理する場合などにおいて、その金額が重要であると認められるときには、当該金額を（**特別損益**）として計上することができる。

問題 33　1株当たり当期純利益に関する会計基準　空欄補充　B

希薄化効果

20　潜在株式調整後1株当たり当期純利益が、1株当たり当期純利益を（　　　）場合に、当該潜在株式は（　　　）を有するものとする。

問題 34　外貨建取引等会計処理基準　空欄補充　A

二　在外支店の財務諸表項目の換算

在外支店における外貨建取引については、原則として、（　　　）に処理する。ただし、外国通貨で表示されている在外支店の財務諸表に基づき本支店合併財務諸表を作成する場合には、在外支店の財務諸表について次の方法によることができる。

1　収益及び費用の換算の特例

収益及び費用（収益性負債の収益化額及び費用性資産の費用化額を除く。）の換算については、（　　　）によることができる。

問題 35　外貨建取引等会計処理基準　空欄補充　B

三　在外子会社等の財務諸表項目の換算

3　収益及び費用

収益及び費用については、原則として（　　　）による円換算額を付する。ただし、（　　　）による円換算額を付することを妨げない。なお、親会社との取引による収益及び費用の換算については、（　　　）による。この場合に生じる差額は（　　　）として処理する。

問題 36　会計上の変更及び誤謬の訂正に関する会計基準　空欄補充　A

4(4)　「会計上の変更」とは、（　　　）、（　　　）及び（　　　）をいう。過去の財務諸表における誤謬の訂正は、会計上の変更には該当しない。

問題 37　会計上の変更及び誤謬の訂正に関する会計基準　空欄補充　A・B

4(5)　「会計方針の変更」とは、従来採用していた（　　　）と認められた会計方針から他の（　　　）と認められた会計方針に変更することをいう。

問題 38　企業結合に関する会計基準　空欄補充　A

28　（　　　）は、（　　　）から受け入れた資産及び引き受けた負債のうち企業結合日時点において（　　　）なものの企業結合日時点の（　　　）を基礎として、当該資産及び負債に対して企業結合日以後1年以内に（　　　）する。

問題 39　事業分離等に関する会計基準　空欄補充　B

17　事業分離前に分離元企業は分離先企業の株式を有していないが、事業分離により分離先企業が新たに分離元企業の子会社となる場合、分離元企業（親会社）は次の処理を行う。

(1)　個別財務諸表上、（　　　）は認識せず、当該分離元企業が受け取った分離先企業の株式（子会社株式）の（　　　）は、移転した事業に係る（　　　）に基づいて算定する。

問題 40　連結財務諸表に関する会計基準　空欄補充　A

子会社株式の追加取得及び一部売却等

28　子会社株式を追加取得した場合には、追加取得した株式に対応する持分を非支配株主持分から（　　　）し、追加取得により増加した親会社の持分（以下「追加取得持分」という。）を追加投資額と（　　　）する。追加取得持分と追加投資額との間に生じた差額は、（　　　）とする。

会計上の変更及び誤謬の訂正に関する会計基準

4(5) 「会計方針の変更」とは、従来採用していた**（一般に公正妥当）**と認められた会計方針から他の**（一般に公正妥当）**と認められた会計方針に変更することをいう。

1株当たり当期純利益に関する会計基準

希薄化効果
20 潜在株式調整後1株当たり当期純利益が、1株当たり当期純利益を**（下回る）**場合に、当該潜在株式は**（希薄化効果）**を有するものとする。

企業結合に関する会計基準

28 **（取得原価）**は、**（被取得企業）**から受け入れた資産及び引き受けた負債のうち企業結合日時点において**（識別可能）**なものの企業結合日時点の**（時価）**を基礎として、当該資産及び負債に対して企業結合日以後1年以内に**（配分）**する。

外貨建取引等会計処理基準

二 在外支店の財務諸表項目の換算
　在外支店における外貨建取引については、原則として、**（本店と同様）**に処理する。ただし、外国通貨で表示されている在外支店の財務諸表に基づき本支店合併財務諸表を作成する場合には、在外支店の財務諸表について次の方法によることができる。
1 収益及び費用の換算の特例
　収益及び費用（収益性負債の収益化額及び費用性資産の費用化額を除く。）の換算については、**（期中平均相場）**によることができる。

事業分離等に関する会計基準

17 事業分離前に分離元企業は分離先企業の株式を有していないが、事業分離により分離先企業が新たに分離元企業の子会社となる場合、分離元企業（親会社）は次の処理を行う。
(1) 個別財務諸表上、**（移転損益）**は認識せず、当該分離元企業が受け取った分離先企業の株式（子会社株式）の**（取得原価）**は、移転した事業に係る**（株主資本相当額）**に基づいて算定する。

外貨建取引等会計処理基準

三 在外子会社等の財務諸表項目の換算
3 収益及び費用
　収益及び費用については、原則として**（期中平均相場）**による円換算額を付する。ただし、**（決算時の為替相場）**による円換算額を付することを妨げない。なお、親会社との取引による収益及び費用の換算については、**（親会社が換算に用いる為替相場）**による。この場合に生じる差額は**（当期の為替差損益）**として処理する。

連結財務諸表に関する会計基準

子会社株式の追加取得及び一部売却等
28 子会社株式を追加取得した場合には、追加取得した株式に対応する持分を非支配株主持分から**（減額）**し、追加取得により増加した親会社の持分（以下「追加取得持分」という。）を追加投資額と**（相殺消去）**する。追加取得持分と追加投資額との間に生じた差額は、**（資本剰余金）**とする。

会計上の変更及び誤謬の訂正に関する会計基準

4(4) 「会計上の変更」とは、**（会計方針の変更）**、**（表示方法の変更）**及び**（会計上の見積りの変更）**をいう。過去の財務諸表における誤謬の訂正は、会計上の変更には該当しない。

問題 41　連結財務諸表に関する会計基準

未実現損益の消去
36　連結会社相互間の取引によって取得した棚卸資産、固定資産その他の資産に含まれる未実現損益は、その（　　　）を消去する。
37　未実現損益の金額に（　　　　　　）場合には、これを消去しないことができる。

問題 1　一　原価計算の目的（その1）

　原価計算には、各種の異なる目的が与えられるが、主たる目的は、次のとおりである。
㈠　企業の出資者、債権者、経営者等のために、過去の一定期間における損益ならびに期末における財政状態を（　　　　）に表示するために必要な（　　）の原価を集計すること。
㈡　（　　　　）に必要な原価資料を提供すること。
㈢　（　　　　　）の各階層に対して、（　　　　）に必要な原価資料を提供すること。ここに（　　　）とは、原価の（　　）を設定してこれを指示し、原価の実際の発生額を計算記録し、これを（　　　）と比較して、その差異の原因を分析し、これに関する資料を（　　　　）に報告し、（　　　　）を増進する措置を講ずることをいう。

問題 42　包括利益の表示に関する会計基準

4　「（　　　　）」とは、ある企業の特定期間の財務諸表において認識された（　　　　　　）のうち、当該企業の純資産に対する持分所有者との直接的な取引によらない部分をいう。当該企業の純資産に対する持分所有者には、当該企業の株主のほか当該企業の発行する新株予約権の所有者が含まれ、連結財務諸表においては、当該企業の子会社の非支配株主も含まれる。

問題 2　一　原価計算の目的（その2）

㈣　（　　　）の編成ならびに（　　　　）のために必要な原価資料を提供すること。ここに（　　）とは、予算期間における企業の各業務分野の具体的な計画を（　　　）に表示し、これを総合編成したものをいい、予算期間における企業の（　　　　）を指示し、各業務分野の諸活動を（　　）し、企業全般にわたる総合的管理の要具となるものである。
　予算は、（　　　）に関する総合的な（　　　）であるが、予算編成の過程は、たとえば製品組合せの決定、部品を自製するか外注するかの決定等個々の（　　　　）に関する意思決定を含むことは、いうまでもない。

問題 43　持分法に関する会計基準

11　投資会社の投資日における投資とこれに対応する被投資会社の資本との間に差額がある場合には、当該差額は（　　　）又は（　　　　）とし、（　　　）は投資に含めて処理する。

問題 3　一　原価計算の目的（その3）

㈤　経営の（　　　　）を設定するに当たり、これに必要な原価情報を提供すること。ここに（　　　）とは、経済の動態的変化に適応して、経営の（　　　）たる製品、経営立地、生産設備等（　　）構造に関する基本的事項について、経営意思を決定し、経営構造を合理的に組成することをいい、（　　）に行なわれる決定である。

問題 44　連結キャッシュ・フロー計算書作成基準

二　表示区分
3　利息及び配当金に係るキャッシュ・フローは、次のいずれかの方法により記載する。
①　（　　　　）、（　　　　）及び（　　　　）は「（　　　　　　　　　　　）」の区分に記載し、（　　　）は「（　　　　　　　　　　　）」の区分に記載する方法
②　（　　　）及び（　　　　）は「（　　　　　　　　　）」の区分に記載し、（　　　）及び（　　　　）は「（　　　　　　　　　）」の区分に記載する方法

問題 4　二　原価計算制度（その1）

　この基準において原価計算とは、制度としての原価計算をいう。原価計算制度は、財務諸表の作成、（　　　）、予算統制等の異なる目的が、重点の相違はあるが相ともに達成されるべき一定の（　　　）である。かかるものとしての原価計算制度は、財務会計機構のらち外において（　　　）に行なわれる原価の統計的、技術的計算ないし調査ではなくて、財務会計機構と有機的に結びつき（　　　　）に行なわれる計算体系である。原価計算制度は、この意味で（　　　）にほかならない。

一　原価計算の目的（その１）

　原価計算には、各種の異なる目的が与えられるが、主たる目的は、次のとおりである。

㈠　企業の出資者、債権者、経営者等のために、過去の一定期間における損益ならびに期末における財政状態を（**財務諸表**）に表示するために必要な（**真実**）の原価を集計すること。

㈡　（**価格計算**）に必要な原価資料を提供すること。

㈢　（**経営管理者**）の各階層に対して、（**原価管理**）に必要な原価資料を提供すること。ここに（**原価管理**）とは、原価の（**標準**）を設定してこれを指示し、原価の実際の発生額を計算記録し、これを（**標準**）と比較して、その差異の原因を分析し、これに関する資料を（**経営管理者**）に報告し、（**原価能率**）を増進する措置を講ずることをいう。

一　原価計算の目的（その２）

㈣　（**予算**）の編成ならびに（**予算統制**）のために必要な原価資料を提供すること。ここに（**予算**）とは、予算期間における企業の各業務分野の具体的な計画を（**貨幣的**）に表示し、これを総合編成したものをいい、予算期間における企業の（**利益目標**）を指示し、各業務分野の諸活動を（**調整**）し、企業全般にわたる総合的管理の要具となるものである。

　予算は、（**業務執行**）に関する総合的な（**期間計画**）であるが、予算編成の過程は、たとえば製品組合せの決定、部品を自製するか外注するかの決定等個々の（**選択的事項**）に関する意思決定を含むことは、いうまでもない。

一　原価計算の目的（その３）

㈤　経営の（**基本計画**）を設定するに当たり、これに必要な原価情報を提供すること。ここに（**基本計画**）とは、経済の動態的変化に適応して、経営の（**給付目的**）たる製品、経営立地、生産設備等（**経営**）構造に関する基本的事項について、経営意思を決定し、経営構造を合理的に組成することをいい、（**随時的**）に行なわれる決定である。

二　原価計算制度（その１）

　この基準において原価計算とは、制度としての原価計算をいう。原価計算制度は、財務諸表の作成、（**原価管理**）、予算統制等の異なる目的が、重点の相違はあるが相ともに達成されるべき一定の（**計算秩序**）である。かかるものとしての原価計算制度は、財務会計機構のらち外において（**随時断片的**）に行なわれる原価の統計的、技術的計算ないし調査ではなくて、財務会計機構と有機的に結びつき（**常時継続的**）に行なわれる計算体系である。原価計算制度は、この意味で（**原価会計**）にほかならない。

連結財務諸表に関する会計基準

未実現損益の消去

36　連結会社相互間の取引によって取得した棚卸資産、固定資産その他の資産に含まれる未実現損益は、その（**全額**）を消去する。

37　未実現損益の金額に（**重要性が乏しい**）場合には、これを消去しないことができる。

包括利益の表示に関する会計基準

4　「（**包括利益**）」とは、ある企業の特定期間の財務諸表において認識された（**純資産の変動額**）のうち、当該企業の純資産に対する持分所有者との直接的な取引によらない部分をいう。当該企業の純資産に対する持分所有者には、当該企業の株主のほか当該企業の発行する新株予約権の所有者が含まれ、連結財務諸表においては、当該企業の子会社の非支配株主も含まれる。

持分法に関する会計基準

11　投資会社の投資日における投資とこれに対応する被投資会社の資本との間に差額がある場合には、当該差額は（**のれん**）又は（**負ののれん**）とし、（**のれん**）は投資に含めて処理する。

連結キャッシュ・フロー計算書作成基準

二　表示区分

3　利息及び配当金に係るキャッシュ・フローは、次のいずれかの方法により記載する。

①　（**受取利息**）、（**受取配当金**）及び（**支払利息**）は「（**営業活動によるキャッシュ・フロー**）」の区分に記載し、（**支払配当金**）は「（**財務活動によるキャッシュ・フロー**）」の区分に記載する方法

②　（**受取利息**）及び（**受取配当金**）は「（**投資活動によるキャッシュ・フロー**）」の区分に記載し、（**支払利息**）及び（**支払配当金**）は「（**財務活動によるキャッシュ・フロー**）」の区分に記載する方法

問題 5 ▷ 三 原価の本質（その1） 空欄補充 A

原価計算制度において、原価とは、経営における一定の（　　　）にかかわらせて、は握された財貨又は用役（以下これを「財貨」という。）の消費を、（　　　　）に表したものである。

（一） 原価は、（　　　　）の消費である。経営の活動は、一定の（　　）を生産し販売することを目的とし、一定の（　　）を作り出すために、必要な財貨すなわち（　　　）を消費する過程である。

（二） 原価は、経営において作り出された一定の給付に（　　）される価値であり、その給付にかかわらせて、は握されたものである。ここに給付とは、経営が作り出す（　　）をいい、それは経営の最終給付のみでなく、（　　）給付をも意味する。

問題 6 ▷ 三 原価の本質（その2） 空欄補充 A

（三） 原価は、（　　　）に関連したものである。経営の目的は、一定の財貨を生産し販売することにあり、経営過程は、このための価値の（　　　　）の過程である。原価は、かかる財貨の生産、販売に関して消費された経済価値であり、（　　　　）に関連しない価値の消費を含まない。（　　　　）は、財貨の生成および消費の過程たる経営過程以外の、（　　）の調達、返還、利益処分等の活動であり、したがってこれに関する費用たるいわゆる（　　　　）は、原則として原価を構成しない。

（四） 原価は、（　　　）なものである。原価は、正常な状態のもとにおける経営活動を前提として、は握された価値の消費であり、（　　）な状態を原因とする価値の減少を含まない。

問題 7 ▷ 四 原価の諸概念（その1） 空欄補充 A

（一） 実際原価と標準原価

1 実際原価とは、財貨の（　　　　　）をもって計算した原価をいう。実際原価は、厳密には実際の（　　　　）をもって計算した原価の実際発生額であるが、原価を（　　　　　）をもって計算しても、消費量を実際によって計算する限り、それは実際原価の計算である。

2 標準原価とは、財貨の（　　）を科学的、統計的調査に基づいて（　　　　　）となるように予定し、かつ、予定価格又は（　　）価格をもって計算した原価をいう。この場合、能率の尺度としての標準とは、その標準が適用される期間において達成されるべき原価の（　　）を意味する。

問題 8 ▷ 四 原価の諸概念（その2） 空欄補充 A

（二） 製品原価と期間原価

原価は、財務諸表上（　　）との対応関係に基づいて、製品原価と（　　　　）とに区別される。製品原価とは、一定単位の製品に集計された原価をいい、（　　　　）とは、一定期間における発生額を、当期の（　　　）に直接対応させて、は握した原価をいう。製品原価と期間原価との範囲の区別は相対的であるが、通常、売上品およびたな卸資産の価額を構成する（　　）の製造原価を製品原価とし、（　　　　　）は、これを期間原価とする。

問題 9 ▷ 五 非原価項目 空欄補充 A

非原価項目とは、（　　　　　　）において、原価に算入しない項目をいい、おおむね次のような項目である。

（一） （　　　　　）に関連しない価値の減少
（二） （　　　　）な状態を原因とする価値の減少
（三） 税法上とくに認められている（　　　　）項目
（四） その他の（　　　　）に課する項目

問題 10 ▷ 六 原価計算の一般的基準（その1） 空欄補充 A

原価の数値は、財務会計の原始記録、信頼しうる統計資料等によって、その（　　　　　）が確保されるものでなければならない。このため原価計算は、原則として（　　　　）を計算する。この場合、実際原価を計算することは、必ずしも原価を取得価格をもって計算することを意味しないで、（　　　　　）をもって計算することもできる。また必要ある場合には、製品原価を（　　　）をもって計算し、これを（　　　）に提供することもできる。

問題 11 ▷ 六 原価計算の一般的基準（その2） 空欄補充 A

（二） 原価管理に役立つために、

7 原価計算は、（　　　　）の設定、指示から原価の報告に至るまでのすべての計算過程を通じて、原価の（　　）を測定表示することに重点をおく。

8 原価の標準は、原価発生の（　　）を明らかにし、（　　　　）を判定する尺度として、これを設定する。原価の標準は、過去の（　　　　）をもってすることができるが、理想的には、（　　　　）として設定する。

問題 12 ▷ 六 原価計算の一般的基準（その3） 空欄補充 A

（三） 予算とくに（　　　　）の編成ならびに（　　　）に役立つために、

12 原価計算は、予算期間において期待されうる条件に基づく予定原価または（　　　　）を計算し、予算とくに（　　　）の編成に資料を提供するとともに、予算と対照比較しうるように原価の（　　　）を計算し、もって（　　　）に資料を提供する。

七 実際原価の計算手続

実際原価の計算においては、製造原価は、原則として、その実際発生額を、まず（　　）別に計算し、次いで（　　　）別に計算し、最後に（　　）別に集計する。販売費および一般管理費は、原則として、（　　　　）における実際発生額を、（　　）別に計算する。

五　非原価項目

　非原価項目とは、（**原価計算制度**）において、原価に算入しない項目をいい、おおむね次のような項目である。
- (一) （**経営目的**）に関連しない価値の減少
- (二) （**異常**）な状態を原因とする価値の減少
- (三) 税法上とくに認められている（**損金算入**）項目
- (四) その他の（**利益剰余金**）に課する項目

三　原価の本質（その１）

　原価計算制度において、原価とは、経営における一定の（**給付**）にかかわらせて、は握された財貨又は用役（以下これを「財貨」という。）の消費を、（**貨幣価値的**）に表したものである。
- (一) 原価は、（**経済価値**）の消費である。経営の活動は、一定の（**財貨**）を生産し販売することを目的とし、一定の（**財貨**）を作り出すために、必要な財貨すなわち（**経済価値**）を消費する過程である。
- (二) 原価は、経営において作り出された一定の給付に（**転嫁**）される価値であり、その給付にかかわらせて、は握されたものである。ここに給付とは、経営が作り出す（**財貨**）をいい、それは経営の最終給付のみでなく、（**中間的**）給付をも意味する。

六　原価計算の一般的基準（その１）

　原価の数値は、財務会計の原始記録、信頼しうる統計資料等によって、その（**信ぴょう性**）が確保されるものでなければならない。このため原価計算は、原則として（**実際原価**）を計算する。この場合、実際原価を計算することは、必ずしも原価を取得価格をもって計算することを意味しないで、（**予定価格等**）をもって計算することもできる。また必要ある場合には、製品原価を（**標準原価**）をもって計算し、これを（**財務諸表**）に提供することもできる。

三　原価の本質（その２）

- (三) 原価は、（**経営目的**）に関連したものである。経営の目的は、一定の財貨を生産し販売することにあり、経営過程は、このための価値の（**消費と生成**）の過程である。原価は、かかる財貨の生産、販売に関して消費された経済価値であり、（**経営目的**）に関連しない価値の消費を含まない。（**財務活動**）は、財貨の生成および消費の過程たる経営過程以外の、（**資本**）の調達、返還、利益処分等の活動であり、したがってこれに関する費用たるいわゆる（**財務費用**）は、原則として原価を構成しない。
- (四) 原価は、（**正常的**）なものである。原価は、正常な状態のもとにおける経営活動を前提として、は握された価値の消費であり、（**異常**）な状態を原因とする価値の減少を含まない。

六　原価計算の一般的基準（その２）

- (二) 原価管理に役立つために、
- 7　原価計算は、（**原価の標準**）の設定、指示から原価の報告に至るまでのすべての計算過程を通じて、原価の（**物量**）を測定表示することに重点をおく。
- 8　原価の標準は、原価発生の（**責任**）を明らかにし、（**原価能率**）を判定する尺度として、これを設定する。原価の標準は、過去の（**実際原価**）をもってすることができるが、理想的には、（**標準原価**）として設定する。

四　原価の諸概念（その１）

- (一) 実際原価と標準原価
- 1　実際原価とは、財貨の（**実際消費量**）をもって計算した原価をいう。実際原価は、厳密には実際の（**取得価格**）をもって計算した原価の実際発生額であるが、原価を（**予定価格等**）をもって計算しても、消費量を実際によって計算する限り、それは実際原価の計算である。
- 2　標準原価とは、財貨の（**消費量**）を科学的、統計的調査に基づいて（**能率の尺度**）となるように予定し、かつ、予定価格又は（**正常**）価格をもって計算した原価をいう。この場合、能率の尺度としての標準とは、その標準が適用される期間において達成されるべき原価の（**目標**）を意味する。

六　原価計算の一般的基準（その３）

- (三) 予算とくに（**費用予算**）の編成ならびに（**予算統制**）に役立つために、
- 12　原価計算は、予算期間において期待されうる条件に基づく予定原価または（**標準原価**）を計算し、予算とくに（**費用予算**）の編成に資料を提供するとともに、予算と対照比較しうるように原価の（**実績**）を計算し、もって（**予算統制**）に資料を提供する。

七　実際原価の計算手続

　実際原価の計算においては、製造原価は、原則として、その実際発生額を、まず（**費目**）別に計算し、次いで（**原価部門**）別に計算し、最後に（**製品**）別に集計する。販売費および一般管理費は、原則として、（**一定期間**）における実際発生額を、（**費目**）別に計算する。

四　原価の諸概念（その２）

- (二) 製品原価と期間原価
- 　原価は、財務諸表上（**収益**）との対応関係に基づいて、製品原価と（**期間原価**）とに区別される。製品原価とは、一定単位の製品に集計された原価をいい、（**期間原価**）とは、一定期間における発生額を、当期の（**収益**）に直接対応させて、は握した原価をいう。製品原価と期間原価との範囲の区別は相対的であるが、通常、売上品およびたな卸資産の価額を構成する（**全部**）の製造原価を製品原価とし、（**販売費および一般管理費**）は、これを期間原価とする。

問題 13 八 製造原価要素の分類基準（その1）〔空欄補充〕 A

㈠ 形態別分類

原価要素の形態別分類は、（　　　）における（　　　）の発生を基礎とする分類であるから、原価計算は、財務会計から原価に関するこの（　　　）による基礎資料を受け取り、これに基づいて原価を計算する。

㈢ 製品との関連における分類

製品との関連における分類とは、製品に対する原価発生の態様、すなわち原価の発生が（　　　　　）の生成に関して（　　　）に認識されるかどうかの性質上の区別による分類であり、原価要素は、この分類基準によってこれを（　　　）と（　　　）とに分類する。

問題 14 八 製造原価要素の分類基準（その2）〔空欄補充〕 A

㈣ 操業度との関連における分類

操業度との関連における分類とは、操業度の（　　）に対する原価発生の態様による分類であり、原価要素は、この分類基準によってこれを（　　　）と（　　　）とに分類する。ここに操業度とは、生産設備を一定とした場合におけるその（　　　）をいう。

㈤ 原価の管理可能性に基づく分類

原価の管理可能性に基づく分類とは、原価の発生が一定の（　　　　）によって管理しうるかどうかによる分類であり、原価要素は、この分類基準によってこれを（　　　）と（　　　　）とに分類する。下級管理者層にとって（　　　）であるものも、上級管理者層にとっては（　　　　）となることがある。

問題 15 二二 等級別総合原価計算〔空欄補充〕 A

等級別総合原価計算は、（　　　）において、（　　　）を連続生産するが、その製品を形状、大きさ、品位等によって（　　）に区別する場合に適用する。

等級別総合原価計算にあっては、各等級製品について適当な（　　　）を定め、一期間における完成品の総合原価又は一期間の（　　　）を等価係数に基づき各等級製品にあん分してその製品原価を計算する。

問題 16 二七 仕損および減損の処理〔空欄補充〕 B

総合原価計算においては、仕損の費用は、原則として、特別に（　　　）の費目を設けることをしないで、これをその期の（　　　）と（　　　　　）とに負担させる。

二八 副産物等の処理と評価

総合原価計算において、副産物が生ずる場合には、（　　　）を算定して、これを（　　　）の（　　　　）から控除する。副産物とは、主産物の製造過程から（　　　）する物品をいう。

問題 17 二九 連産品の計算〔空欄補充〕 A

連産品とは、同一工程において（　　　　）から生産される異種の製品であって、相互に（　　　）を明確に区別できないものをいう。連産品の価額は、連産品の（　　　）等を基準として定めた（　　　　）に基づき、一期間の（　　　　）を連産品にあん分して計算する。この場合、連産品で、加工の上（　　　）できるものは、加工製品の（　　　　　）から（　　　）の見積額を控除した額をもって、その（　　　　）とみなし、（　　　　）算定の基礎とする。ただし、必要ある場合には、連産品の一種又は数種の価額を（　　　）に準じて計算し、これを一期間の（　　　　）から控除した額をもって、他の連産品の価額とすることができる。

問題 18 三五 仕損費の計算および処理〔空欄補充〕 A

個別原価計算において、仕損が発生する場合には、原則として次の手続により仕損費を計算する。

㈠ 仕損が補修によって回復でき、補修のために（　　　　　）を発行する場合には、（　　　　　）に集計された製造原価を仕損費とする。

㈢ 仕損が補修によって回復できず、（　　　）を製作するために新たに製造指図書を発行する場合において、

1 旧製造指図書の（　　　）が仕損となったときは、（　　　　）に集計された製造原価を仕損費とする。

2 旧製造指図書の（　　　）が仕損となったときは、（　　　　　）に集計された製造原価を仕損費とする。

仕損品が（　　　　）又は（　　　　）を有する場合には、その（　　　）を控除した額を仕損費とする。

問題 19 三七 販売費および一般管理費要素の分類基準〔空欄補充〕 A

㈢ 直接費と間接費

販売費および一般管理費の要素は、販売品種等の区別に関連して、これを（　　　）と（　　　）とに分類する。

三八 販売費および一般管理費の計算

販売費および一般管理費は、原則として、（　　　　　）を基礎とし、これを（　　　）と（　　　）とに大別し、さらに必要に応じ（　　　　）を加味して分類し、一定期間の発生額を計算する。その計算は、製造原価の（　　　　）に準ずる。

問題 20 四 原価の諸概念（その4）〔空欄補充〕 B

㈢ 全部原価と部分原価

原価は、集計される原価の範囲によって、（　　　）と（　　　　）とに区別される。全部原価とは、一定の給付に対して生ずる全部の（　　　）又はこれに販売費および一般管理費を加えて集計したものをいい、部分原価とは、そのうち一部分のみを集計したものをいう。

（　　　　）は、計算目的によって各種のものを計算することができるが、最も重要な部分原価は、変動直接費および（　　　　）のみを集計した（　　）原価（（　　　　））である。

二九　連産品の計算

　連産品とは、同一工程において（**同一原料**）から生産される異種の製品であって、相互に（**主副**）を明確に区別できないものをいう。連産品の価額は、連産品の（**正常市価**）等を基準として定めた（**等価係数**）に基づき、一期間の（**総合原価**）を連産品にあん分して計算する。この場合、連産品で、加工の上（**売却**）できるものは、加工製品の（**見積売却価額**）から（**加工費**）の見積額を控除した額をもって、その（**正常市価**）とみなし、（**等価係数**）算定の基礎とする。ただし、必要ある場合には、連産品の一種又は数種の価額を（**副産物**）に準じて計算し、これを一期間の（**総合原価**）から控除した額をもって、他の連産品の価額とすることができる。

八　製造原価要素の分類基準（その１）

(一)　形態別分類
　原価要素の形態別分類は、（**財務会計**）における（**費用**）の発生を基礎とする分類であるから、原価計算は、財務会計から原価に関するこの（**形態別分類**）による基礎資料を受け取り、これに基づいて原価を計算する。

(二)　製品との関連における分類
　製品との関連における分類とは、製品に対する原価発生の態様、すなわち原価の発生が（**一定単位の製品**）の生成に関して（**直接的**）に認識されるかどうかの性質上の区別による分類であり、原価要素は、この分類基準によってこれを（**直接費**）と（**間接費**）とに分類する。

三五　仕損費の計算および処理

　個別原価計算において、仕損が発生する場合には、原則として次の手続により仕損費を計算する。
(一)　仕損が補修によって回復でき、補修のために（**補修指図書**）を発行する場合には、（**補修指図書**）に集計された製造原価を仕損費とする。
(二)　仕損が補修によって回復できず、（**代品**）を製作するために新たに製造指図書を発行する場合において、
　1　旧製造指図書の（**全部**）が仕損となったときは、（**旧製造指図書**）に集計された製造原価を仕損費とする。
　2　旧製造指図書の（**一部**）が仕損となったときは、（**新製造指図書**）に集計された製造原価を仕損費とする。
　仕損品が（**売却価値**）又は（**利用価値**）を有する場合には、その（**見積額**）を控除した額を仕損費とする。

八　製造原価要素の分類基準（その２）

(四)　操業度との関連における分類
　操業度との関連における分類とは、操業度の（**増減**）に対する原価発生の態様による分類であり、原価要素は、この分類基準によってこれを（**固定費**）と（**変動費**）とに分類する。ここに操業度とは、生産設備を一定とした場合におけるその（**利用度**）をいう。
(五)　原価の管理可能性に基づく分類
　原価の管理可能性に基づく分類とは、原価の発生が一定の（**管理者層**）によって管理しうるかどうかによる分類であり、原価要素は、この分類基準によってこれを（**管理可能費**）と（**管理不能費**）とに分類する。下級管理者層にとって（**管理不能費**）であるものも、上級管理者層にとっては（**管理可能費**）となることがある。

三七　販売費および一般管理費要素の分類基準

(二)　直接費と間接費
　販売費および一般管理費の要素は、販売品種等の区別に関連して、これを（**直接費**）と（**間接費**）とに分類する。

三八　販売費および一般管理費の計算

　販売費および一般管理費は、原則として、（**形態別分類**）を基礎とし、これを（**直接費**）と（**間接費**）とに大別し、さらに必要に応じ（**機能別分類**）を加味して分類し、一定期間の発生額を計算する。その計算は、製造原価の（**費目別計算**）に準ずる。

二二　等級別総合原価計算

　等級別総合原価計算は、（**同一工程**）において、（**同種製品**）を連続生産するが、その製品を形状、大きさ、品位等によって（**等級**）に区別する場合に適用する。
　等級別総合原価計算にあっては、各等級製品について適当な（**等価係数**）を定め、一期間における完成品の総合原価又は一期間の（**製造費用**）を等価係数に基づき各等級製品にあん分してその製品原価を計算する。

四　原価の諸概念（その４）

(三)　全部原価と部分原価
　原価は、集計される原価の範囲によって、（**全部原価**）と（**部分原価**）とに区別される。全部原価とは、一定の給付に対して生ずる全部の（**製造原価**）又はこれに販売費および一般管理費を加えて集計したものをいい、部分原価とは、そのうち一部のみを集計したものをいう。
　（**部分原価**）は、計算目的によって各種のものを計算することができるが、最も重要な部分原価は、変動直接費および（**変動間接費**）のみを集計した（**直接**）原価（（**変動原価**））である。

二七　仕損および減損の処理

　総合原価計算においては、仕損の費用は、原則として、特別に（**仕損費**）の費目を設けることをしないで、これをその期の（**完成品**）と（**期末仕掛品**）とに負担させる。

二八　副産物等の処理と評価

　総合原価計算において、副産物が生ずる場合には、（**その価額**）を算定して、これを（**主産物**）の（**総合原価**）から控除する。副産物とは、主産物の製造過程から（**必然に派生**）する物品をいう。

問題 21　四四　原価差異の算定および分析　〔空欄補充〕　A

　原価差異とは、実際原価計算制度において、原価の一部を（　　　　　）をもって計算した場合における原価と（　　　　　）との間に生ずる差額、ならびに標準原価計算制度において、（　　　　　）と実際発生額との間に生ずる差額（これを「標準差異」となづけることがある。）をいう。

　原価差異が生ずる場合には、その大きさを算定記録し、これを（　　）する。その目的は、原価差異を（　　　　）上適正に処理して製品原価および（　　）を確定するとともに、その分析結果を各階層の（　　　　　）に提供することによって、（　　　　　）に資することにある。

問題 22　原価計算基準の設定について　〔空欄補充〕　A

　企業の原価計算制度は、（　　　　　）を確定して（　　　　　）の作成に役立つとともに、原価を分析し、これを（　　　　　）に提供し、もって業務計画および（　　　　）に役立つことが必要とされている。したがって、原価計算制度は、各企業がそれに対して期待する役立ちの程度において重点の相違はあるが、いずれの計算目的にもともに役立つように形成され、一定の計算秩序として（　　　　　）に行なわれるものであることを要する。

　原価計算基準は、かかる実践規範として、わが国現在の企業における原価計算の（　　）のうちから、一般に（　　　　　）と認められるところを要約して設定されたものである。

問題 23　二　原価計算制度（その2）　〔空欄補充〕　B

　実際原価計算制度は、製品の（　　　　）を計算し、これを財務会計の主要帳簿に組み入れ、（　　　　）の計算と財務会計とが、実際原価をもって（　　　　　）する原価計算制度である。標準原価計算制度は、製品の（　　　　）を計算し、これを財務会計の主要帳簿に組み入れ、製品原価の計算と（　　　　）とが、標準原価をもって有機的に結合する原価計算制度である。標準原価計算制度は、必要な計算段階において（　　　　）を計算し、これと標準との（　　）を分析し、報告する計算体系である。

問題 24　四　原価の諸概念（その3）　〔空欄補充〕　B

　実際原価とは、財貨の（　　　　　）をもって計算した原価をいう。ただし、その（　　　　　）は、経営の（　　　）な状態を前提とするものであり、したがって、（　　）な状態を原因とする（　　）な消費量は、実際原価の計算においてもこれを（　　）消費量と解さないものとする。

　正常原価とは、経営における（　　）な状態を排除し、経営活動に関する比較的（　　）にわたる過去の実際数値を統計的に（　　）し、これに将来の（　　）を加味した正常能率、正常操業度および正常価格に基づいて決定される原価をいう。

問題 25　一七　部門個別費と部門共通費　〔空欄補充〕　B

　原価要素は、これを原価部門に分類集計するに当たり、当該部門において発生したことが直接的に認識されるかどうかによって、（　　　　　）と（　　　　　）とに分類する。

　部門個別費は、原価部門における発生額を直接に当該部門に（　　）し、部門共通費は、原価要素別に又はその性質に基づいて分類された原価要素群別にもしくは一括して、適当な（　　　　　）によって関係各部門に配賦する。部門共通費であって工場全般に関して発生し、適当な（　　　　　）の得がたいものは、これを（　　）とし、補助部門費として処理することができる。

問題 26　一九　原価の製品別計算および原価単位　〔空欄補充〕　B

　原価の製品別計算とは、原価要素を（　　　　　）に集計し、単位製品の（　　　　）を算定する手続をいい、原価計算における（　　　）の計算段階である。

　製品別計算のためには、原価を集計する一定の製品単位すなわち（　　　　　）を定める。（　　　　　）は、これを個数、時間数、度量衡単位等をもって示し、業種の特質に応じて適当に定める。

問題 27　三一　個別原価計算　〔空欄補充〕　B

　個別原価計算は、（　　）を異にする製品を（　　）に生産する生産形態に適用する。

　個別原価計算にあっては、（　　　　　）について個別的に直接費および間接費を集計し、（　　　　）は、これを当該指図書に含まれる製品の（　　　　）に算定する。

三二　直接費の賦課

　個別原価計算における直接費は、（　　　　）又は定期に整理分類して、これを当該指図書に（　　）する。

三三　間接費の配賦

㈠　個別原価計算における間接費は、原則として（　　　　　）として各指図書に（　　）する。
㈡　間接費は、原則として（　　　　　）をもって各指図書に配賦する。

問題 28　四二　標準原価の改訂　〔空欄補充〕　B

　標準原価は、原価管理のためにも、（　　　　　）のためにも、また、たな卸資産価額および（　　　　　）算定のためにも、現状に即した標準でなければならないから、常にその（　　　　　）を吟味し、機械設備、生産方式等生産の基本条件ならびに材料価格、賃率等に（　　　　　）が生じた場合には、現状に即するようにこれを改訂する。

一七 部門個別費と部門共通費

　原価要素は、これを原価部門に分類集計するに当たり、当該部門において発生したことが直接的に認識されるかどうかによって、（部門個別費）と（部門共通費）とに分類する。

　部門個別費は、原価部門における発生額を直接に当該部門に（賦課）し、部門共通費は、原価要素別に又はその性質に基づいて分類された原価要素群別にもしくは一括して、適当な（配賦基準）によって関係各部門に配賦する。部門共通費であって工場全般に関して発生し、適当な（配賦基準）の得がたいものは、これを（一般費）とし、補助部門費として処理することができる。

四四 原価差異の算定および分析

　原価差異とは、実際原価計算制度において、原価の一部を（予定価格等）をもって計算した場合における原価と（実際発生額）との間に生ずる差額、ならびに標準原価計算制度において、（標準原価）と実際発生額との間に生ずる差額（これを「標準差異」となづけることがある。）をいう。

　原価差異が生ずる場合には、その大きさを算定記録し、これを（分析）する。その目的は、原価差異を（財務会計）上適正に処理して製品原価および（損益）を確定するとともに、その分析結果を各階層の（経営管理者）に提供することによって、（原価の管理）に資することにある。

一九 原価の製品別計算および原価単位

　原価の製品別計算とは、原価要素を（一定の製品単位）に集計し、単位製品の（製造原価）を算定する手続をいい、原価計算における（第三次）の計算段階である。

　製品別計算のためには、原価を集計する一定の製品単位すなわち（原価単位）を定める。（原価単位）は、これを個数、時間数、度量衡単位等をもって示し、業種の特質に応じて適当に定める。

原価計算基準の設定について

　企業の原価計算制度は、（真実の原価）を確定して（財務諸表）の作成に役立つとともに、原価を分析し、これを（経営管理者）に提供し、もって業務計画および（原価管理）に役立つことが必要とされている。したがって、原価計算制度は、各企業がそれに対して期待する役立ちの程度において重点の相違はあるが、いずれの計算目的にもともに役立つように形成され、一定の計算秩序として（常時継続的）に行なわれるものであることを要する。

　原価計算基準は、かかる実践規範として、わが国現在の企業における原価計算の（慣行）のうちから、一般に（公正妥当）と認められるところを要約して設定されたものである。

三一 個別原価計算

　個別原価計算は、（種類）を異にする製品を（個別的）に生産する生産形態に適用する。

　個別原価計算にあっては、（特定製造指図書）について個別的に直接費および間接費を集計し、（製品原価）は、これを当該指図書に含まれる製品の（生産完了時）に算定する。

三二 直接費の賦課

　個別原価計算における直接費は、（発生のつど）又は定期に整理分類して、これを当該指図書に（賦課）する。

三三 間接費の配賦

㈠ 個別原価計算における間接費は、原則として（部門間接費）として各指図書に（配賦）する。

㈡ 間接費は、原則として（予定配賦率）をもって各指図書に配賦する。

二 原価計算制度（その２）

　実際原価計算制度は、製品の（実際原価）を計算し、これを財務会計の主要帳簿に組み入れ、（製品原価）の計算と財務会計とが、実際原価をもって（有機的に結合）する原価計算制度である。標準原価計算制度は、製品の（標準原価）を計算し、これを財務会計の主要帳簿に組み入れ、製品原価の計算と（財務会計）とが、標準原価をもって有機的に結合する原価計算制度である。標準原価計算制度は、必要な計算段階において（実際原価）を計算し、これと標準との（差異）を分析し、報告する計算体系である。

四二 標準原価の改訂

　標準原価は、原価管理のためにも、（予算編成）のためにも、また、たな卸資産価額および（売上原価）算定のためにも、現状に即した標準でなければならないから、常にその（適否）を吟味し、機械設備、生産方式等生産の基本条件ならびに材料価格、賃率等に（重大な変化）が生じた場合には、現状に即するようにこれを改訂する。

四 原価の諸概念（その３）

　実際原価とは、財貨の（実際消費量）をもって計算した原価をいう。ただし、その（実際消費量）は、経営の（正常）な状態を前提とするものであり、したがって、（異常）な状態を原因とする（異常）な消費量は、実際原価の計算においてもこれを（実際）消費量と解さないものとする。

　正常原価とは、経営における（異常）な状態を排除し、経営活動に関する比較的（長期）にわたる過去の実際数値を統計的に（平準化）し、これに将来の（すう勢）を加味した正常能率、正常操業度および正常価格に基づいて決定される原価をいう。

2024年度

日商簿記検定試験対策

第168回試験をあてる
TAC直前予想模試

解答・解答への道

1 級 － I

商業簿記・会計学

第1予想

目標得点

第1目標　41点
第2目標　47点

答に示した A B C マークを活用し、
絶対に落としてはいけない A のすべてと、
できれば落としたくない B のうち半分は得点し、
目標得点に到達できるまで繰り返し解きましょう。

TAC 簿記検定講座

合格る(うか)タイムライン
第1予想（商会）はこの順序で解こう！

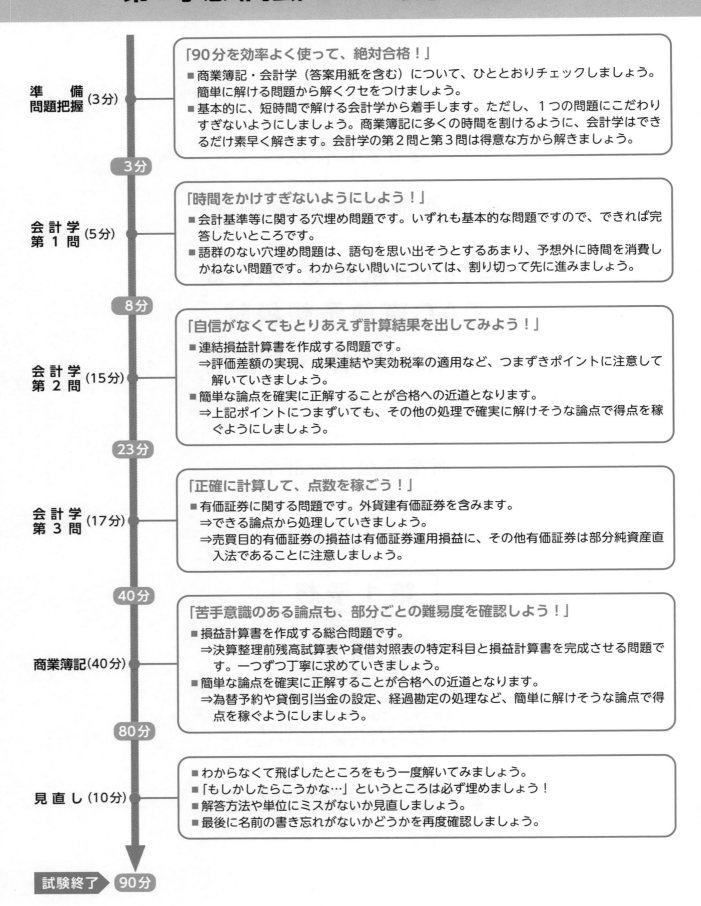

準 備
問題把握 (3分)

「90分を効率よく使って、絶対合格！」
- 商業簿記・会計学（答案用紙を含む）について、ひととおりチェックしましょう。簡単に解ける問題から解くクセをつけましょう。
- 基本的に、短時間で解ける会計学から着手します。ただし、1つの問題にこだわりすぎないようにしましょう。商業簿記に多くの時間を割けるように、会計学はできるだけ素早く解きます。会計学の第2問と第3問は得意な方から解きましょう。

3分

会 計 学
第 1 問 (5分)

「時間をかけすぎないようにしよう！」
- 会計基準等に関する穴埋め問題です。いずれも基本的な問題ですので、できれば完答したいところです。
- 語群のない穴埋め問題は、語句を思い出そうとするあまり、予想外に時間を消費しかねない問題です。わからない問いについては、割り切って先に進みましょう。

8分

会 計 学
第 2 問 (15分)

「自信がなくてもとりあえず計算結果を出してみよう！」
- 連結損益計算書を作成する問題です。
  ⇒評価差額の実現、成果連結や実効税率の適用など、つまずきポイントに注意して解いていきましょう。
- 簡単な論点を確実に正解することが合格への近道となります。
  ⇒上記ポイントにつまずいても、その他の処理で確実に解けそうな論点で得点を稼ぐようにしましょう。

23分

会 計 学
第 3 問 (17分)

「正確に計算して、点数を稼ごう！」
- 有価証券に関する問題です。外貨建有価証券を含みます。
  ⇒できる論点から処理していきましょう。
  ⇒売買目的有価証券の損益は有価証券運用損益に、その他有価証券は部分純資産直入法であることに注意しましょう。

40分

商業簿記 (40分)

「苦手意識のある論点も、部分ごとの難易度を確認しよう！」
- 損益計算書を作成する総合問題です。
  ⇒決算整理前残高試算表や貸借対照表の特定科目と損益計算書を完成させる問題です。一つずつ丁寧に求めていきましょう。
- 簡単な論点を確実に正解することが合格への近道となります。
  ⇒為替予約や貸倒引当金の設定、経過勘定の処理など、簡単に解けそうな論点で得点を稼ぐようにしましょう。

80分

見 直 し (10分)

- わからなくて飛ばしたところをもう一度解いてみましょう。
- 「もしかしたらこうかな…」というところは必ず埋めましょう！
- 解答方法や単位にミスがないか見直しましょう。
- 最後に名前の書き忘れがないかどうかを再度確認しましょう。

試験終了 ▶ 90分

解答 目標21点

問1

①	②	③	④	⑤
❶Ⓐ193,560　千円	❶Ⓐ 40,900　千円	❶Ⓐ 75,660　千円	❶Ⓐ 32,540　千円	❶Ⓐ536,550　千円

問2

損 益 計 算 書

自20×6年4月1日　至20×7年3月31日

（単位：千円）

Ⅰ	売　上　高		1,616,550
Ⅱ	売　上　原　価		
	1．期首商品棚卸高	（　40,900　）	
	2．当期商品仕入高	（　1,229,500　）	
	合　計	（　1,270,400　）	
	3．期末商品棚卸高	（❷Ⓐ　121,160　）	
	差　引	（　1,149,240　）	
	4．棚卸減耗損	（　4,000　）	
	5．商品評価損	（❷Ⓐ　9,500　）	（　1,162,740　）
	売上総利益		（　453,810　）
Ⅲ	販売費及び一般管理費		
	1．販売費	（　139,025　）	
	2．一般管理費	（　107,904　）	
	3．貸倒引当金繰入	（　3,756　）	
	4．減価償却費	（❷Ⓑ　14,463　）	
	5．資産除去債務利息費用	（❷Ⓐ　101　）	
	6．支払手数料	（　7,320　）	
	7．退職給付費用	（❷Ⓐ　19,632　）	（　292,201　）
	営業利益		（　161,609　）
Ⅳ	営業外収益		
	1．為替差益	（❷Ⓐ　2,299　）	
	2．受取利息	（　525　）	（　2,824　）
Ⅴ	営業外費用		
	1．株式交付費償却	（❷Ⓐ　120　）	
	2．支払利息	（　144　）	（　264　）
	経常利益		（　164,169　）
Ⅵ	特別利益		
	1．固定資産売却益		4,200
Ⅶ	特別損失		
	1．減損損失		2,268
	税引前当期純利益		（　166,101　）
	法人税、住民税及び事業税		（　50,700　）
	当期純利益		（❶Ⓒ　115,401　）

問3

商　品	退職給付引当金	その他資本剰余金	繰越利益剰余金	自己株式
❶Ⓐ107,660　千円	❶Ⓐ 57,792　千円	❶Ⓐ 15,889　千円	❶Ⓒ147,499　千円	❶Ⓑ 18,000　千円

●数字は採点基準　合計25点

解答 目標20点

第1問

(1)	組 替 え	❶Ⓐ
(2)	返 金 負 債	❶Ⓐ
(3)	均 等 配 分 額	❶Ⓐ
(4)	その他資本剰余金	❶Ⓐ
(5)	包 括 利 益	❶Ⓐ

第2問

連 結 損 益 計 算 書　　　　　　（単位：千円）

Ⅰ	売 上 高		(330,000)
Ⅱ	売 上 原 価		(228,850)
	売 上 総 利 益		(101,150)
Ⅲ	販売費及び一般管理費		
	1.広 告 宣 伝 費	(❷Ⓐ 20,450)	
	2.減 価 償 却 費	(❷Ⓑ 17,400)	
	3.の れ ん 償 却	(350)	
	4.その他の営業費用	(22,500)	(60,700)
	営 業 利 益		(40,450)
Ⅳ	営 業 外 収 益		
	1.受 取 配 当 金	(❶Ⓐ 1,800)	
	2.受 取 利 息	(1,000)	(2,800)
Ⅴ	営 業 外 費 用		
	1.支 払 利 息		(❶Ⓐ 9,300)
	経 常 利 益		(33,950)
Ⅵ	特 別 利 益		
	1.固 定 資 産 売 却 益		(❶Ⓐ 8,500)
	税金等調整前当期純利益		(42,450)
	法 人 税 等	(17,400)	
	法 人 税 等 調 整 額	(△ 2,505)	(❷Ⓑ 14,895)
	当 期 純 利 益		(27,555)
	非支配株主に帰属する当期純利益		(1,012)
	親会社株主に帰属する当期純利益		(❶Ⓒ 26,543)

第3問

売 買 目 的 有 価 証 券	❷Ⓐ	53,520	千円
子 会 社 株 式		361,000	千円
満 期 保 有 目 的 債 券	❷Ⓐ	37,720	千円
そ の 他 有 価 証 券	❷Ⓑ	106,200	千円
その他有価証券評価差額金		17,800	千円
有 価 証 券 運 用 損 益	❷Ⓐ	△ 560	千円
有 価 証 券 利 息	❷Ⓑ	10,201	千円
為 替 差 損 益		2,977	千円

（注）有価証券運用損益および為替差損益が損失となる場合には、金額の前に△印を付すこと。

●数字は採点基準　合計25点

（以下、単位：千円）

1 商品売買関係

（1）商品乙

原価ボックス乙

期首			売原	7,300個		売上	
		— 個					
		0					
当期				(4,900個)	÷125% ←	(*1)	356,790
		4,800個		285,432			
(*4) @59	(*5)	283,200					
		3,200個		(2,400個)	÷125% ←	(*2)	179,760
	@58.5 (*6)	187,200		143,808			
			期末	700個		**536,550**	問1⑤
			(*3)	41,160			

（*1）3,398千ドル×105円／ドル＝356,790
（*2）1,680千ドル×107円／ドル＝179,760
（*3）$\frac{285,432 + 143,808}{4,900個 + 2,400個}$ ＝@58.8〈平均単価〉
　　　@58.8×700個＝41,160
（*4）@58.8×(7,300個＋700個)＝470,400〈総仕入額〉
　　　4,800個×X＋3,200個×(X－0.5)＝470,400
　　　∴　X＝@59〈第1回目仕入単価〉
（*5）@59×4,800個＝283,200
（*6）(@59－@0.5)×3,200個＝187,200

（2）商品甲

原価ボックス甲

期首		1,000個	売原	18,000個		売上	
(*3) @40.9	(*5)	40,900			÷150%	(*1) 1,080,000	
当期				720,000	←		
(*3) @40.9		7,000個					
	(*6)	286,300					
(*4) @39.4		12,000個					
	(*7)	472,800	期末	2,000個			
			(*2)	80,000			

（*1）1,616,550〈P／L売上高（答案用紙）〉－536,550〈海外輸出売上〉＝1,080,000
（*2）720,000÷18,000個＝@40〈平均単価〉
　　　@40×2,000個＝80,000
（*3）720,000＋80,000＝800,000
　　　(1,000個＋7,000個)×X＋12,000個×(X－1.5)＝800,000
　　　∴　X＝40.9〈期首および第1回目仕入単価〉
（*4）@40.9－@1.5＝@39.4
（*5）@40.9×1,000個＝**40,900**（問1②＝P／L期首商品棚卸高）
（*6）@40.9×7,000個＝286,300
（*7）@39.4×12,000個＝472,800

∴　**P／L当期商品仕入高**：283,200＋187,200＋286,300＋472,800＝**1,229,500**〈前T／B仕入〉

(3) 売上原価の計算と期末商品の評価

(仕　　　　　　入)(*1)	40,900	(繰　越　商　品)	40,900
(繰　越　商　品)(*2)	121,160	(仕　　　　　　入)	121,160
(棚　卸　減　耗　損)(*3)	4,000	(繰　越　商　品)	13,500
(商　品　評　価　損)(*4)	9,500		

(*1) 40,900〈商品甲＝P/L期首商品棚卸高〉
(*2) 80,000〈商品甲〉＋41,160〈商品乙〉＝**121,160**〈P/L期末商品棚卸高〉
(*3) @40×(2,000個−1,900個)＝4,000〈商品甲〉
(*4) (@40−@35)×1,900個＝9,500〈商品甲〉

∴　**B/S商品**：121,160−13,500＝**107,660**

2 売上債権

受　取　手　形

前期繰越	50,400	現金預金	540,600
一般売上 (*2)	493,800	前T/B (*1)	46,800
売　掛　金	43,200		
	587,400		587,400

売　掛　金

前期繰越	35,760	受取手形	43,200
一般売上 (*3)	586,200	現金預金	921,750
海外輸出売上	536,550	前T/B (*4)	193,560
	1,158,510		1,158,510

(*1) 前T/B受取手形
(*2) 貸借差額
(*3) 1,080,000−493,800＝586,200
(*4) 貸借差額：**193,560**（問1①）

3 仕入債務

支　払　手　形

現金預金	638,400	前期繰越	42,000
前T/B (*1)	49,200	仕　　　入	612,000
		買　掛　金	33,600
	687,600		687,600

買　掛　金

支払手形	33,600	前期繰越	64,800
現金預金	616,160	仕　　　入 (*2)	617,500
前T/B (*3)	32,540		
	682,300		682,300

(*1) 貸借差額
(*2) 1,229,500〈P/L当期商品仕入高〉−612,000＝617,500
(*3) 貸借差額：**32,540**（問1④）

4 為替予約

(売　　掛　　金)(*1)	5,040	(前　受　収　益)(*3)	6,720
(為　替　差　損　益)(*2)	1,680		
(前　受　収　益)(*4)	2,240	(為　替　差　損　益)	2,240

(*1) 1,680千ドル×(@110円−@107円)＝＋5,040〈売掛金の増加額〉
(*2) 1,680千ドル×(@106円−@107円)＝△1,680〈直直差額〉
(*3) 1,680千ドル×(@110円−@106円)＝＋6,720〈直先差額〉
(*4) $6,720×\dfrac{1か月}{3か月}＝2,240$

∴　**P/L為替差益**：1,739〈前T/B〉−1,680＋2,240＝**2,299**

∴　B/S売掛金：193,560＋5,040＝198,600

5 貸倒引当金

（貸倒引当金繰入）(*)	3,756	（貸　倒　引　当　金）	3,756

(*)　(46,800〈受取手形〉+198,600〈売掛金〉)×2％=4,908〈設定額〉
　　4,908-1,152〈前T/B〉=3,756〈繰入額〉

6 固定資産

（1）備　品

（減　価　償　却　費）(*)	1,080	（備品減価償却累計額）	1,080

(*)　10,000〈取得原価〉×0.10800=1,080〈償却保証額〉
　　1÷5年×200％=0.4〈定率法償却率〉
　　10,000×0.4=4,000〈20×3年度の減価償却費〉
　　(10,000-4,000)×0.4=2,400〈20×4年度の減価償却費〉
　　(10,000-4,000-2,400)×0.4=1,440〈20×5年度の減価償却費〉
　　4,000+2,400+1,440=7,840〈前T/B備品減価償却累計額〉
　　(10,000-7,840)×0.4=864 ＜ 1,080　∴　20×6年度より均等償却に切り替え
　　(10,000-7,840)×0.5=1,080〈20×6年度以降〉

（2）建　物

（減　価　償　却　費）(*)	9,600	（建物減価償却累計額）	9,600

(*)　240,000〈取得原価〉÷25年=9,600
∴　前T/B建物減価償却累計額：240,000÷25年×5年=48,000

（3）構築物

①　構築物取得時（20×2年4月1日）

（構　　築　　物）(*2)	75,660	（現　金　預　金）	72,000
		（資　産　除　去　債　務）(*1)	3,660

(*1)　6,000×0.610〈利率年2.5％、20年の現価係数〉=3,660
(*2)　72,000+3,660=**75,660**　（問1③）

②　当期の減価償却費と利息費用

（減　価　償　却　費）(*1)	3,783	（構築物減価償却累計額）	3,783
（資産除去債務利息費用）(*2)	101	（資　産　除　去　債　務）	101

(*1)　75,660÷20年=3,783〈各年度の減価償却費〉
∴　前T/B構築物減価償却累計額：3,783×4年=15,132
(*2)　3,660〈取得時の資産除去債務〉×2.5％≒92〈20×2年度の利息費用〉
　　(3,660+92)×2.5％≒94〈20×3年度の利息費用〉
　　(3,660+92+94)×2.5％≒96〈20×4年度の利息費用〉
　　(3,660+92+94+96)×2.5％≒99〈20×5年度の利息費用〉
　　3,660+92+94+96+99=4,041〈前T/B資産除去債務〉
　　4,041×2.5％≒101〈20×6年度の利息費用〉
∴　**P/L減価償却費**：1,080〈備品〉+9,600〈建物〉+3,783〈構築物〉=**14,463**

7 自己株式の処分と新株の発行

（1）支払手数料の計上

（支　払　手　数　料）	6,000	（自　己　株　式）	6,000

∴　**P/L支払手数料**：1,320〈前T/B〉+6,000=**7,320**

(2) 自己株式の処分と新株の発行

（仮　　受　　金）(*1)	432,000	（自　己　株　式）(*2)	72,000
		（その他資本剰余金）(*3)	14,400
		（資　　本　　金）(*4)	172,800
		（資　本　準　備　金）(*4)	172,800

(*1) 240,000株 × @1.8 = 432,000〈払込金額〉

(*2) （96,000 − 6,000）÷ 60,000株 = @1.5〈自己株式の取得単価〉
　　　@1.5 × 48,000株 = 72,000〈処分した自己株式の帳簿価額〉

(*3) $432,000 \times \dfrac{48,000株}{240,000株} = 86,400$〈自己株式に対応する払込金額〉
　　　86,400 − 72,000 = 14,400〈自己株式処分差益＝その他資本剰余金〉

(*4) $432,000 \times \dfrac{192,000株}{240,000株} = 345,600$〈新株に対応する払込金額〉

　　　$345,600 \times \dfrac{1}{2} = 172,800$

∴　B／S自己株式：96,000 − 6,000 − 72,000 = **18,000**

∴　B／Sその他資本剰余金：1,489〈前T／B〉+ 14,400 = **15,889**

(3) 株式交付費の償却

（株 式 交 付 費 償 却）(*)	120	（株　式　交　付　費）	120

(*) $2,160 \times \dfrac{2か月}{36か月} = 120$

8 退職給付会計

(1) 期首退職給付引当金の推定

　　期首退職給付債務345,600と期首年金資産288,000の差額57,600が、本来あるべき退職給付引当金となる。しかし、試算表上の退職給付引当金（期首残高）が59,760であることから、未認識数理計算上の差異2,160〈超過額〉があることが分かる。

(2) 退職給付費用の計上

（退 職 給 付 費 用）(*)	19,632	（退 職 給 付 引 当 金）	19,632

(*) 345,600 × 2 ％ = 6,912〈利息費用〉
　　288,000 × 2.5％ = 7,200〈期待運用収益〉
　　2,160 ÷（10年 − 1 年）= 240〈数理計算上の差異の償却額〉
　　20,160〈勤務費用〉+ 6,912 − 7,200 − 240 = 19,632

(3) 掛金拠出額

（退 職 給 付 引 当 金）	21,600	（仮　　払　　金）	21,600

∴　B／S退職給付引当金：59,760 + 19,632 − 21,600 = **57,792**

（注）数理計算上の差異は、発生年度の翌年から償却を行うため、本問では、当期末に発生した差異を把握する必要はない。

ここ重要！

■退職給付費用

退職給付費用＝勤務費用＋利息費用−期待運用収益±差異の費用処理額（償却額）

9 経過勘定項目

（前　払　費　用）	1,068	（販　　売　　費）		1,068
（一　般　管　理　費）	384	（未　払　費　用）		384
（未　収　収　益）	179	（受　取　利　息）		179

∴　P／L販売費：140,093〈前T／B〉－1,068＝**139,025**

∴　P／L一般管理費：107,520〈前T／B〉＋384＝**107,904**

∴　P／L受取利息：346〈前T／B〉＋179＝**525**

10 法人税等

（法人税、住民税及び事業税）	50,700	（仮　払　法　人　税　等）	15,940
		（未　払　法　人　税　等）（＊）	34,760

（＊）貸借差額

11 繰越利益剰余金

∴　B／S繰越利益剰余金：32,098＋115,401〈P／L当期純利益〉＝**147,499**

【参　考】貸借対照表

貸借対照表
20×7年3月31日現在　　　　　　　　（単位：千円）

資　　産	金　　額	負債・純資産	金　　額
現　金　預　金	14,469	支　払　手　形	49,200
受　取　手　形	46,800	買　　掛　　金	32,540
売　　掛　　金	198,600	未　払　法　人　税　等	34,760
貸　倒　引　当　金	△　4,908	未　払　費　用	384
商　　　　　品	107,660	前　受　収　益	4,480
前　払　費　用	1,068	短　期　借　入　金	2,400
未　収　収　益	179	退　職　給　付　引　当　金	57,792
建　　　　　物	240,000	資　産　除　去　債　務	4,142
減　価　償　却　累　計　額	△　57,600	資　　本　　金	460,800
構　　築　　物	75,660	資　本　準　備　金	175,278
減　価　償　却　累　計　額	△　18,915	その他資本剰余金	15,889
備　　　　　品	10,000	利　益　準　備　金	2,569
減　価　償　却　累　計　額	△　8,920	任　意　積　立　金	26,400
土　　　　　地	306,000	繰　越　利　益　剰　余　金	147,499
長　期　貸　付　金	84,000	自　己　株　式	△　18,000
株　式　交　付　費	2,040		
	996,133		996,133

Link

出題内容	出題論点	合格テキスト 合格トレーニング	スッキリわかる	簿記の教科書 簿記の問題集
商 品 売 買	商品売買の推定	Ⅰ－テーマ02	Ⅰ－第２章	1－CHAPTER05
	期末商品の評価（総平均法）	Ⅰ－テーマ03	Ⅰ－第３章	1－CHAPTER05
為 替 予 約	振当処理	Ⅱ－テーマ06	Ⅲ－第２章	3－CHAPTER07
貸 倒 引 当 金	一般債権（貸倒実績率法）	Ⅱ－テーマ03	Ⅱ－第３章	1－CHAPTER12
固 定 資 産	減価償却（定額法、200％定率法）	Ⅱ－テーマ07	Ⅱ－第６章	2－CHAPTER01
	資産除去債務	Ⅱ－テーマ07	Ⅱ－第７章	2－CHAPTER02
純 資 産	新株の発行と自己株式の処分	Ⅱ－テーマ14	Ⅱ－第15章	2－CHAPTER10
退 職 給 付 会 計	退職給付費用の計上	Ⅱ－テーマ12	Ⅱ－第13章	2－CHAPTER08
	未認識数理計算上の差異の処理	Ⅱ－テーマ12	Ⅱ－第13章	2－CHAPTER08

❖ 会計学　解答への道

第1問　空欄記入

1 表示方法の変更に関する原則的な取扱い

「会計方針の開示、会計上の変更および誤謬の訂正に関する会計基準　14」

財務諸表の表示方法を変更した場合には、原則として表示する過去の財務諸表について、新たな表示方法に従い財務諸表の**組替え**を行う。

2 変動対価

「収益認識に関する会計基準　53」

顧客から受け取った又は受け取る対価の一部あるいは全部を顧客に返金すると見込む場合、受け取った又は受け取る対価の額のうち、企業が権利を得ると見込まない額について、**返金負債**を認識する。

3 ソフトウェアの減価償却方法

「研究開発費等に係る会計基準　四・5」

無形固定資産として計上したソフトウェアの取得原価は、当該ソフトウェアの性格に応じて、見込販売数量にもとづく償却方法その他合理的な方法により償却しなければならない。ただし、毎期の償却額は、残存有効期間にもとづく**均等配分額**を下回ってはならない。

4 自己株式の消却

「自己株式及び準備金の額の減少等に関する会計基準　11」

自己株式を消却した場合には、消却手続が完了したときに、消却の対象となった自己株式の帳簿価額を**その他資本剰余金**から減額する。

5 包括利益

「包括利益の表示に関する会計基準　4」

ある企業の特定期間の財務諸表において認識された純資産の変動額のうち、当該企業の純資産に対する持分所有者との直接的な取引によらない部分を**包括利益**という。

Link

出題内容	出題論点	合格テキスト 合格トレーニング	スッキリわかる	簿記の教科書 簿記の問題集
空　欄　記　入	表示方法の変更に関する原則的な取扱い	Ⅰ－テーマ01	Ⅱ－第3章	1－CHAPTER09
	変動対価	Ⅰ－テーマ04	Ⅰ－第5章	1－CHAPTER03
	ソフトウェアの減価償却方法	Ⅱ－テーマ10	Ⅱ－第11章	2－CHAPTER06
	自己株式の消却	Ⅱ－テーマ14	Ⅱ－第15章	2－CHAPTER10
	包括利益	Ⅲ－テーマ07	Ⅳ－第14章	3－CHAPTER10

第2問　連結会計 (以下、単位：千円)

1 連結修正仕訳 (解答上必要のない仕訳の一部を省略)

(1) 開始仕訳

① S社の土地・建物の時価評価

（土　　地）	10,000	（繰 延 税 金 負 債）(*1)	4,500
（建　　物）	5,000	（評 価 差 額）(*2)	10,500

(*1) 10,000 + 5,000 = 15,000
15,000 × 30%〈実効税率〉= 4,500
(*2) 15,000 − 4,500 = 10,500

② 投資と資本の相殺消去

（資　本　金　な　ど）	×××	（Ｓ　社　株　式）	×××
（評　価　差　額）	10,500	（非支配株主持分）	×××
（の　　れ　　ん）	7,000		

　　　（注）非支配株主持分には、評価差額10,500千円のうち20％分の2,100千円が含まれている。

③　のれんの償却…省略

④　剰余金の振り替え…省略

⑤　減価償却費の修正（評価差額の実現）

　支配獲得時にＳ社建物を増加させ、繰延税金負債を計上しているので、対応する減価償却費と繰延税金負債を修正する。さらに評価差額のうち20％を非支配株主持分に振り替えているため、非支配株主持分も修正する。

（利　益　剰　余　金）(*1) 減価償却費	500	（減価償却累計額）	500
（繰　延　税　金　負　債）(*2)	150	（利　益　剰　余　金） 法人税等調整額	150
（非　支　配　株　主　持　分）(*3)	70	（利　益　剰　余　金） 非支配株主に帰属する当期純利益	70

　　(*1)　5,000÷10年〈残存耐用年数〉＝500
　　(*2)　500×30％〈実効税率〉＝150
　　(*3)　（500－150）×20％〈非支配株主持分割合〉＝70

(2)　期中仕訳

①　のれんの償却

（の　れ　ん　償　却）(*)	350	（の　　れ　　ん）	350

　　(*)　7,000÷20年＝350

②　当期純利益の非支配株主持分への振替

（非支配株主に帰属する当期純利益）(*)	1,250	（非支配株主持分）	1,250

　　(*)　6,250〈Ｓ社当期純利益〉×20％〈非支配株主持分割合〉＝1,250

③　配当金の修正

（受　取　配　当　金）(*1)	4,800	（利　益　剰　余　金）	6,000
（非　支　配　株　主　持　分）(*2)	1,200		

　　(*1)　6,000〈Ｓ社配当金〉×80％〈Ｐ社持分割合〉＝4,800
　　(*2)　6,000〈Ｓ社配当金〉×20％〈非支配株主持分割合〉＝1,200

④　減価償却費の修正（評価差額の実現）

　支配獲得時にＳ社建物を増加させ、繰延税金負債を計上しているので、対応する減価償却費と繰延税金負債を修正する。さらに評価差額のうち20％を非支配株主持分に振り替えているため、非支配株主持分も修正する。

（減　価　償　却　費）(*1)	500	（減価償却累計額）	500
（繰　延　税　金　負　債）(*2)	150	（法人税等調整額）	150
（非　支　配　株　主　持　分）(*3)	70	（非支配株主に帰属する当期純利益）	70

　　(*1)　5,000÷10年〈残存耐用年数〉＝500
　　(*2)　500×30％〈実効税率〉＝150
　　(*3)　（500－150）×20％〈非支配株主持分割合〉＝70

⑤　内部取引高の相殺と広告宣伝費の修正

　　S社が計上した広告宣伝費は、P社から購入した金額（P社における売価）であり、連結会計上は、P社が外部から購入した金額（P社における原価）に修正しなければならない。

| （売　　上　　高） | 40,000 | （売　上　原　価） | 40,000 |
| （売　上　原　価） | 900 | （広　告　宣　伝　費）(*) | 900 |

　　(*)　3,600×25%〈利益率〉＝900〈修正額〉

⑥　期首商品棚卸高に含まれる未実現利益（ダウン・ストリーム）

　(A)　開始仕訳

| （利　益　剰　余　金）(*1)
売上原価 | 600 | （商　　　　　品） | 600 |
| （繰　延　税　金　資　産）(*2) | 180 | （利　益　剰　余　金）
法人税等調整額 | 180 |

　　(*1)　2,400×25%〈利益率〉＝600
　　(*2)　600×30%〈実効税率〉＝180

　(B)　実現仕訳

| （商　　　　　品） | 600 | （売　上　原　価） | 600 |
| （法　人　税　等　調　整　額） | 180 | （繰　延　税　金　資　産） | 180 |

⑦　期末商品棚卸高に含まれる未実現利益

| （売　上　原　価）(*1) | 750 | （商　　　　　品） | 750 |
| （繰　延　税　金　資　産）(*2) | 225 | （法　人　税　等　調　整　額） | 225 |

　　(*1)　3,000×25%〈利益率〉＝750
　　(*2)　750×30%〈実効税率〉＝225

⑧　受取利息と支払利息の相殺消去

| （受　　取　　利　　息） | 1,200 | （支　　払　　利　　息） | 1,200 |

⑨　備品に含まれる未実現利益（アップ・ストリーム）

（固　定　資　産　売　却　益）(*1)	1,500	（備　　　　　品）	1,500
（繰　延　税　金　資　産）(*2)	450	（法　人　税　等　調　整　額）	450
（非　支　配　株　主　持　分）(*3)	210	（非支配株主に帰属する当期純利益）	210
（減　価　償　却　累　計　額）	300	（減　価　償　却　費）(*4)	300
（法　人　税　等　調　整　額）(*5)	90	（繰　延　税　金　資　産）	90
（非支配株主に帰属する当期純利益）(*6)	42	（非　支　配　株　主　持　分）	42

　　(*1)　9,000－7,500＝1,500
　　(*2)　1,500×30%〈実効税率〉＝450
　　(*3)　（1,500－450）×20%〈非支配株主持分割合〉＝210
　　(*4)　1,500÷5年〈残存耐用年数〉＝300
　　(*5)　300×30%〈実効税率〉＝90
　　(*6)　（300－90）×20%〈非支配株主持分割合〉＝42

2 連結精算表

科 目	個別損益計算書			修正消去仕訳		連 結損益計算書
	P 社	S 社	合 計	借 方	貸 方	
売 上 高	264,000	106,000	370,000	40,000		330,000
売 上 原 価	△ 187,000	△ 80,800	△ 267,800	900 750	40,000 600	△ 228,850
広 告 宣 伝 費	△ 13,750	△ 7,600	△ 21,350		900	△ 20,450
減 価 償 却 費	△ 13,000	△ 4,200	△ 17,200	500	300	△ 17,400
の れ ん 償 却	—	—	—	350		△ 350
その他の営業費用	△ 16,000	△ 6,500	△ 22,500			△ 22,500
受 取 配 当 金	6,600	—	6,600	4,800		1,800
受 取 利 息	2,200	—	2,200	1,200		1,000
支 払 利 息	△ 8,700	△ 1,800	△ 10,500		1,200	△ 9,300
固 定 資 産 売 却 益	6,000	4,000	10,000	1,500		8,500
法 人 税 等	△ 14,100	△ 3,300	△ 17,400			△ 17,400
法 人 税 等 調 整 額	1,500	450	1,950	180 90	150 225 450	2,505
非支配株主に帰属する当期純利益	—	—	—	1,250 42	70 210	△ 1,012
親会社株主に帰属する当期純利益	27,750	6,250	34,000	51,562	44,105	26,543

ここ重要!

■未実現利益の負担関係

連結会社間の取引によって生じた未実現利益は、親会社が売手の場合（ダウン・ストリーム）と子会社が売手の場合（アップ・ストリーム）とで負担関係が区別されます。

親会社→子会社 （ダウン・ストリーム）	全額消去・親会社負担方式
	連結上、未実現利益を全額消去する
子会社→親会社 （アップ・ストリーム）	全額消去・持分按分負担方式
	連結上、未実現利益を全額消去し、子会社に非支配株主が存在する場合には、その負担額を非支配株主持分から減額する

Link

出題内容	出題論点	合格テキスト 合格トレーニング	スッキリわかる	簿記の教科書 簿記の問題集
連 結 会 計	連結損益計算書	Ⅲ－テーマ03～06	Ⅳ－第２～４章	3－CHAPTER03～05

第3問　有価証券（以下、単位：千円）

当社が保有する有価証券に関する仕訳を以下に示します。なお、取引の決済には現金預金勘定を用いていると仮定して仕訳しています。

◆ A社株式（売買目的有価証券）

（1）20×5年8月1日（取得時）

（売買目的有価証券）(*)	50,000	（現　金　預　金）	50,000

(*)　@500×100株＝50,000

（2）20×6年3月31日（決算時）

（有価証券運用損益）(*)	4,600	（売買目的有価証券）	4,600

(*)　@454×100株＝45,400〈当期末時価〉
45,400〈当期末時価〉－50,000〈取得原価〉＝△4,600〈評価損〉

◆ B社株式（売買目的有価証券）

（1）20×5年5月1日（取得時）

（売買目的有価証券）(*)	6,000	（現　金　預　金）	6,000

(*)　@200×30株＝6,000

（2）20×5年10月1日（株式分割時）

株式分割を受けた株主は、仕訳なしとなる。ただし、保有株式数が増加するため、保有する株式の単価が修正される。

仕　訳　な　し

（注）保有株式数：30株×2＝60株
株式分割後の単価：6,000÷60株＝@100

（3）20×6年2月1日（売却時）

（現　金　預　金）(*1)	1,920	（売買目的有価証券）(*2)	1,200
		（有価証券運用損益）(*3)	720

(*1)　@160×12株＝1,920〈売却価額〉
(*2)　@100×12株＝1,200〈帳簿価額〉
(*3)　貸借差額

（4）20×6年3月31日（決算時）

（売買目的有価証券）(*)	3,120	（有価証券運用損益）	3,120

(*)　60株－12株＝48株〈当期末保有株式数〉
@165×48株＝7,920〈当期末時価〉
@100×48株＝4,800〈帳簿価額〉
7,920－4,800＝3,120〈評価益〉

◆ C社株式（売買目的有価証券）

有価証券の認識基準は、約定日基準（原則）と修正受渡日基準（例外）がある。約定日基準は売買約定日に買手は有価証券の発生を認識する方法である。それに対して、修正受渡日基準は売買約定日に買手は有価証券の発生を認識せず、売買約定日から受け渡し日までは時価の変動のみを認識する方法である。

（1）20×6年3月30日（約定日）

仕　訳　な　し

（2）20×6年3月31日（決算時）〜 修正受渡日基準

（売買目的有価証券）(*)	200	（有価証券運用損益）	200

(*)　10,200〈当期末時価〉－10,000〈取得原価〉＝200〈評価益〉

∴ 　売買目的有価証券：45,400〈A社株式〉＋7,920〈B社株式〉＋200〈C社株式〉＝**53,520**

　有価証券運用損：△4,600〈A社株式〉＋720〈B社株式〉＋3,120〈B社株式〉＋200〈C社株式〉＝**△560**

【参　考】約定日基準の場合

(1)　20×6年3月30日（取得時）

| （売買目的有価証券） | 10,000 | （未　　　払　　　金） | 10,000 |

(2)　20×6年3月31日（決算時）～　約定日基準

| （売買目的有価証券）(＊) | 200 | （有価証券運用損益） | 200 |

(＊)　10,200〈当期末時価〉－10,000〈取得原価〉＝200〈評価益〉

---

④ D社株式（子会社株式）

(1)　20×5年5月1日（取得時）

| （子　会　社　株　式） | 100,000 | （現　　金　　預　　金） | 100,000 |

(2)　20×5年12月31日（配当金受取時）

　売買目的以外で保有している株式を対象として、その他資本剰余金を財源とする配当を受けた場合には、その金額を配当対象株式の帳簿価額から減額する。

| （現　　金　　預　　金） | 7,000 | （子　会　社　株　式） | 7,000 |

∴　D社株式：100,000〈帳簿価額〉－7,000＝93,000

⑤ E社株式（子会社株式）

　有価証券の保有目的をその他有価証券から子会社株式に変更した場合には、原則として帳簿価額（前期末の評価替前の価額）で振り替える。ただし、部分純資産直入法を採用し、かつ、前期末に評価損が計上されている場合には、評価替え後の前期末の時価で振り替える。

(1)　20×5年1月1日（取得時）

| （その他有価証券）(＊) | 10,000 | （現　　金　　預　　金） | 10,000 |

(＊)　@100×100株＝10,000〈取得原価〉

(2)　20×5年3月31日（前期末決算時）

| （その他有価証券評価損）(＊) | 2,000 | （その他有価証券） | 2,000 |

(＊)　@80×100株＝8,000〈前期末時価〉
　　　8,000－10,000＝△2,000

(3)　20×5年4月1日（当期首）

| （その他有価証券） | 2,000 | （その他有価証券評価損） | 2,000 |

(4)　20×5年9月1日（追加取得時～保有目的の変更）

①　追加取得分

| （子　会　社　株　式）(＊) | 260,000 | （現　　金　　預　　金） | 260,000 |

(＊)　@130×2,000株＝260,000〈取得原価〉

②　保有目的の変更

| （その他有価証券評価損） | 2,000 | （その他有価証券） | 2,000 |
| （子　会　社　株　式）(＊) | 8,000 | （その他有価証券） | 8,000 |

(＊)　評価替え後の前期末時価

∴　**子会社株式**：93,000〈D社株式〉＋260,000〈E社株式〉＋8,000〈E社株式〉＝**361,000**

【参　考】全部純資産直入法の場合

(1) 20×5年1月1日（取得時）

| （その他有価証券）(*) | 10,000 | （現 金 預 金） | 10,000 |

(*) @100×100株＝10,000〈取得原価〉

(2) 20×5年3月31日（前期末決算時）

| （その他有価証券評価差額金）(*) | 2,000 | （その他有価証券） | 2,000 |

(*) @80×100株＝8,000〈前期末時価〉
8,000－10,000＝△2,000

(3) 20×5年4月1日（当期首）

| （その他有価証券） | 2,000 | （その他有価証券評価差額金） | 2,000 |

(4) 20×5年9月1日（追加取得時～保有目的の変更）

① 追加取得

| （子 会 社 株 式）(*) | 260,000 | （現 金 預 金） | 260,000 |

(*) @130×2,000株＝260,000〈取得原価〉

② 保有目的の変更

| （子 会 社 株 式）(*) | 10,000 | （その他有価証券） | 10,000 |

(*) 帳簿価額（前期末の評価替前の価額）

ここ重要！

■保有目的の変更について

有価証券の保有目的を変更した場合には、次のように取り扱う。

変　更　前	変　更　後	振　替　価　額	振替時の評価差額
売買目的有価証券	子会社・関連会社株式	振　替　時　の　時　価	有価証券運用損益
	その他有価証券		
満期保有目的債券	売買目的有価証券	取得原価または償却原価	―
	その他有価証券		
子会社・関連会社株式	売買目的有価証券	帳　簿　価　額	―
	その他有価証券		
その他有価証券	売買目的有価証券	振　替　時　の　時　価	その他有価証券評価損益
	子会社・関連会社株式	下記以外＝帳簿価額	―
		部分・評価損＝前期末の時価	

6 F社社債（満期保有目的債券）

(1) 20×5年2月1日（取得時）

| （満期保有目的債券） | 18,500 | （現 金 預 金） | 18,500 |

(2) 20×5年3月31日（前期末決算時）

| （未 収 収 益）(*1) | 200 | （有 価 証 券 利 息） | 200 |
| （満期保有目的債券）(*2) | 42 | （有 価 証 券 利 息） | 42 |

(*1) $20,000〈額面金額〉×6\%〈クーポン利子率〉×\dfrac{2か月}{12か月}=200$

(*2) $18,500〈取得価額〉×7.84\%〈実効利子率〉×\dfrac{2か月}{12か月}≒242$
242－200＝42

(3) 20×5年4月1日（当期首）

| （有 価 証 券 利 息） | 200 | （未　収　収　益） | 200 |

(4) 20×5年7月31日（利払日）

| （現　金　預　金）(*1) | 600 | （有 価 証 券 利 息） | 600 |
| （満 期 保 有 目 的 債 券）(*2) | 83 | （有 価 証 券 利 息） | 83 |

(*1) $20,000〈額面金額〉\times 6\%〈クーポン利子率〉\times \dfrac{6か月}{12か月}=600$

(*2) $18,500〈取得価額〉\times 7.84\%〈実効利子率〉\times \dfrac{6か月}{12か月}≒725$

$725-600=125$
$125-42=83$

(5) 20×6年1月31日（利払日）

| （現　金　預　金）(*1) | 600 | （有 価 証 券 利 息） | 600 |
| （満 期 保 有 目 的 債 券）(*2) | 130 | （有 価 証 券 利 息） | 130 |

(*1) $20,000〈額面金額〉\times 6\%〈クーポン利子率〉\times \dfrac{6か月}{12か月}=600$

(*2) $18,500〈取得価額〉+42+83=18,625$

$18,625〈帳簿価額〉\times 7.84\%〈実効利子率〉\times \dfrac{6か月}{12か月}≒730$

$730-600=130$

(6) 20×6年3月31日（決算時）

| （未　収　収　益）(*1) | 200 | （有 価 証 券 利 息） | 200 |
| （満 期 保 有 目 的 債 券）(*2) | 45 | （有 価 証 券 利 息） | 45 |

(*1) $20,000〈額面金額〉\times 6\%〈クーポン利子率〉\times \dfrac{2か月}{12か月}=200$

(*2) $18,625+130=18,755$

$18,755〈帳簿価額〉\times 7.84\%〈実効利子率〉\times \dfrac{2か月}{12か月}≒245$

$245-200=45$

∴　F社社債：$18,500+42+83+130+45=18,800$
　　F社社債の有価証券利息：$△200+600+83+600+130+200+45=1,458$

ここ重要！

■有価証券の評価

保有目的等	貸借対照表価額	評価差額等の処理
売買目的有価証券	時　価	当期の損益 （洗替方式または切放方式）
満期保有目的債券	金利調整差額なし：取得原価	―
	金利調整差額あり：償却原価	償却額は有価証券利息
子会社株式 関連会社株式	取得原価	―
その他有価証券	時　価	全部純資産直入法（洗替方式） 評価差額は純資産の部
		部分純資産直入法（洗替方式） 評価益は純資産の部 評価損は当期の損失
市場価格のない株式等	取得原価	―
強制評価減	時　価	当期の損失（切放方式）
実価法	実質価額	当期の損失（切放方式）

7 G社社債（外貨建満期保有目的債券）

（1） 20×5年4月1日（取得時）

（満 期 保 有 目 的 債 券）(*)	14,000	（現 金 預 金）	14,000

(*) 140千ドル〈取得価額〉×@100円〈HR〉＝14,000

（2） 20×6年3月31日（決算時）～ 償却原価法

```
                          ┌──→ 当期末   18,920千円
CR@120円〈当期末〉      │  ┌──────────────────────┬──────────────────┐
AR@110円               │  │      為替差益          │                  │
HR@100円〈前期末〉      │  │     ＋2,977千円         │   有価証券利息    │
                          │  ├──────────────────────┤   ＋1,943千円     │
                          │  │      取得原価          │                  │
                          │  │     14,000千円         │                  │
                          └──┴──────────────────────┴──────────────────┘
                                  140千ドル              157.668千ドル
                                  〈HC〉                  〈償却原価〉
                                         └───────┬──────────┘
                                          償却額   ＋17.668千ドル
```

（満 期 保 有 目 的 債 券）(*1)	1,943	（有 価 証 券 利 息）	1,943
（満 期 保 有 目 的 債 券）(*2)	2,977	（為 替 差 損 益）	2,977

(*1) 140千ドル×12.62%〈実効利子率〉＝17.668千ドル〈外貨ベースの償却額〉
17.668千ドル×@110円〈AR〉≒1,943

（注） 当該債券はクーポン利子率が0%であるため、帳簿価額に実効利子率を掛けた金額の全額が償却額となる。

(*2) 140千ドル＋17.668千ドル＝157.668千ドル〈外貨ベースの償却原価〉
157.668千ドル〈外貨ベースの償却原価〉×@120円〈CR〉≒18,920
18,920－（14,000＋1,943）＝2,977

∴ **満期保有目的債券**：18,800〈F社社債〉＋18,920〈G社社債〉＝**37,720**
　未収収益：200〈F社社債〉
　為替差益：**2,977**〈G社社債〉

8 H社社債（外貨建その他有価証券）

（1） 20×5年4月1日（取得時）

（そ の 他 有 価 証 券）(*)	84,000	（現 金 預 金）	84,000

(*) 840千ドル〈取得価額〉×@100円〈HR〉＝84,000

（2） 20×6年3月31日（利払日・決算時）

① クーポン利息の処理

（現 金 預 金）(*)	2,400	（有 価 証 券 利 息）	2,400

(*) 1,000千ドル〈額面金額〉×2%〈クーポン利子率〉＝20千ドル
20千ドル×@120円〈CR〉＝2,400

② 償却原価法と時価評価

　その他有価証券に区分される市場価格のある公社債で取得差額が金利調整と認められるものについては、まず、償却原価法を適用し、外貨建ての償却額を期中平均相場（ＡＲ）により換算する。次に外貨による時価（ＣＣ）を決算時の為替相場（ＣＲ）により換算し、差額は、原則としてその他有価証券評価差額金として計上する。

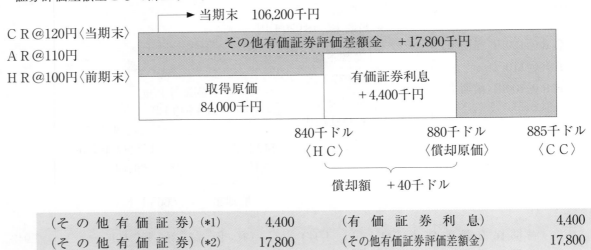

| （その他有価証券）（*1） | 4,400 | （有価証券利息） | 4,400 |
| （その他有価証券）（*2） | 17,800 | （その他有価証券評価差額金） | 17,800 |

（*1）（1,000千ドル－840千ドル）÷ 4 年＝40千ドル〈外貨ベースの償却額〉
　　　40千ドル×@110円〈ＡＲ〉＝4,400
（*2）885千ドル〈ＣＣ〉×@120円〈ＣＲ〉＝106,200
　　　106,200 －（84,000＋4,400）＝17,800
∴　その他有価証券：**106,200**〈Ｈ社社債〉
　　有価証券利息：1,458〈Ｆ社社債〉＋1,943〈Ｇ社社債〉＋2,400〈Ｈ社社債〉＋4,400〈Ｈ社社債〉＝**10,201**
　　その他有価証券評価差額金：**17,800**〈Ｈ社社債〉

【参　考】容認規定

　その他有価証券に区分される市場価格のある公社債で、外貨による時価（ＣＣ）を決算時の為替相場（ＣＲ）により換算した額のうち、外国通貨による時価の変動に係る換算差額を評価差額とし、それ以外の換算差額については為替差損益として処理することができる。

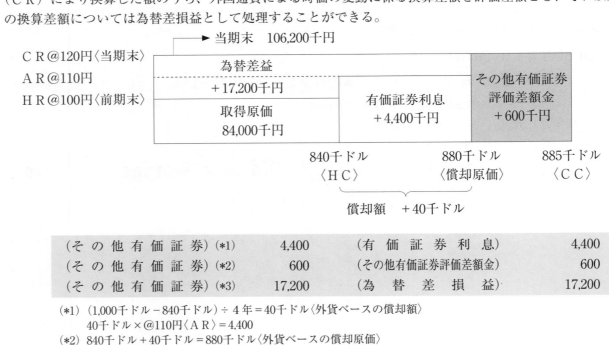

（その他有価証券）（*1）	4,400	（有価証券利息）	4,400
（その他有価証券）（*2）	600	（その他有価証券評価差額金）	600
（その他有価証券）（*3）	17,200	（為替差損益）	17,200

（*1）（1,000千ドル－840千ドル）÷ 4 年＝40千ドル〈外貨ベースの償却額〉
　　　40千ドル×@110円〈ＡＲ〉＝4,400
（*2）840千ドル＋40千ドル＝880千ドル〈外貨ベースの償却原価〉
　　　（885千ドル〈ＣＣ〉－880千ドル〈外貨ベースの償却原価〉）×@120円〈ＣＲ〉＝600
（*3）885千ドル〈ＣＣ〉×@120円〈ＣＲ〉＝106,200
　　　106,200 －（84,000＋4,400＋600）＝17,200

9 まとめ

決算整理後残高試算表
20×6年3月31日　　　　　　（単位：千円）

売 買 目 的 有 価 証 券	53,520	その他有価証券評価差額金	17,800
未 　 収 　 収 　 益	200	有 価 証 券 利 息	10,201
子 　 会 　 社 　 株 　 式	361,000	為 替 差 損 益	2,977
満 期 保 有 目 的 債 券	37,720		
そ の 他 有 価 証 券	106,200		
有 価 証 券 運 用 損 益	560		

Link

出題内容	出題論点	合格テキスト 合格トレーニング	スッキリわかる	簿記の教科書 簿記の問題集
有　価　証　券	売買目的有価証券	Ⅱ－テーマ04	Ⅱ－第5章	1－CHAPTER13
	株式分割	Ⅱ－テーマ14	—	—
	修正受渡日基準	Ⅱ－テーマ04	—	1－CHAPTER13
	その他資本剰余金を財源とする配当	Ⅱ－テーマ14	—	—
	保有目的の変更（その他有価証券から子会社株式）	Ⅱ－テーマ04	Ⅱ－第5章	1－CHAPTER15
	その他有価証券（部分純資産直入法）	Ⅱ－テーマ04	Ⅱ－第5章	1－CHAPTER13
	満期保有目的債券	Ⅱ－テーマ04	Ⅱ－第5章	1－CHAPTER13
	外貨建満期保有目的債券	Ⅱ－テーマ05	Ⅲ－第2章	3－CHAPTER07
	外貨建その他有価証券（債券）	Ⅱ－テーマ05	Ⅲ－第2章	3－CHAPTER07

問題 ―〈解答3ページ・解説5ページ〉―

◆重要な指示やキーワードには、印や下線を入れます。◆
⇒会計期間や端数処理は、計算する際に必要なので、チェックしておきましょう。

（左余白の手書きメモ）答えを要求されている損益計算書項目の変動額を記入します。
→売掛金のように損益項目を計算するために必要な勘定についても変動額をメモします。

W株式会社の20×6年度（自20×6年4月1日から20×7年3月31日まで）における［Ⅰ］決算整理前残高試算表および［Ⅱ］期末整理事項等にもとづいて、以下の**問**に答えなさい。

[解答上の注意事項]
1 計算の過程で端数が出る場合は、その都度千円未満を四捨五入すること。ただし、棚卸資産の単価については、円未満を四捨五入すること。
2 税効果会計は考慮外とする。

［Ⅰ］決算整理前残高試算表

決算整理前残高試算表
20×7年3月31日
（単位：千円）

（右余白の手書きメモ）答えを要求されている貸借対照表項目には、☆印をつけて目立たせておきます。

借　方　科　目	金　　額	貸　方　科　目	金　　額
現　金　預　金	14,469	支　払　手　形	?
受　取　手　形	46,800	買　　掛　　金	32,540 ④
売　　掛　　金	193,560 ①	仮　　受　　金	432,000
繰　越　商　品	42,900 ②	短　期　借　入　金	2,400
仮　　払　　金	21,600	貸　倒　引　当　金	1,152
仮払法人税等	15,940	資　産　除　去　債　務	?
建　　　　物	240,000	退　職　給　付　引　当　金	59,760　19,632 △21,600
構　　築　　物	75,660 ③	建物減価償却累計額	?
備　　　　品	10,000	構築物減価償却累計額	?
土　　　　地	306,000	備品減価償却累計額	?
長　期　貸　付　金	84,000	資　　本　　金	288,000
自　己　株　式	96,000	資　本　準　備　金	2,478
株　式　交　付　費	2,160	その他資本剰余金	1,489　14,400
仕　　　　入	?	利　益　準　備　金	2,569
販　　売　　費	140,093	任　意　積　立　金	26,400
一　般　管　理　費	107,520	繰　越　利　益　剰　余　金	32,098　115,401
支　払　手　数　料	1,320	一　　般　　売　　上	?
支　払　利　息	144	海　外　輸　出　売　上	536,550 ⑤
減　損　損　失	2,268	受　取　利　息	346　179
		為　替　差　損　益	1,739　△1,680 +2,240
		固　定　資　産　売　却　益	4,200
	?		?

（左余白の手書きメモ）
5,040
貸く113,756
Dep 1,080
9,600
3,783
減除費101
△72,000 △6,000
△1,068
384
6,000
科交D 120
退ヒ 19,632

［Ⅱ］期末整理事項等
1. 当社は商品甲の仕入・販売を行っているが、当期より商品乙を仕入れ、米国向けに輸出を始めている。商品甲と商品乙の原価配分の方法はともに総平均法で、棚卸減耗損と商品評価損は売上原価の内訳科目とする。
   (1) 商品甲の仕入・販売に関する資料　　4,000　　9,500
      a 期首商品棚卸高：1,000個、第1回目の仕入高：7,000個、第2回目の仕入高：12,000個である。第1回目の仕入単価は期首商品と同じで、第2回目の仕入単価は第1回目の仕入単価を1.5千円下回っている。
      b 商品甲の仕入と販売はすべて掛けと手形で行っている。商品甲の期末商品棚卸高は、帳簿棚卸数量：2,000個、実地棚卸数量：1,900個、期末商品の正味売却価額は@35千円である。
      c 商品甲は原価に50％の利益を上乗せして販売している。
   (2) 商品乙の仕入・輸出に関する資料
      a 第1回目の仕入高：4,800個、第2回目の仕入高：3,200個で、第2回目の仕入単価は第1回目の仕入単価を0.5千円下回っている。

　　b　商品乙の仕入と販売はすべて掛けで行っている。当期中、12月に4,900個を総額3,398千ドルで販売し（販売時の為替相場は1ドルあたり105円）、2月に2,400個を総額1,680千ドルで販売している（販売時の為替相場は1ドルあたり107円）。12月に販売した掛代金はすべて回収済みであるが、2月に販売した掛代金の決済は5月末日である。商品乙の期末商品棚卸高は、帳簿棚卸数量：700個、実地棚卸数量：700個、期末商品の正味売却価額は@60千円である。

　　c　商品乙は原価に円ベースで25%の利益を上乗せして販売している。

2．売上債権については次のとおりである。
　(1)　受取手形：前期繰越高50,400千円、商品甲の売上による増加高 各自推定、売掛金の回収による増加高43,200千円、取立による減少高540,600千円
　(2)　売 掛 金：前期繰越高35,760千円、商品甲の売上による増加高 各自推定、商品乙の売上による増加高 各自推定、手形による回収高43,200千円、現金預金による回収高921,750千円

3．仕入債務については次のとおりである。
　(1)　支払手形：前期繰越高42,000千円、商品甲の仕入による増加高612,000千円、買掛金の支払いによる増加高33,600千円、現金預金による決済高638,400千円
　(2)　買 掛 金：前期繰越高64,800千円、商品甲の仕入による増加高 各自推定、商品乙の仕入による増加高 各自推定、手形による支払高33,600千円、現金預金による支払高616,160千円

4．12月に販売したさいの売掛金3,398千ドルについては、為替相場が安定していたため為替予約を行わなかった。しかし、2月に輸出した商品の売掛金1,680千ドルについてはリスクをヘッジする目的で、20×7年3月15日に同年5月末日を決済期日とする為替予約を行ったが、未処理である。なお、為替予約日の1ドル当たりの直物為替相場は106円、先物為替相場は110円で、決算日の1ドル当たりの直物為替相場は108円である。振当処理によることとし、為替予約差額の処理は月割で行う。

5．貸倒引当金については、売上債権について2%の貸倒実績率にもとづき差額補充法で設定する。

6．固定資産の減価償却については次のとおり行う。
　備　品：20×3年4月1日取得、200%定率法（0.4）、耐用年数5年、残存価額ゼロ、保証率0.10800、改定償却率0.500
　建　物：20×1年4月1日取得、定額法、耐用年数25年、残存価額ゼロ
　構築物：20×2年4月1日取得、購入価額72,000千円、減価償却方法：定額法、耐用年数20年、残存価額ゼロ
　75,660　構築物は、20×2年4月1日から20年契約で賃借した土地に設置した立体駐車場の取得費用72,000千円を計上したものである。なお、土地については、賃借期間終了時点で原状回復したうえで貸主に返還する義務がある。この使用後に原状回復のための構築物を除去する法的義務については、取得時に除去費用を6,000千円と見積もり、資産除去債務を計上した。資産除去債務の計上にあたって用いた割引率は年2.5%である（利率年2.5%、20年の現価係数は0.610とする）。決算において必要な処理を行う。

7．自己株式は、当期に60,000株を取得したもので、期末に調査したところ、証券会社への手数料6,000千円が自己株式の取得原価に含められていることが判明した。また、2月1日に240,000株を公募により発行し、192,000株は新株を発行し、48,000株は先に取得した自己株式を処分した。1株当たりの払込金額は1,800円ですでに全額払い込まれているが、払込金は仮受金として処理しただけである。資本金等の増加限度額の2分の1を資本金とする。なお、このさいに支出した株式交付費2,160千円については繰延資産とすることとし、株式交付後3年で定額法により月割償却で処理する。　×2/36 = 120

8．当社は、確定給付年金制度を採用している。数理計算上の差異は、発生年度の翌年度から10年間で定額法により償却する。期首現在の退職給付債務は345,600千円、年金資産は288,000千円、未認識数理計算上の差異は2,160千円（20×4年度末における割引率の引き上げによる。）であった。当期の勤務費用は20,160千円、割引率は年2%、長期期待運用収益率は年2.5%とする。当期中に支払った掛金21,600千円は試算表の仮払金勘定に計上しており、年金支給額22,800千円は年金資産から支払われている。なお、当期末における新たな数値により計算した退職給付債務の額は370,000千円、年金資産の時価は301,000千円であった。

9．費用の前払分：販売費1,068千円、費用の未払分：一般管理費384千円、利息の未収分：179千円

10．法人税、住民税及び事業税50,700千円を計上する。

問1 決算整理前残高試算表における①～⑤の金額を求めなさい。
問2 20×6年度の損益計算書を完成しなさい。
問3 答案用紙の20×6年度末の貸借対照表における各項目の金額を求めなさい。

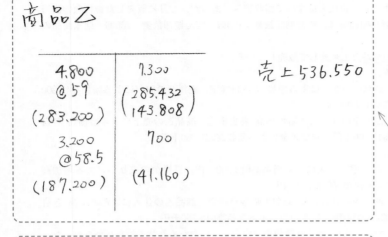

商品乙

4,800	7,300	売上 536,550
@59	(285,432	
(283,200)	143,808)	
3,200	700	
@58.5		
(187,200)	(41,160)	

商品甲

1,000	18,000	売上 1,080,000
@40.9	(720,000)	
(40,900)		
7,000		
@40.9		
(286,300)		
12,000	2,000	
@39.4	(80,000)	
(472,800)		

本問の商品勘定は条件が煩雑なため、ケアレスミス防止するためにもT勘定で整理します。

貸くり：貸倒引当金繰入、Dep：減価償却費、資除費：資産除去債務利息費用、株交D：株式交付費償却、退ヒ：退職給付費用

第 2 問 ―〈解答4ページ・解説11ページ〉―

◆重要な指示やキーワードには、印や下線を入れます。◆
⇒会計期間や端数処理は、計算する際に必要なので、チェックしておきましょう。

　次の**資料**にもとづき、答案用紙にある20×3年度の連結損益計算書を完成しなさい。なお、連結上生じる修正については、実効税率を30%として税効果会計を適用する。また、のれんは、発生の翌年度から20年間にわたって毎期均等額を償却する。

〔**資料1**〕20×3年度における個別損益計算書

損 益 計 算 書　　　　　　（単位：千円）

借 方 科 目	P 社	S 社	貸 方 科 目	P 社	S 社
売 上 原 価	187,000	80,800	売 上 高	264,000	106,000
広 告 宣 伝 費	13,750	7,600	受 取 配 当 金	6,600	——
減 価 償 却 費	13,000	4,200	受 取 利 息	2,200	——
その他の営業費用	16,000	6,500	固定資産売却益	6,000	4,000
支 払 利 息	8,700	1,800	法人税等調整額	1,500	450
法 人 税 等	14,100	3,300			
当 期 純 利 益	27,750	6,250			
	280,300	110,450		280,300	110,450

〔**資料2**〕S社に関する事項

(1) P社は、20×1年度末にS社の発行済株式総数の80%に相当する株式を取得し、支配を獲得した。なお、S社の土地および建物には、それぞれ10,000千円および5,000千円の評価益があり、建物は、残存耐用年数が10年の定額法により減価償却を行う。また、支配獲得時にのれん（親会社株主に帰属する部分のみ）が7,000千円計上された。

(2) P社およびS社が当期中に利益剰余金から支払った配当金は8,000千円および6,000千円であった。

(3) P社は、20×3年度においてS社へ40,000千円の商品を販売し、このうち3,600千円の商品はS社が広告宣伝用に消費した。なお、20×2年度末および20×3年度末において、S社の商品棚卸高のうちP社から仕入れた商品がそれぞれ2,400千円および3,000千円含まれていた。P社の利益率は、各年度通じて25%であった。

(4) P社は、S社に対して40,000千円を貸し付けており、20×3年度において1,200千円の受取利息を計上している。

(5) S社は、20×3年度の期首に備品（帳簿価額7,500千円）をP社に9,000千円で売却した。当該備品は、残存耐用年数5年にわたり定額法によって減価償却する。

〈下書用紙〉
◆連結財務諸表作成に必要な仕訳を書き出していきます。修正漏れがないよう注意しましょう。

```
資本金等        │ S株
評価差額  10,500  │ 非持
のれん     7,000 │

Dep       500   │ Dるい 500
DTL       150   │ 法調  150
非持       70   │ 非利  70
─────────────────────
のDep     350   / のれん 350
非利     1,250  / 非持  1,250
受配     4,800  / 利剰  6,000
非持     1,200  │
Dep       500   │ Dるい 500
DTL       150   │ 法調  150
非持       70   │ 非利  70
売上    40,000  / 売原  40,000
売原      900   / 広告   900
商品      600   │ 売原   600
法調      180   │ DTA   180
売原      750   │ 商品   750
DTA       225   │ 法調   225
受利     1,200  / 支利  1,200

固売益   1,500  │ ビ品  1,500
DTA      450   │ 法調   450
非持      210   │ 非利   210
Dるい    300   │ Dep   300
法調       90   │ DTA    90
非利       42   │ 非持    42
```

前期以前の仕訳（開始仕訳）については、
線を引いて当期の仕訳と区別します。

S株：S社株式、非持：非支配株主持分、Dep：減価償却費、Dるい：減価償却累計額、DTL：繰延税金負債、
利剰：利益剰余金、法調：法人税等調整額、非利：非支配株主に帰属する当期純利益、のDep：のれん償却、
受配：受取配当金、売上：売上高、売原：売上原価、広告：広告宣伝費、DTA：繰延税金資産、
受利：受取利息、支利：支払利息、固売益：固定資産売却益、ビ品：備品

26

◆重要な指示やキーワードには、印や下線を入れます。◆
⇒会計期間や端数処理は、計算する際に必要なので、チェックしておきましょう。

　　当社が保有する有価証券に関する次の資料にもとづいて、答案用紙に示した当期（20×5年4月1日から20×6年3月31日まで）の財務諸表に記載される各項目の金額を求めなさい。

〔資料Ⅰ〕計算上の留意事項
1. 1ドル当たりの為替相場は、以下のとおりである。
　20×5年4月1日（当期首）：1ドル当たり100円
　20×6年3月31日（当期末）：1ドル当たり120円
　20×5年4月1日から20×6年3月31日の期中平均相場：1ドル当たり110円

　　　すべてを仕訳せず、できるだけ答えに必要な勘定科目だけを仕訳します。

2. 売買目的有価証券に関連する損益は、すべて有価証券運用損益で処理する。その他有価証券は部分純資産直入法により処理する。
3. 金額の計算上端数が生じた場合には、千円未満を四捨五入する。外貨建有価証券についてはドル建てでは端数処理を行わず、円換算した後で端数処理を行うものとする。
4. 税効果会計や連結会計は考慮しなくてよい。

〔資料Ⅱ〕当期末に保有する有価証券に関する取引の明細
1. A社株式
　　A社株式は、売買目的有価証券であり、20×5年8月1日に1株当たり500千円で100株取得した。20×6年3月31日の時価は1株当たり454千円であった。

　有証 50,000 /
　有運 4,600 / 有証 4,600

2. B社株式
　　B社株式は、売買目的有価証券であり、20×5年5月1日に1株当たり200千円で30取得した。20×5年10月1日に1株を2株にする株式分割が行われた。株式分割後の20×6年2月1日に1株当たり160千円で12株を売却した。20×6年3月31日の時価は1株当たり165千円であった。

　有証 6,000 /
　/ 有証 1,200
　/ 有運 720

3. C社株式
　　C社株式は、売買目的有価証券であり、20×6年3月30日に10,000千円で取得する売買契約を締結した（当該有価証券の受渡しと対価の支払いは20×6年4月4日に行われた）。なお、当社は修正受渡日基準を採用している。20×6年3月31日の時価は10,200千円であった。

　有証 3,120 / 有運 3,120

　有証 200 / 有運 200

4. D社株式
　　D社株式は、子会社株式であり、20×5年5月1日に100,000千円で取得した。20×5年12月31日にD社から7,000千円の配当金（その他資本剰余金を財源とするもの）を受け取った。20×6年3月31日の時価は104,000千円であった。

　子株 100,000 /

　/ 子株 7,000

5. E社株式
　　E社株式は、20×5年1月1日に1株当たり100千円で100株取得し、その他有価証券として保有していた。20×5年3月31日の時価は1株当たり80千円であった。20×5年9月1日に1株当たり130千円（時価）で2,000株を追加取得し、保有目的を子会社株式に変更した。20×6年3月31日の時価は1株当たり145千円であった。

　そ有 2,000 / そ評 2,000

　子株 260,000 / そ有 2,000
　子株 8,000 / そ有 8,000

6. F社社債
　　F社社債は、満期保有目的債券であり、20×5年2月1日に18,500千円で取得した。額面金額は20,000千円、償還期間は取得日から5年後、クーポン利子率は年6%（利払日は年2回、毎年1月と7月末日）、実効利子率は年7.84%（半年複利）である。取得差額は金利調整差額であり、償却原価法（利息法）を適用する。

　有利 200 /
　　満保83 / 有利83　満保130 / 有利130　満保45 / 有利45

7. G社社債
　　G社社債は、外貨建満期保有目的債券であり、20×5年4月1日に140千ドルで取得した。額面金額は200千ドル、償還期間は取得日から3年後、クーポン利子率は年0%、実効利子率は年12.62%である。取得差額は金利調整差額であり、償却原価法（利息法）を適用する。20×6年3月31日の時価は155千ドルであった。

　満保 14,000 /
　　満保1943 / 有利1,943
　　満保2977 / 為替2,977

8. H社社債
　　H社社債は、外貨建その他有価証券であり、20×5年4月1日に840千ドルで取得した。額面金額は1,000千ドル、償還期間は取得日から4年後、クーポン利子率は年2%（利払日は年1回、毎年3月末日）である。取得差額は金利調整差額であり、償却原価法（定額法）を適用する。なお、20×6年3月31日の時価は885千ドルであった。

　そ有 84,000 /
　/ 有利 2,400
　　そ有 4,900 / 有利 4,900
　　そ有 17,800 / そ差 17,800

有証：売買目的有価証券、有運：有価証券運用損益、子株：子会社株式、そ有：その他有価証券、
そ評：その他有価証券評価損、有利：有価証券利息、満保：満期保有目的債券、為替：為替差損益、
そ差：その他有価証券評価差額金

2024年度

日商簿記検定試験対策

第168回試験をあてる
TAC直前予想模試

解答・解答への道

1　級	−II

工業簿記・原価計算

第1予想

目標得点

第1目標　41点
第2目標　50点

答に示した A B C マークを活用し、
絶対に落としてはいけない A のすべてと、
できれば落としたくない B のうち半分は得点し、
目標得点に到達できるまで繰り返し解きましょう。

TAC 簿記検定講座

合格るタイムライン
第1予想（工原）はこの順序で解こう！

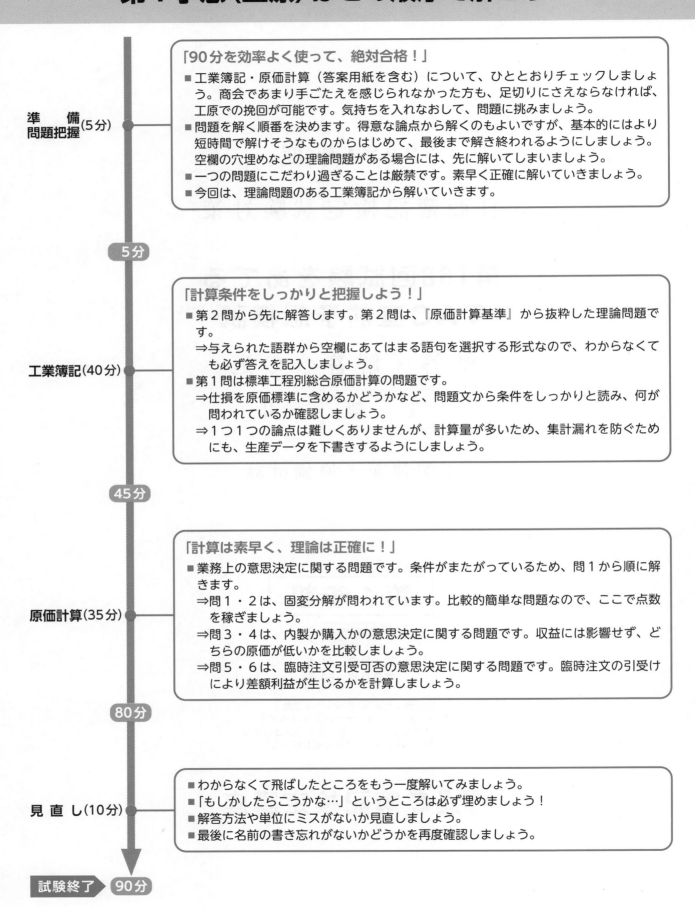

準備
問題把握(5分)

「90分を効率よく使って、絶対合格！」

■ 工業簿記・原価計算（答案用紙を含む）について、ひととおりチェックしましょう。商会であまり手ごたえを感じられなかった方も、足切りにさえならなければ、工原での挽回が可能です。気持ちを入れなおして、問題に挑みましょう。
■ 問題を解く順番を決めます。得意な論点から解くのもよいですが、基本的にはより短時間で解けそうなものからはじめて、最後まで解き終われるようにしましょう。空欄の穴埋めなどの理論問題がある場合には、先に解いてしまいましょう。
■ 一つの問題にこだわり過ぎることは厳禁です。素早く正確に解いていきましょう。
■ 今回は、理論問題のある工業簿記から解いていきます。

5分

工業簿記(40分)

「計算条件をしっかりと把握しよう！」

■ 第2問から先に解答します。第2問は、『原価計算基準』から抜粋した理論問題です。
　⇒与えられた語群から空欄にあてはまる語句を選択する形式なので、わからなくても必ず答えを記入しましょう。
■ 第1問は標準工程別総合原価計算の問題です。
　⇒仕損を原価標準に含めるかどうかなど、問題文から条件をしっかりと読み、何が問われているか確認しましょう。
　⇒1つ1つの論点は難しくありませんが、計算量が多いため、集計漏れを防ぐためにも、生産データを下書きするようにしましょう。

45分

原価計算(35分)

「計算は素早く、理論は正確に！」

■ 業務上の意思決定に関する問題です。条件がまたがっているため、問1から順に解きます。
　⇒問1・2は、固変分解が問われています。比較的簡単な問題なので、ここで点数を稼ぎましょう。
　⇒問3・4は、内製か購入かの意思決定に関する問題です。収益には影響せず、どちらの原価が低いかを比較しましょう。
　⇒問5・6は、臨時注文引受可否の意思決定に関する問題です。臨時注文の引受けにより差額利益が生じるかを計算しましょう。

80分

見直し(10分)

■ わからなくて飛ばしたところをもう一度解いてみましょう。
■ 「もしかしたらこうかな…」というところは必ず埋めましょう！
■ 解答方法や単位にミスがないか見直しましょう。
■ 最後に名前の書き忘れがないかどうかを再度確認しましょう。

試験終了 ▶ **90分**

解答 目標22点

第1問

問1

仕 掛 品		(単位：円)
月 初 仕 掛 品 （ ❶🅐 2,323,600 ）	製 品 （ ❶🅐 39,200,000 ）	
直 接 材 料 費 （ ❶🅐 18,421,200 ）	月 末 仕 掛 品 （ 2,200,800 ）	
直 接 労 務 費 （ 6,180,000 ）	原 価 差 異 （ ❷🅐 4,185,500 ）	
製 造 間 接 費 18,661,500		
（ 45,586,300 ）	（ 45,586,300 ）	

問2

①	②	③
❷🅐 1,608,000 円 〔 U 〕	480,000 円 〔 U 〕	❷🅐 1,440,000 円 〔 U 〕

問3

❷🅑 1,856,000 円 〔 U 〕

問4

❸🅑 10,665 円

問5

仕 掛 品		(単位：円)
月 初 仕 掛 品 （ 2,433,800 ）	製 品 （ ❶🅐 42,660,000 ）	
直 接 材 料 費 （ 18,421,200 ）	異 常 仕 損 費 （ ❶🅐 116,400 ）	
直 接 労 務 費 （ 6,180,000 ）	月 末 仕 掛 品 （ ❶🅐 2,373,400 ）	
製 造 間 接 費 18,661,500	原 価 差 異 （ ❶🅐 546,700 ）	
（ 45,696,500 ）	（ 45,696,500 ）	

問6

①	②	③
❶🅐 7,200 円 〔 U 〕	37,600 円 〔 U 〕	387,300 円 〔 U 〕
④	⑤	⑥
❶🅐 89,500 円 〔 U 〕	265,800 円 〔 U 〕	❶🅐 32,000 円 〔 U 〕

第2問

①	❶🅐受入価格	②	標準価格	③	標準原価	④	❶🅐材料種類
⑤	❶🅐部　　門	⑥	作業種類	⑦	標　準　額	⑧	❶🅐一定期間

●数字は採点基準　合計25点

解答 目標19点

問1 (1) ❸Ⓐ **4,300** 円/個　　(2) ❷Ⓐ **8,000,000** 円

問2 (1) ❸Ⓐ **4,220** 円/個　　(2) ❷Ⓐ **8,600,000** 円

問3 月間の必要量が4,200個の場合、内製する方が、購入する場合に比べて **148,000** 円だけ

（　有利　・　~~不利~~　）である。　　**両方正解で❸Ⓐ**

（注）□ 内に適当な金額を記入し、（　　）内の不要な文字を二重線で消しなさい。以下同様。

問4 (1) 月間の必要量が4,500個の場合、内製する方が、購入する場合に比べて **37,000** 円だけ

（　有利　・　~~不利~~　）である。　　**両方正解で❸Ⓑ**

(2) 月間の必要量が5,050個の場合、内製する方が、購入する場合に比べて **5,500** 円だけ

（　~~有利~~　・　不利　）である。　　**両方正解で❸Ⓑ**

問5 臨時注文を引き受けた方が、引き受けない場合に比べて月間で **381,000** 円だけ

（　有利　・　~~不利~~　）である。　　**両方正解で❸Ⓑ**

問6 臨時注文を引き受けた方が、引き受けない場合に比べて月間で **32,000** 円だけ

（　~~有利~~　・　不利　）である。　　**両方正解で❸Ⓑ**

●数字は採点基準　合計25点

❖ 工業簿記　解答への道

第1問　工程間仕掛品がある場合の標準原価計算

〔問1〕仕掛品勘定の記入（修正パーシャル・プラン）

　本問では工程別計算の方法について特に明示されていないが、以下、便宜的に累加法によった場合の計算を示す。

1 標準原価カードの作成（製品T1個あたりの標準原価）

〈第1工程〉
P 材 料 費	2,400円/個×1個 =	2,400 円
Q 材 料 費	1,200円/kg×1kg =	1,200 円
直接労務費	2,000円/時間×0.5時間 =	1,000 円
製造間接費	6,000円/時間×0.5時間 =	3,000 円
合計（第1工程完成品）		7,600 円

〈第2工程〉
前 工 程 費	7,600円/個×1個 =	7,600 円
Q 材 料 費	1,200円/kg×0.5kg =	600 円
直接労務費	2,000円/時間×0.2時間 =	400 円
製造間接費	6,000円/時間×0.2時間 =	1,200 円
合計（製品T）		9,800 円

2 生産データの整理

　資料3の月初・月末仕掛品のうち、第1工程分には、加工費進捗度が示されておらず、「第1工程完成品」とあることから、第1工程に係る月初・月末仕掛品は（加工途中の）工程内の仕掛品ではなく、（加工終了後の）工程間仕掛品であることを読み取る。この場合、次工程に工程間仕掛品を投入する際にいったん半製品として倉庫にストックしておいてから、次工程に投入していると考えればよい。

　以上を考慮すると、第1工程仕掛品勘定と第2工程仕掛品勘定の間に、半製品に相当する勘定を設けて生産データを整理すると計算しやすい。生産データの整理にあたっては、工程ごとの完成量や次工程における消費量が明示されていないことから、最終製品の完成量から投入量を逆算していくことになる。なお、第1工程の工程内に仕掛品はなく、加工は終了しているため、各原価要素の進捗度はいずれも100%となる。

　下記の生産データの（　）内の数値は、直接労務費および製造間接費の完成品換算量を表す（以下同様）。

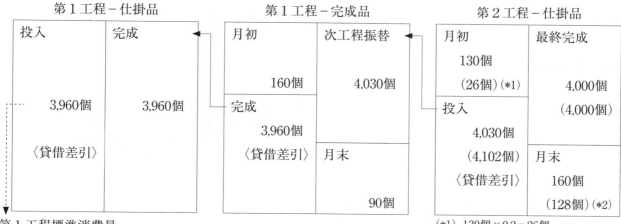

第1工程標準消費量

材　料　P：3,960個×1個＝3,960個
材　料　Q：3,960個×1kg＝3,960kg
直接作業時間：3,960個×0.5時間＝1,980時間

(*1) 130個×0.2＝26個
(*2) 160個×0.8＝128個

3 仕掛品勘定の記入（修正パーシャル・プラン）

　本問では仕掛品勘定が工程別に設定されていないため、仕掛品原価は全工程分を合算する。その際、第1工程の次工程振替分は前工程完成品受入分となり、仕掛品勘定を合算すると相殺されることになるため、完成品原価は、最終完成品原価となる。

　また、修正パーシャル・プランであるため、直接材料費は標準単価に実際消費量を掛けた金額を、直接労務費は標準賃率に実際直接作業時間を掛けた金額を仕掛品勘定（借方）に記入する。なお、製造間接費については、答案用紙に実際発生額が印刷済みである。

〔借方〕
月初仕掛品：
　　第1工程完成品；7,600円/個×160個＝1,216,000円
　　第2工程仕掛品；（7,600円/個＋600円/個）×130個＋（400円/個＋1,200円/個）×26個＝1,107,600円
　　合計；1,216,000円＋1,107,600円＝**2,323,600円**
直接材料費：2,400円/個×4,450個＋1,200円/kg×6,451kg＝**18,421,200円**
　　　　　　　　　　材料P　　　　　　　　　材料Q
直接労務費：2,000円/時間×3,090時間＝**6,180,000円**
〔貸方〕
製品：9,800円/個×4,000個＝**39,200,000円**
月末仕掛品：
　　第1工程完成品；7,600円/個×90個＝684,000円
　　第2工程仕掛品；（7,600円/個＋600円/個）×160個＋（400円/個＋1,200円/個）×128個＝1,516,800円
　　合計；684,000円＋1,516,800円＝**2,200,800円**
原価差異：**4,185,500円**（貸借差額）

ここ重要！

■標準原価計算の勘定記入方法（仕掛品勘定への振替額）

	直接材料費	直接労務費	製造間接費
シングル・プラン	標準原価	標準原価	標準原価
パーシャル・プラン	実際発生額	実際発生額	実際発生額
修正パーシャル・プラン	標準価格×実際消費量	標準賃率×実際時間	実際発生額

〔問2〕 第1工程における標準原価差異の分析

　修正パーシャル・プランのため、仕掛品勘定では消費価格差異および賃率差異は生じない（以下同様）。

1 材料消費量差異

(1)　材料P消費量差異

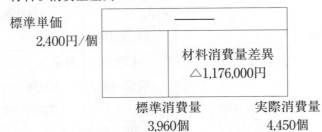

標準単価
　2,400円/個

材料消費量差異
△1,176,000円

標準消費量　　　実際消費量
　3,960個　　　　4,450個

材料消費量差異：
　2,400円/個×（3,960個－4,450個）
　＝（－）1,176,000円〔不利差異・U〕

(2) 材料Q消費量差異

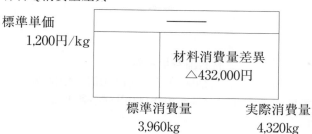

標準単価
1,200円/kg

材料消費量差異
△432,000円

標準消費量　　実際消費量
3,960kg　　　　4,320kg

材料消費量差異：
　1,200円/kg×（3,960kg−4,320kg）
　　＝（−）432,000円〔不利差異・U〕

(3) 材料消費量差異合計
　　（−）1,176,000円＋（−）432,000円＝**（−）1,608,000円〔不利差異・U〕**（①）

② 作業時間差異

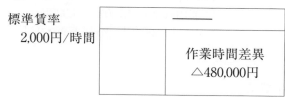

標準賃率
2,000円/時間

作業時間差異
△480,000円

標準直接作業時間　実際直接作業時間
1,980時間　　　　　2,220時間

作業時間差異：
　2,000円/時間×（1,980時間−2,220時間）
　　＝**（−）480,000円〔不利差異・U〕**（②）

③ 能率差異

　製造間接費は工程ごとに予算を設けていないため、工程別の予算差異や操業度差異を算出することはできない。しかし、実際直接作業時間が工程毎に把握されているため、能率差異は工程毎に把握することができる。

　　能率差異：6,000円/時間×（1,980時間−2,220時間）＝**（−）1,440,000円〔不利差異・U〕**（③）

〔問3〕第1工程の標準原価差異の分析

① 標準消費量の計算

　問題文の指示にしたがい、第1工程の標準消費量は、第2工程における「第1工程完成品」の消費実績（4,250個）をふまえて逆算した第1工程の完成量（4,180個）をもとに計算する。

第1工程−仕掛品

投入	完成
4,180個	4,180個
〈貸借差引〉	

第1工程−完成品

月初	次工程振替
160個	4,250個
	〈消費実績〉
完成	
4,180個	月末
〈貸借差引〉	
	90個

第2工程−仕掛品

月初	最終完成
130個	
（26個）	4,000個
	（4,000個）
投入	
4,030個	
（4,102個）	月末
〈貸借差引〉	160個
	（128個）

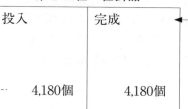

第1工程標準消費量
　材　　料　P：4,180個×1個＝4,180個
　材　　料　Q：4,180個×1kg＝4,180kg
　直接作業時間：4,180個×0.5時間＝2,090時間

② 標準原価差異の分析

(1) 材料消費量差異

① 材料P消費量差異

材料消費量差異：
　2,400円/個×(4,180個−4,450個)
　=(−)648,000円〔不利差異・U〕

② 材料Q消費量差異

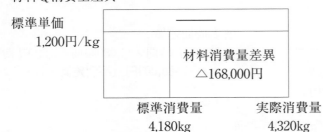

材料消費量差異：
　1,200円/kg×(4,180kg−4,320kg)
　=(−)168,000円〔不利差異・U〕

③ 材料消費量差異合計
　(−)648,000円+(−)168,000円=(−)816,000円〔不利差異・U〕

(2) 作業時間差異

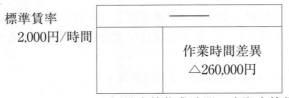

作業時間差異：
　2,000円/時間×(2,090時間−2,220時間)
　=(−)260,000円〔不利差異・U〕

(3) 能率差異
　能率差異：6,000円/時間×(2,090時間−2,220時間)=(−)780,000円〔不利差異・U〕

(4) 差異合計
　(−)816,000円+(−)260,000円+(−)780,000円=**(−)1,856,000円〔不利差異・U〕**

　なお、本問では第1工程の標準消費量を、第2工程における「第1工程完成品」の消費実績をふまえて逆算した第1工程の完成量をもとに計算している。これは、第2工程における不能率を第1工程の消費量差異に混入しないようにするための措置であり、第2工程における220個分（＝4,250個−4,030個）の不能率を第1工程の原価差異の金額から控除することに他ならない。こうすることで、第1工程の業績を適切に把握することが可能となる。

〔問4〕仕損を把握する場合の標準原価計算

問題文の指示より、正常仕損費を原価標準に組み込む際には、正常仕損費を含まない正味標準製造原価に、特別費として正常仕損費を加える方法（いわゆる第2法）により標準原価カードを作成する。なお、第2工程の仕損は工程の70%の点で発生することに注意する。

〈第1工程〉	P 材 料 費	2,400円/個×1個	=	2,400 円
	Q 材 料 費	1,200円/kg×1kg	=	1,200 円
	直接労務費	2,000円/時間×0.5時間	=	1,000 円
	製造間接費	6,000円/時間×0.5時間	=	3,000 円
	第1工程正味標準製造原価			7,600 円
	正常仕損費	7,600円/個×5%	=	380 円
	合計（第1工程完成品）			7,980 円

〈第2工程〉	前 工 程 費	7,980円/個×1個	=	7,980 円
	Q 材 料 費	1,200円/kg×0.5kg	=	600 円
	直接労務費	2,000円/時間×0.2時間	=	400 円
	製造間接費	6,000円/時間×0.2時間	=	1,200 円
	第2工程正味標準製造原価			10,180 円
	正常仕損費	9,700円/個(*)×5%	=	485 円
	合計（製品T）			**10,665 円**

(*) 正常仕損品原価：7,980円＋600円＋（400円＋1,200円）×70％＝9,700円

ここ重要！

仕損が発生する場合の原価標準の設定方法

	方法	仕損費	
第1法	各原価要素別標準消費量を正常仕損率の分だけ増やす方法	原価標準に含める	度外視法に対応した原価標準
第2法	仕損費を含まない単位当たりの正味標準製造原価に、正常仕損費を特別費として加算する方法	原価標準に特別費として加算し区別する	非度外視法に対応した原価標準

〔問5〕仕掛品勘定の記入（修正パーシャル・プラン）

① 正常仕損の負担関係

正常仕損費はその発生点を通過した良品に負担させる。したがって、第1工程の正常仕損費（終点発生）は第1工程完成品のみに、第2工程の正常仕損費（70%の点で発生）は第2工程完成品と第2工程月末仕掛品の両者に負担させる。

〈第2工程〉

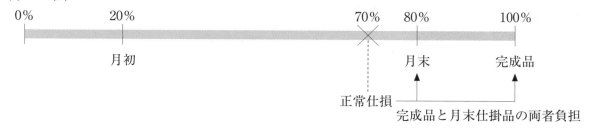

2 生産データの整理

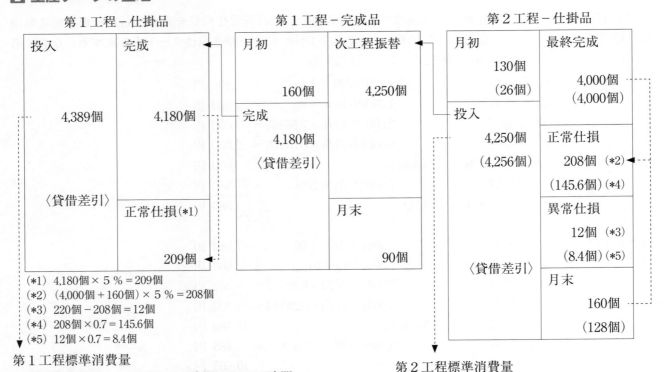

(*1) 4,180個 × 5 % = 209個
(*2) (4,000個 + 160個) × 5 % = 208個
(*3) 220個 − 208個 = 12個
(*4) 208個 × 0.7 = 145.6個
(*5) 12個 × 0.7 = 8.4個

第 1 工程標準消費量
　直接作業時間：4,389個 × 0.5時間 = 2,194.5時間

第 2 工程標準消費量
　材　料　Q：4,250個 × 0.5kg = 2,125kg
　直接作業時間：4,256個 × 0.2時間 = 851.2時間

3 仕掛品勘定の記入

〔借方〕
月初仕掛品：
　第 1 工程完成品；7,980円/個 × 160個 = 1,276,800円
　第 2 工程仕掛品；(7,980円/個 + 600円/個) × 130個 + (400円/個 + 1,200円/個) × 26個 = 1,157,000円
　合計；1,276,800円 + 1,157,000円 = **2,433,800円**
直接材料費：2,400円/個 × 4,450個 + 1,200円/kg × 6,451kg = **18,421,200円**（**問 1** と同じ）
　　　　　　　材料P　　　　　　　　材料Q
直接労務費：2,000円/時間 × 3,090時間 = **6,180,000円**（**問 1** と同じ）
〔貸方〕
製品：10,665円/個 × 4,000個 = **42,660,000円**
　　　または、10,180円/個 × 4,000個 + 9,700円/個 × 5 % × 4,000個 = **42,660,000円**
異常仕損費：(7,980円/個 + 600円/個) × 12個 + (400円/個 + 1,200円/個) × 8.4個 = **116,400円**
　　　　　または、9,700円/個 × 12個 = **116,400円**
月末仕掛品：
　第 1 工程完成品；7,980円/個 × 90個 = 718,200円
　第 2 工程仕掛品；(7,980円/個 + 600円/個) × 160個 + (400円/個 + 1,200円/個) × 128個
　　　　　　　　　　　+ 9,700円/個 × 5 % × 160個 = 1,655,200円
　合計；718,200円 + 1,655,200円 = **2,373,400円**
原価差異：**546,700円**（貸借差額）

〔問6〕 第2工程および製造間接費の標準原価差異の分析

1 第2工程の材料消費量差異および直接労務費の直接作業時間差異

(1) 材料Q消費量差異

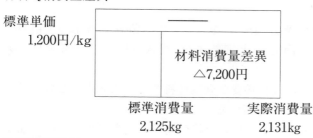

材料消費量差異：
1,200円/kg×（2,125kg－2,131kg）
＝（－）**7,200円**〔不利差異・**U**〕（①）

(2) 作業時間差異

作業時間差異：
2,000円/時間×（851.2時間－870時間）
＝（－）**37,600円**〔不利差異・**U**〕（②）

2 製造間接費差異の計算と分析（第1工程＋第2工程）

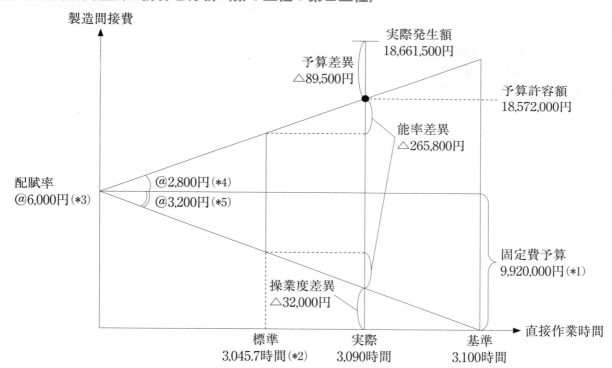

(*1) 固定費予算：18,600,000円－8,680,000円＝9,920,000円
(*2) 標準直接作業時間：2,194.5時間＋851.2時間＝3,045.7時間
(*3) 問題〔資料〕1．より
(*4) 変動費率：8,680,000円÷3,100時間＝2,800円/時間
(*5) 固定費率：6,000円/時間－2,800円/時間＝3,200円/時間

製造間接費差異総額：6,000円/時間×3,045.7時間－18,661,500円＝（－）**387,300円**〔不利差異・**U**〕（③）

予 算 差 異：2,800円/時間×3,090時間＋9,920,000円－18,661,500円＝（－）**89,500円**〔不利差異・**U**〕（④）

能 率 差 異：6,000円/時間×（3,045.7時間－3,090時間）＝（－）**265,800円**〔不利差異・**U**〕（⑤）

操業度差異：3,200円/時間×（3,090時間－3,100時間）＝（－）**32,000円**〔不利差異・**U**〕（⑥）

第2問　原価計算基準の語句補充問題

　本問は、『原価計算基準』46「標準原価計算制度における原価差異」からの出題である。空欄を補充した全文を示せば次のようになる。

1．材料（　①　**受入価格**　）差異とは、材料の（　①　**受入価格**　）を（　②　**標準価格**　）をもって計算することによって生ずる原価差異をいい、標準（　①　**受入価格**　）と実際（　①　**受入価格**　）との差異に、実際受入数量を乗じて算定する。

2．直接材料費差異とは、（　③　**標準原価**　）による直接材料費と直接材料費の実際発生額との差額をいい、これを（　④　**材料種類**　）別に価格差異と数量差異とに分析する。

3．直接労務費差異とは、（　③　**標準原価**　）による直接労務費と直接労務費の実際発生額との差額をいい、これを（　⑤　**部門**　）別又は（　⑥　**作業種類**　）別に賃率差異と作業時間差異とに分析する。

4．製造間接費差異とは、製造間接費の（　⑦　**標準額**　）と実際発生額との差額をいい、原則として（　⑧　**一定期間**　）における（　⑤　**部門**　）間接費差異として算定し、これを能率差異、操業度差異等に適当に分析する。

Link

出題内容	出題論点	合格テキスト 合格トレーニング	スッキリわかる	簿記の教科書 簿記の問題集
標準工程別 総合原価計算	原価標準の設定	Ⅱ－テーマ06	Ⅱ－第6章	2－CHAPTER06
	仕掛品勘定の記入	Ⅱ－テーマ06	Ⅱ－第6章	2－CHAPTER06
	原価差異の分析	Ⅱ－テーマ06	Ⅱ－第6章	2－CHAPTER06
	工程間在庫の把握と計算	Ⅱ－テーマ06	Ⅱ－第7章	2－CHAPTER06
	仕損関連の差異の計算	Ⅱ－テーマ07	Ⅱ－第8章	2－CHAPTER07
理論問題	原価計算基準（原価差異）の語句補充	Ⅱ－テーマ06	Ⅱ－第6章	2－CHAPTER06

❖ 原価計算　解答への道

問1　月間の生産量が4,000個の場合の部品Ｚの１個あたり変動製造原価および月間の固定製造間接費の計算

(1)　製造間接費の高低点法による固変分解

　　高低点法では、操業度の高点と低点のデータを用いて原価を分解するので、高点は最高操業度である11月の4,800時間となり、低点は最低操業度である８月の4,100時間となる。この２点を用いて以下の計算により、製造間接費の変動費率と月間の固定製造間接費を求める。

〈変動費率〉

$$\frac{14,720,000円 - 13,740,000円}{4,800時間 - 4,100時間} = 1,400円/時間$$

〈月間の固定製造間接費〉

14,720,000円 − 1,400円/時間 × 4,800時間 = 8,000,000円

または　13,740,000円 − 1,400円/時間 × 4,100時間 = 8,000,000円

ここ重要！

■原価の固変分解

名称	内容
費目別精査法	過去の経験にもとづいて、費目分類表を精査して費目ごとに変動費と固定費に分類する方法。
スキャッター・チャート法	原価の実績データをグラフに記入し、これらの点の真ん中を通る原価直線を目分量で引く方法。
高低点法	過去の実績データのうち、その費目の最高の営業量のときの実績データと最低の営業量のときの実績データから、原価の推移を直線とみなし、変動費と固定費を分解する方法。
最小自乗法	原価の推移を営業量の変化に関係づけられる直線と考え、原価の実績データの平均線（回帰線）を求める方法。

(2)　生産量が4,000個の場合の原料Ｔ消費量と機械稼働時間

　　原料Ｔ消費量：8 kg/個 × 4,000個 = 32,000kg

　　機械稼働時間：1 時間/個 × 4,000個 = 4,000時間

(3)　計算条件の確認

　　本問は、原料Ｔの購入量によって原料Ｔの購入単価が変動し、また、新たに設備・倉庫リース料が発生する場合もある。また、直接作業時間に制約はないが、機械稼働時間には制約（最大月間稼働時間6,000時間）がある。つまり、当社の部品Ｚの生産能力は6,000個（=6,000時間÷1時間/個）である。よって、計算するにあたり、原料Ｔの単価の変動の有無、設備・倉庫リース料の発生の有無、機械稼働時間が制約条件の範囲内であるか否か、を確認しなければならない。

①　原料Ｔの購入量は32,000kgなので、値引きは受けられない。

②　原料Ｔの購入量は32,000kgであり、35,000kg以下なので、設備・倉庫リース料は発生しない。

③　生産能力6,000個の範囲内である。

(4) 部品Zの1個あたり変動製造原価および月間の固定製造間接費

部品Zの1個あたり変動製造原価

直接材料費：	250円/kg×8kg/個	=	2,000円/個
直接労務費：	750円/時間×1.2時間/個	=	900円/個
変動製造間接費：1,400円/時間×1時間/個		=	1,400円/個
			4,300円/個

部品Zの月間の固定製造間接費：**8,000,000円**

問2　月間の生産量が5,000個の場合の部品Zの1個あたり変動製造原価および月間の固定製造間接費の計算

(1) 生産量が5,000個の場合の原料T消費量と機械稼働時間

　　原料T消費量：8kg/個×5,000個＝40,000kg

　　機械稼働時間：1時間/個×5,000個＝5,000時間

(2) 計算条件の確認

　① 原料Tの購入量は40,000kgであり、38,000kgを超えているので、原料Tの購入単価は購入量すべてに対して4％の値引きを受け240円/kg(*)となる。

　　　(*) 250円/kg×(1−0.04)＝240円/kg

　② 原料Tの購入量は40,000kgであり、35,000kg超40,000kgまでの範囲内にあるので、設備・倉庫リース料が600,000円発生する。

　③ 生産能力6,000個の範囲内である。

(3) 部品Zの1個あたり変動製造原価および月間の固定製造間接費

部品Zの1個あたり変動製造原価

直接材料費：	240円/kg×8kg/個	=	1,920円/個
直接労務費：	750円/時間×1.2時間/個	=	900円/個
変動製造間接費：1,400円/時間×1時間/個		=	1,400円/個
			4,220円/個

部品Zの月間の固定製造間接費：8,000,000円＋600,000円＝**8,600,000円**

問3　月間の必要量が4,200個の場合に部品ZをP社から購入するか当社で内製するかの意思決定

〈P社から購入する場合〉

　差額原価（購入原価）：6,200円/個×4,200個＝26,040,000円

〈当社で内製する場合〉

(1) 生産量が4,200個の場合の原料T消費量と機械稼働時間

　　原料T消費量：8kg/個×4,200個＝33,600kg

　　機械稼働時間：1時間/個×4,200個＝4,200時間

(2) 計算条件の確認

　① 原料Tの購入量は33,600kgであり、32,000kg超38,000kgまでの範囲内にあるので、原料Tの購入単価は購入量すべてに対して2％の値引きを受け245円/kg(*)となる。

　　　(*) 250円/kg×(1−0.02)＝245円/kg

　② 原料Tの購入量は33,600kgであり、35,000kg以下となるので、設備・倉庫リース料は発生しない。

　③ 生産能力6,000個の範囲内である。

第1予想 原価計算

(3) 部品Zの1個あたり変動製造原価および月間の固定製造間接費
部品Zの1個あたり変動製造原価

直接材料費：	245円/kg×8kg/個	＝	1,960円/個
直接労務費：	750円/時間×1.2時間/個	＝	900円/個
変動製造間接費：	1,400円/時間×1時間/個	＝	1,400円/個
			4,260円/個

部品Zの月間の固定製造間接費：8,000,000円
(4) 当社で4,200個内製する場合の差額原価
4,260円/個×4,200個＋8,000,000円＝25,892,000円

〈内製案と購入案の比較〉

以上より、月間の必要量が4,200個の場合、内製する方が、購入する場合に比べて**148,000円**(*)だけ**有利**である。

(*) P社から購入26,040,000円－当社で内製25,892,000円＝148,000円

ここ重要！

■内製か購入かの意思決定において用いる基礎的な用語

差額原価	関連原価の比較から生じる各原価項目の差額（およびその合計）
機会原価	ある代替案を選択した場合、他の案を選択していれば得られたであろう最大の利益額（逸失利益）。 犠牲にした案が複数ある場合は、そのうち最大の利益額（最大逸失利益額）。

(注) 内製か購入かの意思決定は、通常は、収益には影響をおよぼさず、内製と購入のどちらの方が、原価が低くなるかによって判断します。

問4 問3の条件を前提に、さらに条件を追加した場合の部品ZをP社から購入するか当社で内製するかの意思決定

《部品Zの月間必要量が4,500個の場合》
〈P社から購入する場合〉
6,200円/個×4,000個＝24,800,000円
6,200円/個×（1－0.03）×（4,500個－4,000個）＝3,007,000円
差額原価（購入原価）：24,800,000円＋3,007,000円＝27,807,000円

〈当社で内製する場合〉
(1) 生産量が4,500個の場合の原料T消費量と機械稼働時間
原料T消費量：8kg/個×4,500個＝36,000kg
機械稼働時間：1時間/個×4,500個＝4,500時間
(2) 計算条件の確認
① 原料Tの購入量は36,000kgであり、32,000kg超38,000kgまでの範囲内にあるので、原料Tの購入単価は購入量すべてに対して2％の値引きを受け、250円/kg×（1－0.02）＝245円/kgとなる。
② 原料Tの購入量は36,000kgであり、35,000kg超40,000kgまでの範囲内にあるので、設備・倉庫リース料が600,000円発生する。
③ 生産能力6,000個の範囲内である。
(3) 部品Zの1個あたり変動製造原価および月間の固定製造間接費
部品Zの1個あたり変動製造原価：
（245円/kg×8kg/個）＋（750円/時間×1.2時間/個）＋（1,400円/時間×1時間/個）＝4,260円/個
部品Zの月間の固定製造間接費：8,000,000円＋600,000円＝8,600,000円

43

(4) 当社で4,500個内製する場合の差額原価

   4,260円/個×4,500個＋8,600,000円＝27,770,000円

〈内製案と購入案の比較〉

  以上より、月間の必要量が4,500個の場合、内製する方が、購入する場合に比べて**37,000円**(*)だけ**有利**である。

 (*)　P社から購入27,807,000円－当社で内製27,770,000円＝37,000円

《部品Zの月間必要量が5,050個の場合》

〈P社から購入する場合〉

 6,200円/個×4,000個＝24,800,000円

 6,200円/個×（1－0.03）×（4,500個－4,000個）＝3,007,000円

 6,200円/個×（1－0.15）×（5,050個－4,500個）＝2,898,500円

 差額原価（購入原価）：24,800,000円＋3,007,000円＋2,898,500円＝30,705,500円

〈当社で内製する場合〉

(1) 生産量が5,050個の場合の原料T消費量と機械稼働時間

  原料T消費量：8kg/個×5,050個＝40,400kg

  機械稼働時間：1時間/個×5,050個＝5,050時間

(2) 計算条件の確認

 ① 原料Tの購入量は40,400kgであり、38,000kgを超えるので、原料Tの購入単価は購入量すべてに対して4％の値引きを受け、250円/kg×（1－0.04）＝240円/kgとなる。

 ② 原料Tの購入量は40,400kgであり、40,000kgを超えるので、設備・倉庫リース料が1,400,000円発生する。

 ③ 生産能力6,000個の範囲内である。

(3) 部品Zの1個あたり変動製造原価および月間の固定製造間接費

  部品Zの1個あたり変動製造原価：

  （240円/kg×8kg/個）＋（750円/時間×1.2時間/個）＋（1,400円/時間×1時間/個）＝4,220円/個

  部品Zの月間の固定製造間接費：8,000,000円＋1,400,000円＝9,400,000円

(4) 当社で5,050個内製する場合の差額原価

  4,220円/個×5,050個＋9,400,000円＝30,711,000円

〈内製案と購入案の比較〉

  以上より、月間の必要量が5,050個の場合、内製する方が、購入する場合に比べて**5,500円**(*)だけ**不利**である。

 (*)　P社から購入30,705,500円－当社で内製30,711,000円＝（－）5,500円

問5　新規顧客であるQ沢物産からの臨時注文を引き受けるべきか否かの意思決定

(1) 臨時注文を引き受けた場合の部品Zの当月総生産量

  臨時注文を引き受けると、生産必要量は6,300個（＝5,100個＋1,200個）となり、当社の生産能力である6,000個を超過するため、この臨時注文を受注するためには、既存の販売分を300個（＝6,300個－6,000個）減産しなければならないことになる。

(2) 生産量が6,000個の場合の原料T消費量と機械稼働時間

  原料T消費量：8kg/個×6,000個＝48,000kg

  機械稼動時間：1時間/個×6,000個＝6,000時間

(3) 計算条件の確認

 ① 現時点における生産量5,100個に必要な原料Tは40,800kg（＝8kg/個×5,100個）であり、38,000kgを超えている。したがって、増産する900個分（＝6,000個－5,100個）の原料T7,200kg（＝8kg/個×900個）の購入単価についても、4％引きの240円/kgである。また、設備・倉庫リース料も現時点ですでに原料Tの必要量が40,000kgを超えていることから、臨時注文を受注しても月額1,400,000円のまま増額

しない。よって、受注により部品Zの変動製造原価が1個につき4,220円ずつ増加するため関連原価となると同時に、固定製造間接費は9,400,000円のまま増加しないので、無関連原価（埋没原価）となる。

② 上記(1)より、既存顧客への販売断念分300個の売上収益を逸失することになる。

(4) 臨時注文を引き受けた場合の差額原価収益分析

計算結果は以下のようになる。なお、意思決定に関連のない収益・原価は含めないよう注意すること。

Ⅰ　差額収益

新規顧客（Q沢物産）への売上高：5,000円/個×1,200個＝ 　　　6,000,000円

Ⅱ　差額原価

変動製造原価：4,220円/個×900個　　　　＝　3,798,000円

売上収益逸失額（機会原価）：6,070円/個×300個＝　1,821,000円　　5,619,000円

Ⅲ　差額利益　　　　　　　　　　　　　　　　　　　　　（＋）381,000円

以上より、新規顧客から臨時注文を引き受けた方が、引き受けない場合に比べて月間で**381,000円**だけ**有利**である。

問6　問5の条件を前提に、さらに条件を追加した場合のQ沢物産からの臨時注文を引き受けるべきか否かの意思決定

(1) 計算条件の確認

問5の条件を前提とするので、追加された条件についてのみ確認する。

① 部品Zの専用製造用機械を新たにリースすることにより、機械稼働時間が1,000時間増強され、最大月間稼働時間が7,000時間となる。よって、本問では既存の生産販売分5,100個を減産させることなく1,200個の臨時注文に対応することができる。

② 直接作業時間は7,560時間（＝1.2時間/個×6,300個）となり、560時間（＝7,560時間－7,000時間）が定時間外作業となる。よって、当該定時間外作業分については、基本賃金750円/時間の300円/時間（＝750円/時間×40％）増しとなる。

③ 新たに発生したリース料月額800,000円は固定費であるが、差額原価となる。

(2) さらに条件を追加して臨時注文を引き受けた場合の差額原価収益分析

Ⅰ　差額収益

新規顧客（Q沢物産）への売上高：5,000円/個×1,200個＝ 　　6,000,000円

Ⅱ　差額原価

変動製造原価：4,220円/個×1,200個　　＝　5,064,000円

割増賃金：300円/時間×560時間　　　　＝　　168,000円

製造用機械リース料（月額）　　　　　　　　800,000円　　6,032,000円

Ⅲ　差額損失　　　　　　　　　　　　　　　　　　　　（－）32,000円

以上より、新規顧客からさらに条件を追加して臨時注文を引き受けた方が、引き受けない場合に比べて月間で**32,000円**だけ**不利**である。

Link

出題内容	出題論点	合格テキスト 合格トレーニング	スッキリわかる	簿記の教科書 簿記の問題集
業務執行上の意思決定	原価の固変分解（高低点法）	Ⅲ－テーマ05	Ⅲ－第2章	3－CHAPTER03
	内製か購入かの意思決定	Ⅲ－テーマ10	Ⅳ－第1章	3－CHAPTER08
	臨時注文引受可否の意思決定	Ⅲ－テーマ10	Ⅳ－第1章	3－CHAPTER08

第 1 問 ―〈解答31ページ・解説33ページ〉―

◆重要な指示やキーワードには、印や下線を入れます。◆
工業簿記は、細かい指示が多いので慎重に問題文を読みます。
⇒問われている原価計算の種類や処理方法を確認します。

　当社は修正パーシャル・プランの標準原価計算制度を採用している。直接材料費と直接労務費を標準単価と標準賃率でそれぞれ仕掛品勘定に振り替えている。次の〔資料〕にもとづいて、以下の**問**に答えなさい。差異分析については、有利差異の場合は「F」を、不利差異の場合は「U」を答案用紙の〔　〕内に記入すること。

〔資料〕

1．製品Tの原価標準

	標準消費量	標準単価	金　額
直接材料費			
材料 P	1個	2,400円/個	2,400円
材料 Q	1.5kg	1,200円/kg	1,800円
直接労務費	0.7時間	2,000円/時間	1,400円
製造間接費	0.7時間	6,000円/時間	4,200円
合　計			9,800円

（注）上記の原価標準には正常仕損費は含まれていない。

製品T1個あたりの標準原価を求めます。
→第1工程の完成品を先に算定し、それが第2工程の前工程費となります。

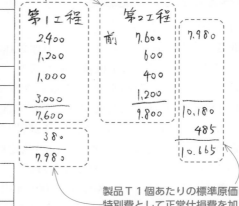

2．原価標準工程別標準消費量内訳

		第 1 工程	第 2 工程
直 接 材 料	材 料 P	1個	—
	材 料 Q	1 kg	0.5kg
直接作業時間		0.5時間	0.2時間

（注）材料はすべて各工程の始点で投入している。

製品T1個あたりの標準原価に、特別費として正常仕損費を加える方法を加筆します。

3．当月の生産データ
　　月初仕掛品
　　　第 1 工程完成品　　　　　160個
　　　第 2 工程仕掛品　　　　　130個 (0.2)
　　製品T完成量　　　　　4,000個
　　月末仕掛品
　　　第 1 工程完成品　　　　　90個
　　　第 2 工程仕掛品　　　　　160個 (0.8)
　　（注）（　）内の数値は加工費進捗度を示す。

各工程における生産データを整理します。

4．当月の消費実績

		第 1 工程	第 2 工程	合 計
材 料 P		4,450個	—	4,450個
材 料 Q		4,320kg	2,131kg	6,451kg
直接作業時間		2,220時間	870時間	3,090時間

5．正常直接作業時間および製造間接費予算（変動予算）
　　1か月あたりの正常直接作業時間　　　3,100時間
　　1か月あたりの製造間接費予算　　18,600,000円（うち、8,680,000円が変動費）
6．当月の製造間接費実際発生額　　　18,661,500円

〔問1〕仕掛品勘定を完成しなさい。なお、**問1**から**問3**では仕損は原価標準に含めず、すべて原価差異に含めること。

〔問2〕第1工程における①材料消費量差異、②直接労務費の直接作業時間差異および③製造間接費の能率差異を計算しなさい。ただし、能率差異は標準配賦率を用いて計算すること（以下同様）。

〔問3〕第2工程における第1工程完成品の当月消費実績は4,250個であった（以下の**問**も同様）。これをもとに、第1工程の材料消費量差異、作業時間差異および能率差異の合計額を計算しなさい。なお、第1工程の標準消費量は、第2工程における「第1工程完成品」の消費実績をふまえて逆算した第1工程の完成量をもとに計算すること。この計算によれば、材料Q第1工程消費量差異は、168,000円の不利差異となる。

〔問4〕製品Tの製造工程において、第1工程の終点および第2工程の70％の点に仕損検査点を設けることとする。正常な状態で作業が行われる場合、各工程において検査点を通過する良品の5％の仕損品が発生するものとする。仕損品に売却価値はない。そこで、正常仕損費を考慮した製品T1個あたりの原価標準を答えなさい。なお、正常仕損費を原価標準に組み込む際には、正常仕損費を含まない正味標準製造原価に、正常仕損費を特別費として加える方法によること（以下の**問**も同様）。

〔問5〕**問4**の条件を加味した場合の仕掛品勘定を完成しなさい。なお、実際仕損量は第1工程が209個、第2工程が220個であった。また、正常仕損費は異常仕損費に負担させないこと。

〔問6〕**問5**の原価差異のうち、第2工程の①材料消費量差異、②直接労務費の直接作業時間差異と両工程の③製造間接費差異総額を分析し、さらにその製造間接費差異総額を④予算差異、⑤能率差異、⑥操業度差異に分析しなさい。

前：前工程費、①完：第1工程完成品、②仕材：第2工程仕掛品直接材料費、
②仕労間：第2工程仕掛品直接労務費・製造間接費、①仕：第1工程仕掛品、
正損：正常仕損、異損：異常仕損、F：固定費

〈下書用紙〉

問2
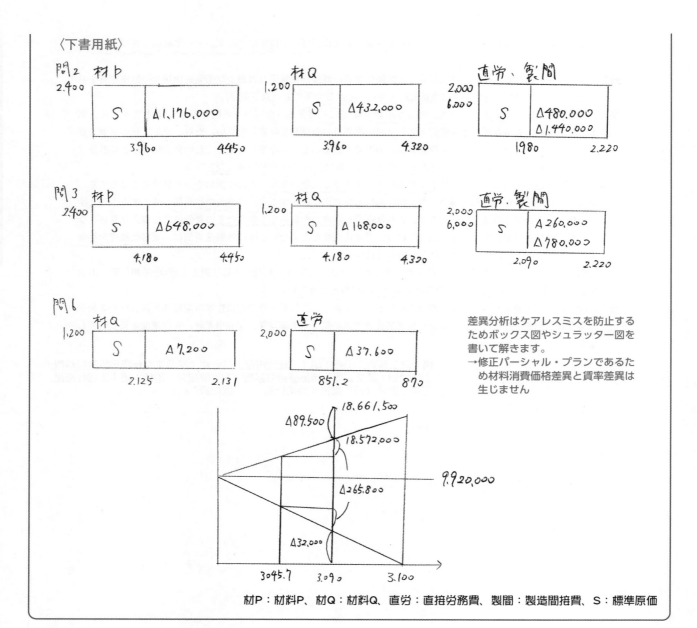

材P
2,400

| S | △1,176,000 |

3,960　　　　4,450

材Q
1,200

| S | △432,000 |

3,960　　　4,320

直労・製間
2,000
6,000

| S | △480,000 |
| | △1,440,000 |

1,980　　　2,220

問3

材P
2,400

| S | △648,000 |

4,180　　　4,450

材Q
1,200

| S | △168,000 |

4,180　　　4,320

直労・製間
2,000
6,000

| S | △260,000 |
| | △780,000 |

2,090　　　2,220

問6

材Q
1,200

| S | △7,200 |

2,125　　　2,131

直労
2,000

| S | △37,600 |

851.2　　　870

差異分析はケアレスミスを防止するためボックス図やシュラッター図を書いて解きます。
→修正パーシャル・プランであるため材料消費価格差異と賃率差異は生じません

18,661,500
△89,500
18,572,000
9,920,000
△265,800
△32,000

3045.7　　3,090　　3,100

材P：材料P、材Q：材料Q、直労：直接労務費、製間：製造間接費、S：標準原価

48

問題──〈解答32ページ・解説41ページ〉──

◆重要な指示やキーワードには、印や下線を入れます。◆
原価計算は、細かい指示が多いので慎重に問題文を読みます。
⇒問われている処理方法などを確認します。

　当社は、コピー機を製造・販売している大手メーカーである。当社は、コピー機を構成する部品の1つである部品Zを、現在内製している。この部品Zについては、様々な意思決定の場面に直面しており、当社の経営者は決断を迫られている。そこで、次の〔資料〕にもとづいて、下記の問に答えなさい。なお、製品、仕掛品の在庫はない。

〔資料〕

1. 部品Zを1個製造するためには、原料Tを標準的に8kg投入する必要があり、予定単価は以下のとおりである。ただし、毎月、一括購入することが条件である。なお、原料Tの購入単価については、一括購入量に応じて変動することとなる。

原料T月間購入量	原料T購入単価
32,000kgまで	250円/kg
32,000kg超　38,000kgまで	購入量すべてに対して上記単価の2％引き
38,000kg超	購入量すべてに対して上記単価の4％引き

2％引き、4％引きがいくらになるのかメモしておきます。
@245
@240

2. 原料Tは、保管に注意を要する原料であるため、自社倉庫の保管能力では一定量までしかその品質を保てない。そこで、一定量を超える原料Tの保管には他社から原料T保管用の設備と倉庫をリースしなければならなくなる。なお、設備と倉庫をリースする場合、一括して同一の会社からリースすることになる。よって、月額リース料総額は以下のとおりとなる。

原料T月間購入量	設備・倉庫リース料
35,000kgまで	0円
35,000kg超　40,000kgまで	600,000円
40,000kg超	1,400,000円

3. 直接労務費については、標準賃率は750円/時間であり、部品Zを1個製造するためには直接作業時間が標準的に1.2時間かかる。

4. 製造間接費の7月から12月の月額の内訳は以下のとおりである。以下の6か月間の資料はすべて正常値である。当該資料にもとづいて、高低点法により製造間接費の固変分解を行っており、これを次月の分析に用いている。なお、以下の資料には、設備・倉庫リース料は含まれていないものとする。

	製造間接費	機械稼働時間
7月	14,470,000円	4,550時間
8月	13,740,000円	4,100時間
9月	13,739,500円	4,110時間
10月	14,240,000円	4,400時間
11月	14,720,000円	4,800時間
12月	14,725,500円	4,790時間
合計	85,635,000円	26,750時間

V @1,400
F 8,000,000
高低点法による固変分解の結果をメモします。

5. 部品Zの専用製造用機械の最大月間稼働時間は6,000時間であり、部品Zを1個製造するためには当該機械を標準的に1時間稼働させなければならない。設備・倉庫リース料以外の製造間接費は、機械稼働時間を配賦基準としている。

問1　部品Zの月間生産量が4,000個の場合の(1)部品Zの1個あたり変動製造原価、(2)月間の固定製造間接費（設備・

V @4,300　*F 8,000,000*
32,000kg　*4,000時間*

倉庫リース料も含める。**問2**も同様。）を計算しなさい。　　　　　V @ 4,220　　　　　　F 8,600,000

問2　部品Ｚの月間生産量が5,000個の場合の(1)部品Ｚの１個あたり変動製造原価、(2)月間の固定製造間接費を計算し
なさい。　　　　　40,000 kg　5,000時間

問3　かねて取引関係のあるＰ澤工業（以下、Ｐ社という）から、部品Ｚを１個あたり6,200円で売りたいという申し
入れがあった。Ｐ社製品の品質水準は高く、当社が内製した場合と比較して品質に差はない。購入の場合に生じ
る諸経費は少額なので無視できる。また、購入に切り替えた場合、固定製造間接費はすべて回避可能である。こ
の条件のもとで、部品Ｚの月間必要量が4,200個の場合、内製する方が有利か、購入する方が有利か、答案用紙の
形式にしたがい答えなさい（以下同様）。

問4　**問3**の条件を前提にして、さらに次の条件を追加する。**問3**のＰ社から、部品Ｚ１個あたりの販売価格につい
て、次のような値引をするとの引き合いがあった。

　　　　　　　　　　　　　　　　　　　　　　　　　　　　３％引き、15％引きがいくら
　　　　　　　　　　　　　　　　　　　　　　　　　　　　になるのかメモしておきます。

部品Ｚ月間購入量	値引率	
4,000個まで	値引なし	@ 6,200
4,000個超　4,500個まで	3％	@ 6,014
4,500個超	15％	@ 5,270

　すなわち、当社の月間購入量が4,000個までであれば部品Ｚ１個あたりの販売価格は6,200円のままであるが、
4,001個から4,500個までは３％値引し、4,501個からは15％値引するという条件である。したがって、たとえば当
社の月間購入量が5,000個であれば最初の4,000個は１個あたり6,200円、次の500個は１個あたり6,200円の３％引
き、最後の500個は１個あたり6,200円の15％引きされた金額を支払うことになる。

　以上の条件を勘案した場合、(1)部品Ｚの月間必要量が4,500個の場合および(2)部品Ｚの月間必要量が5,050個の
場合、内製する方が有利か、あるいは購入する方が有利か、答えなさい。

問5　これまでの条件を変更して当社は部品Ｚをコピー機用に自家消費せず、１個あたり6,070円ですべて外部販売し
ているものとする。なお、現時点における部品Ｚの月間生産量は5,100個である。ここで、今まで取引のないＱ沢
物産から、部品Ｚを１個あたり5,000円にて1,200個販売してほしいという申し入れがあった。

　以上の条件を勘案した場合、この臨時注文を引き受けるべきか否か、答えなさい。なお、この臨時注文を引き
受けた場合であっても、既存の外部販売の販売価格には影響を与えないものとする。

問6　**問5**を前提にして、さらに次の条件を追加する。当社が所有する部品Ｚの専用製造用機械と同等の生産能力を
もつ機械を他社からリースすることによって、生産能力をさらに月間で1,000時間増強する。この場合、リース料
が月間で800,000円発生する。また、直接労務費について、7,000直接作業時間を超える作業に対しては、割増賃
金を支払わなければならない。割増賃金は、基本賃金に対して40％増で支払われることとなる。

　以上の条件を勘案した場合、この臨時注文を引き受けるべきか否か、答えなさい。　　　@ 300

　　　　　　　　　　　　　　　　　　　　　　　　　　　　　　　　　　　　　Ｖ：変動費、Ｆ：固定費

〈下書用紙〉

問3

内製　　　　　　　　　　　　購入
　33,600kg @245　　　　　　26,040,000
　4,200時間

　V @4,260 × 4,200
　F　8,000,000
　————————————
　　25,892,000

問4

内製（4,500個）　　　　　　購入
36,000kg @245 +600,000　　27,807,000
4,500時間

V @4,260 × 4,500
F 8,600,000
————————————
　27,770,000

内製（5,050個）　　　　　　購入
40,400kg @290 +1,400,000　30,705,500
5,050時間

V @4,220 × 5,050
F 9,400,000
————————————
　30,711,000

問5

内製
48,000kg
6,000時間

@5,000 × 1,200 = 6,000,000
@4,220 × 900 = 3,798,000 ┐5,619,000
@6,070 × 300 = 1,821,000 ┘

問6

7,560時間
@4,220 × 1,200 = 5,064,000 ┐6,032,000
@ 300 × 560 = 168,000 ┘
　　　　　　　　800,000

各問の条件から内製にかかる原価と購入費用を比較するため、金額をメモします。
→電卓だけではなく、必ず下書きをするようにしましょう。

2024年度

日商簿記検定試験対策

第168回試験をあてる
TAC直前予想模試

解答・解答への道

| 1　級 | －I |

商業簿記・会計学

第2予想

目標得点

第1目標　43点
第2目標　49点

答に示した Ⓐ Ⓑ Ⓒ マークを活用し、
絶対に落としてはいけない Ⓐ のすべてと、
できれば落としたくない Ⓑ のうち半分は得点し、
目標得点に到達できるまで繰り返し解きましょう。

TAC 簿記検定講座

合格る<ruby>合<rt>う</rt>格<rt>か</rt></ruby>るタイムライン
第2予想（商会）はこの順序で解こう！

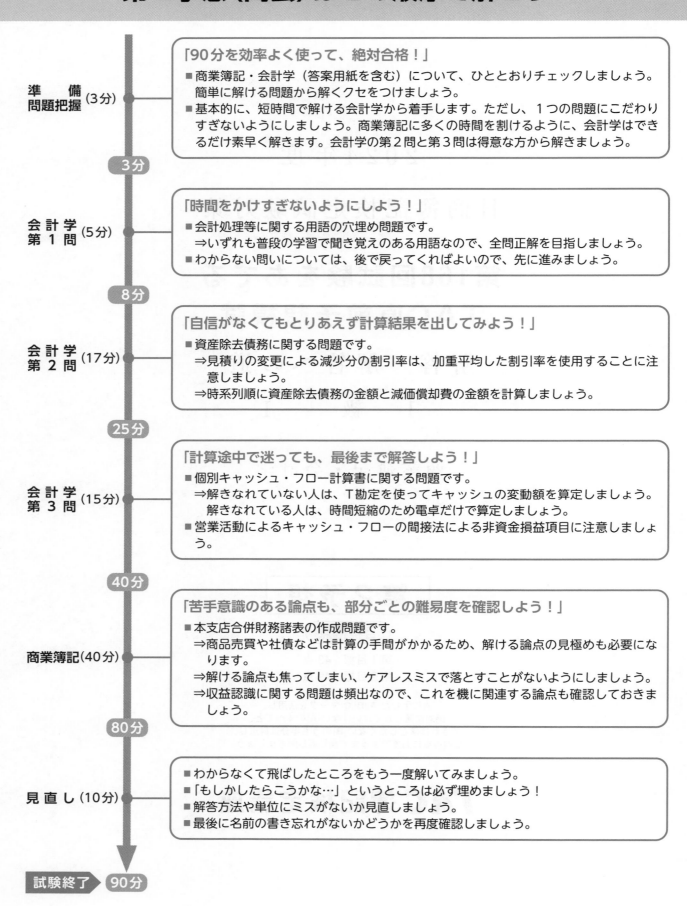

**準備
問題把握** (3分)

「90分を効率よく使って、絶対合格！」
- 商業簿記・会計学（答案用紙を含む）について、ひととおりチェックしましょう。簡単に解ける問題から解くクセをつけましょう。
- 基本的に、短時間で解ける会計学から着手します。ただし、1つの問題にこだわりすぎないようにしましょう。商業簿記に多くの時間を割けるように、会計学はできるだけ素早く解きます。会計学の第2問と第3問は得意な方から解きましょう。

3分

**会計学
第1問** (5分)

「時間をかけすぎないようにしよう！」
- 会計処理等に関する用語の穴埋め問題です。
  ⇒いずれも普段の学習で聞き覚えのある用語なので、全問正解を目指しましょう。
- わからない問いについては、後で戻ってくればよいので、先に進みましょう。

8分

**会計学
第2問** (17分)

「自信がなくてもとりあえず計算結果を出してみよう！」
- 資産除去債務に関する問題です。
  ⇒見積りの変更による減少分の割引率は、加重平均した割引率を使用することに注意しましょう。
  ⇒時系列順に資産除去債務の金額と減価償却費の金額を計算しましょう。

25分

**会計学
第3問** (15分)

「計算途中で迷っても、最後まで解答しよう！」
- 個別キャッシュ・フロー計算書に関する問題です。
  ⇒解きなれていない人は、T勘定を使ってキャッシュの変動額を算定しましょう。
   解きなれている人は、時間短縮のため電卓だけで算定しましょう。
- 営業活動によるキャッシュ・フローの間接法による非資金損益項目に注意しましょう。

40分

商業簿記 (40分)

「苦手意識のある論点も、部分ごとの難易度を確認しよう！」
- 本支店合併財務諸表の作成問題です。
  ⇒商品売買や社債などは計算の手間がかかるため、解ける論点の見極めも必要になります。
  ⇒解ける論点も焦ってしまい、ケアレスミスで落とすことがないようにしましょう。
  ⇒収益認識に関する問題は頻出なので、これを機に関連する論点も確認しておきましょう。

80分

見直し (10分)

- わからなくて飛ばしたところをもう一度解いてみましょう。
- 「もしかしたらこうかな…」というところは必ず埋めましょう！
- 解答方法や単位にミスがないか見直しましょう。
- 最後に名前の書き忘れがないかどうかを再度確認しましょう。

試験終了 90分

解答 目標22点

本支店合併損益計算書
自20×2年4月1日 至20×3年3月31日
(単位：千円)

Ⅰ	売 上 高			（❷Ⓐ	773,000)
Ⅱ	売 上 原 価				
	1. 期 首 商 品 棚 卸 高	(	34,080)		
	2. 当 期 商 品 仕 入 高	(	397,120)		
	合 計	(	431,200)		
	3. 期 末 商 品 棚 卸 高	（❷Ⓐ	51,224)	(	379,976)
	売 上 総 利 益			(	393,024)
Ⅲ	販 売 費 及 び 一 般 管 理 費				
	1. 販 売 費 ・ 管 理 費	（❷Ⓐ	172,401)		
	2. 貸 倒 引 当 金 繰 入	(	3,260)		
	3. 減 価 償 却 費	（❷Ⓐ	22,851)		
	4. 退 職 給 付 費 用	(	27,880)	(	226,392)
	営 業 利 益			(	166,632)
Ⅳ	営 業 外 収 益				
	1. 受 取 利 息 配 当 金	(	4,470)		
	2. 有 価 証 券 利 息	（❷Ⓐ	8,142)	(	12,612)
Ⅴ	営 業 外 費 用				
	1. 支 払 利 息	(	6,102)		
	2. 社 債 利 息	(	800)		
	3. （為 替 差 損）	（❷Ⓑ	20,342)	(	27,244)
	経 常 利 益			(	152,000)
Ⅵ	特 別 損 失				
	1. （投 資 有 価 証 券 評 価 損）			(	12,000)
	当 期 純 利 益			(	140,000)

本支店合併貸借対照表
20×3年3月31日現在
(単位：千円)

現 金 預 金	(	234,404)		支 払 手 形	(		51,200)
受 取 手 形	(	64,000)		買 掛 金	(		188,900)
売 掛 金	(	178,500)		契 約 負 債	（❷Ⓐ		18,000)
貸 倒 引 当 金	（❷Ⓐ△	4,850)		リ ー ス 債 務	(		9,596)
商 品	(	51,224)		未 払 費 用	(		1,202)
未 収 収 益	(	300)		長 期 借 入 金	(		180,400)
短 期 貸 付 金	(	20,000)		長 期 リ ー ス 債 務	（❷Ⓐ		30,549)
建 物	(	90,000)		社 債	(		19,400)
減 価 償 却 累 計 額	(	△ 40,500)		退 職 給 付 引 当 金	（❷Ⓐ		103,880)
備 品	(	128,800)		資 本 金	（❷Ⓐ		160,300)
減 価 償 却 累 計 額	(	△ 40,736)		資 本 準 備 金	(		38,300)
リ ー ス 資 産	(	40,145)		利 益 準 備 金	(		9,000)
減 価 償 却 累 計 額	(	△ 4,015)		繰 越 利 益 剰 余 金	（❶Ⓒ		255,615)
土 地	(	140,000)		新 株 予 約 権	(		1,000)
投 資 有 価 証 券	（❷Ⓑ	210,070)					
合 計	(	1,067,342)		合 計	(		1,067,342)

●数字は採点基準　合計25点

解答 目標21点

第1問

（ア）	（イ）	（ウ）
Ⓐ 株 式 交 付 費	Ⓐ 繰　　　延	Ⓐ 定　　　額
（エ）	（オ）	
Ⓐ 引　当　金	Ⓐ 期 間 定 額	各❶

第2問

問1	問2	問3
Ⓐ　　8,596　千円	Ⓐ　　52,390　千円	Ⓐ　　158,637　千円
問4	問5	
Ⓑ　　9,452　千円	Ⓑ　　270　千円	各❷

第3問

問1

```
Ⅰ　営業活動によるキャッシュ・フロー        （単位：千円）
   税 引 前 当 期 純 利 益      （        47,940 ）
（ 減 価 償 却 費 ）          （❶Ⓐ     4,320 ）
   貸 倒 引 当 金 の 減 少 額   （       △  180 ）
   受 取 利 息 配 当 金        （       △ 1,920 ）
   支 払 利 息                （         1,680 ）
   売 上 債 権 の 減 少 額     （❶Ⓐ     9,000 ）
   棚 卸 資 産 の 減 少 額     （         4,440 ）
   前 払 費 用 の 増 加 額     （❶Ⓐ △   180 ）
   仕 入 債 務 の 増 加 額     （         2,040 ）
   未 払 費 用 の 減 少 額     （❶Ⓐ △   120 ）
        小       計          （        67,020 ）
```

問2

営業活動によるキャッシュ・フロー	❷Ⓑ		53,640	千円
投資活動によるキャッシュ・フロー	❷Ⓐ	△	29,400	千円
財務活動によるキャッシュ・フロー	❷Ⓑ		27,600	千円

●数字は採点基準　合計25点

（以下、単位：千円）

1 ニューヨーク支店の財務諸表項目の換算

（1）貸借対照表

科　　目	円換算前（単位：千ドル）		換算レート	円換算後（単位：千円）	
	借　方	貸　方		借　方	貸　方
現 金 預 金	1,575		110円〈当期ＣＲ〉	173,250	
売 掛 金	750		110円〈当期ＣＲ〉	82,500	
貸 倒 引 当 金		15	110円〈当期ＣＲ〉		1,650
商 品	230		116円〈当期ＡＲ〉	26,680	
備 品	600		128円〈ＨＲ〉	76,800	
減 価 償 却 累 計 額		120	128円〈ＨＲ〉		15,360
買 掛 金		1,020	110円〈当期ＣＲ〉		112,200
長 期 借 入 金		240	110円〈当期ＣＲ〉		26,400
本 店		1,600	Ｔ／Ｂ支店より		188,000
当 期 純 利 益		160	貸借差額		15,620
計	3,155	3,155		359,230	359,230

∴　**B／S現金預金**：61,154〈前Ｔ／Ｂ〉＋173,250〈支店〉＝**234,404**

B／S売掛金：96,000〈前Ｔ／Ｂ〉＋82,500〈支店〉＝**178,500**

B／S備品：52,000〈前Ｔ／Ｂ〉＋76,800〈支店〉＝**128,800**

B／S買掛金：76,700〈前Ｔ／Ｂ〉＋112,200〈支店〉＝**188,900**

B／S長期借入金：154,000〈前Ｔ／Ｂ〉＋26,400〈支店〉＝**180,400**

（2）損益計算書

科　　目	円換算前（単位：千ドル）		換算レート	円換算後（単位：千円）	
	借　方	貸　方		借　方	貸　方
売 上 高		2,250	116円〈当期ＡＲ〉		261,000
期 末 商 品 棚 卸 高		230	116円〈当期ＡＲ〉		26,680
受 取 利 息		20	116円〈当期ＡＲ〉		2,320
期 首 商 品 棚 卸 高	150		122円〈前期ＡＲ〉	18,300	
当 期 商 品 仕 入 高	1,520		（＊）	176,320	
販 売 費・管 理 費	585		116円〈当期ＡＲ〉	67,860	
貸 倒 引 当 金 繰 入	10		116円〈当期ＡＲ〉	1,160	
減 価 償 却 費	60		128円〈ＨＲ〉	7,680	
支 払 利 息	15		116円〈当期ＡＲ〉	1,740	
当 期 純 利 益	160		Ｂ／Ｓより	15,620	
為 替 差 損	—		貸借差額	1,320	
計	2,500	2,500		290,000	290,000

（＊）1,520千ドル－700千ドル＝820千ドル〈外部仕入分〉

820千ドル×116円〈当期ＡＲ〉＝95,120〈外部仕入高〉

95,120＋81,200〈本店より仕入分（前Ｔ／Ｂ支店へ売上より）〉＝176,320

2 カスタマー・ロイヤルティ・プログラム

当期において使用されたポイントに対応する「契約負債」を「売上」に振り替える。

（契 約 負 債）(*)	2,000	（売 上）	2,000

$$(*)\quad 20,000\langle\text{前T/B}\rangle \times \frac{\text{当期に使用されたポイント2,200P}}{\text{使用されると見込むポイント総数22,000P}} = 2,000$$

∴　B/S契約負債：$20,000\langle\text{前T/B}\rangle - 2,000 = \mathbf{18,000}$

ここ重要！

■カスタマー・ロイヤルティ・プログラムの会計処理

　カスタマー・ロイヤルティ・プログラムとは、企業が財またはサービスを提供する契約に、追加の財またはサービスを値引き価格または無償で提供するオプションを付与する制度をいいます。

1．商品の販売時

　販売時にポイントを付与する場合、使用されると見込まれるポイントを別個の履行義務として識別し、取引価格を独立販売価格の比率によって、商品販売分とポイント使用見込み分に配分します。商品販売分は「売上」に計上し、ポイント使用見込み分（商品等の引き渡し義務）は「契約負債」として計上します。

（現金預金など）	×××	（売 上）	×××
		（契 約 負 債）	×××

2．ポイント使用時

　ポイントが使用された場合には、使用されたポイントに対応する「契約負債」を「売上」に振り替えます。

（契 約 負 債）	×××	（売 上）	×××

---

3 商品売買（売上高と売上原価の計算）

原価ボックス

本店前T/B繰越商品	17,000			本 店 売 上 (*4)	512,000
支店期首商品	18,300			支 店 売 上 高	261,000
本店前T/B繰延内部利益 (*1)	△ 1,220	P/L売上原価 (*3)	379,976	P/L売上高	773,000
P/L期首商品棚卸高	34,080				
本店前T/B仕入	302,000	本 店 期 末 商 品	26,400		
支店外部仕入高	95,120	支 店 期 末 商 品	26,680		
P/L当期商品仕入高	397,120	期 末 内 部 利 益 (*2)	△1,856		
		P/L期末商品棚卸高	51,224		
		（B/S商 品）			

（*1）50千ドル〈支店期首商品のうち本店仕入分〉×122円〈前期AR〉×20%〈売上総利益率〉= 1,220
（*2）80千ドル〈支店期末商品のうち本店仕入分〉×116円〈当期AR〉×20%〈売上総利益率〉= 1,856
（*3）貸借差額
（*4）本店前T/B売上510,000 + 2,000〈**2** カスタマー・ロイヤルティ・プログラム〉= 512,000

4 貸倒引当金

（貸 倒 引 当 金 繰 入）（＊）	2,100	（貸 倒 引 当 金）	2,100

（＊）（64,000〈前Ｔ／Ｂ受取手形〉＋96,000〈前Ｔ／Ｂ売掛金〉）× 2 ％＝3,200〈設定額〉
　　 3,200－1,100〈前Ｔ／Ｂ貸倒引当金〉＝2,100〈繰入額〉

∴　**B／S貸倒引当金**：3,200＋1,650〈支店〉＝**4,850**

　　P／L貸倒引当金繰入：2,100＋1,160〈支店〉＝**3,260**

5 有価証券

(1)　A社株式（その他有価証券）～ 実価法の適用

（投資有価証券評価損）（＊）	12,000	（投 資 有 価 証 券）	12,000

（＊）80,000×10％＝8,000〈実質価額＝Ｂ／Ｓ価額〉
　　 8,000－20,000＝△12,000〈評価損〉

(2)　B社社債（外貨建満期保有目的債券）～ 償却原価法（利息法）の適用と換算替え

　　外貨建満期保有目的債券について償却原価法を適用している際は、外貨による償却額を計算し、償却額を期中平均相場で円換算して有価証券利息の金額を求めます。その後、取得原価と貸借対照表価額（外貨建償却原価を決算時の為替相場で円換算した金額）の差額から償却額（有価証券利息）を控除して為替差損益の金額を求めます。

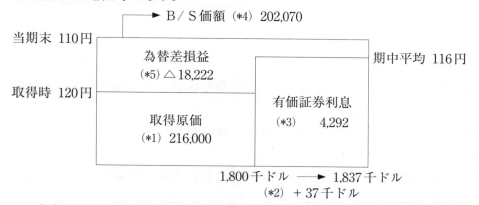

（＊1）1,800千ドル〈ＨＣ〉×120円〈ＨＲ（期首）〉＝216,000〈円貨による取得原価〉
（＊2）1,800千ドル× 4 ％＝72千ドル〈外貨による利息配分額〉
　　　 2,000千ドル〈額面〉×1.75％＝35千ドル〈外貨による利息受取額〉
　　　 72千ドル－35千ドル＝37千ドル〈外貨による償却額〉
（＊3）37千ドル×116円〈ＡＲ〉＝4,292〈円貨による償却額〉
（＊4）1,800千ドル〈ＨＣ〉＋37千ドル＝1,837千ドル〈外貨建償却原価〉
　　　 1,837千ドル×110円〈ＣＲ〉＝202,070〈Ｂ／Ｓ価額〉
（＊5）202,070－（216,000＋4,292）＝△18,222〈為替差損〉

（投 資 有 価 証 券）（＊3）	4,292	（有 価 証 券 利 息）	4,292
（為 替 差 損 益）（＊5）	18,222	（投 資 有 価 証 券）	18,222

∴　**B／S投資有価証券**：8,000〈A社株式〉＋202,070〈B社社債〉＝**210,070**

　　P／L有価証券利息：3,850〈前Ｔ／Ｂ〉＋4,292＝**8,142**

　　P／L為替差損：800〈前Ｔ／Ｂ〉＋18,222＋1,320〈支店〉＝**20,342**

■有価証券の評価

保有目的等	貸借対照表価額	評価差額等の処理
売買目的有価証券	時　価	当期の損益 （洗替方式または切放方式）
満期保有目的債券	金利調整差額なし：取得原価	―
	金利調整差額あり：償却原価	償却額は有価証券利息
子会社株式 関連会社株式	取得原価	―
その他有価証券	時　価	全部純資産直入法（洗替方式） 評価差額は純資産の部
		部分純資産直入法（洗替方式） 評価益は純資産の部 評価損は当期の損失
市場価格のない株式等	取得原価	
強制評価減	時　価	当期の損失（切放方式）
実価法	実質価額	当期の損失（切放方式）

6 固定資産

(1) 建物（減価償却費の計上）

（減　価　償　却　費）(*)	4,500	（建物減価償却累計額）	4,500

(*) 90,000〈前T/B建物〉÷20年＝4,500

∴　B/S減価償却累計額（建物）：36,000〈前T/B〉＋4,500＝**40,500**

(2) 備品（減価償却費の計上）

（減　価　償　却　費）(*)	6,656	（備品減価償却累計額）	6,656

(*) （52,000〈前T/B備品〉－18,720〈前T/B備品減価償却累計額〉）×0.2＝6,656

∴　B/S減価償却累計額（備品）：18,720〈前T/B〉＋6,656＋15,360〈支店〉＝**40,736**

(3) リース資産

① 減価償却

（減　価　償　却　費）(*)	4,015	（リース資産減価償却累計額）	4,015

(*) $40,145〈前T/Bリース資産〉÷5年〈経済的耐用年数〉× \frac{6か月}{12か月} ≒ 4,015$

∴　P/L減価償却費：4,500〈建物〉＋6,656〈備品〉＋4,015〈リース資産〉＋7,680〈支店〉＝**22,851**

② 未払利息の計上

（支　払　利　息）(*)	602	（未　払　費　用）	602

(*) $40,145〈前T/Bリース債務〉×3\% × \frac{6か月}{12か月} ≒ 602〈20×2年10月1日～20×3年3月31日の利息〉$

∴　P/L支払利息：3,760〈前T/B〉＋602＋1,740〈支店〉＝**6,102**

③ リース債務のB/S表示

40,145×3%≒1,204〈20×2年10月1日～20×3年9月30日の利息〉

∴　B/Sリース債務：10,800－1,204＝**9,596**

∴　B/S長期リース債務：40,145－9,596＝**30,549**

7 転換社債型新株予約権付社債（転換請求）

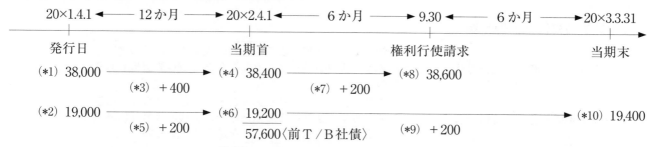

(*1) $57,000〈社債の対価〉 \times \dfrac{40,000}{60,000} = 38,000〈権利行使請求された社債の対価〉$

(*2) $60,000〈額面総額〉 - 40,000 = 20,000〈権利行使請求されていない社債の額面金額〉$

$57,000〈社債の対価〉 \times \dfrac{20,000}{60,000} = 19,000〈権利行使請求されていない社債の対価〉$

(*3) $40,000 - 38,000 = 2,000〈権利行使請求された社債の金利調整差額〉$

$2,000 \times \dfrac{12か月}{60か月} = 400〈権利行使請求された社債の過年度償却額〉$

(*4) $38,000 + 400 = 38,400〈権利行使請求された社債の当期首償却原価〉$

(*5) $20,000 - 19,000 = 1,000〈権利行使請求されていない社債の金利調整差額〉$

$1,000 \times \dfrac{12か月}{60か月} = 200〈権利行使請求されていない社債の過年度償却額〉$

(*6) $19,000 + 200 = 19,200〈権利行使請求されていない社債の当期首償却原価〉$

(*7) $2,000 \times \dfrac{6か月}{60か月} = 200〈権利行使請求された社債の当期償却額〉$

(*8) $38,400 + 200 = 38,600〈権利行使請求時の償却原価〉$

(*9) $1,000 \times \dfrac{12か月}{60か月} = 200〈権利行使請求されていない社債の当期償却額〉$

(*10) $19,200 + 200 = 19,400〈権利行使請求されていない社債の当期末償却原価〉$

(1) 権利行使請求された社債

① 償却原価法の適用（定額法）

（社　債　利　息）(*7)	200	（社　　　　債）	200

② 権利行使請求（代用払込）

（社　　　　債）(*8)	38,600	（資　　本　　金）(*12)	20,300
（新　株　予　約　権）(*11)	2,000	（資　本　準　備　金）(*12)	20,300

(*11) $3,000 \times \dfrac{40,000}{60,000} = 2,000〈新株予約権〉$

(*12) $(38,600 + 2,000) \times \dfrac{1}{2} = 20,300$

∴　**B／S資本金**：$140,000〈前T／B〉 + 20,300 = $**160,300**

　　B／S資本準備金：$18,000〈前T／B〉 + 20,300 = $**38,300**

　　B／S新株予約権：$3,000〈前T／B〉 - 2,000 = $**1,000**

(2) 権利行使請求されていない社債 ～ 償却原価法（定額法）

（社　債　利　息）(*9)	200	（社　　　　債）	200

∴　**B／S社債**：$57,600〈前T／B〉 + 200 - 38,600 + 200 = $**19,400**

　　P／L社債利息：$400〈前T／B〉 + 200 + 200 = $**800**

■新株予約権付社債の分類

(1)転換社債型新株予約権付社債	権利行使時に、現金等による払込みに代えて、社債の償還による払込み（代用払込）とすることがあらかじめ決められているもの
(2)その他の新株予約権付社債	権利行使時に、社債による払込みとすることがあらかじめ決められておらず、金銭による払込みか、金銭の代わりに社債の償還による払込み（代用払込）を選択できるもの

■新株予約権付社債の会計処理

(1)区分法	新株予約権付社債を社債の対価部分と新株予約権の対価部分とに区分して処理する方法
(2)一括法	新株予約権付社債を社債の対価部分と新株予約権の対価部分とに区別しないでまとめて社債として処理する方法

8 退職給付引当金

(1) 前T/B退職給付引当金の推定

　　前T/Bに退職給付費用がなく、かつ、年金拠出額と退職一時金を退職給付勘定で暫定的に処理しているため、前T/B退職給付引当金は、前期末残高のままであることが推定できる。

　　なお、期首未認識数理計算上の差異は、問題資料に「割引率の引き下げによって生じたもの」である旨の記載があり、引下げ後の割引率で退職給付債務を計算しなおすと、金額が増えることになるため、不足額であると判断する。

∴　前T/B退職給付引当金：354,000〈前期末退職給付債務〉－200,000〈前期末年金資産〉

　　　　　　　　　　　　　　－43,200〈前期末未認識数理計算上の差異（不足）〉＝110,800

(2) 年金拠出額と退職一時金の修正

（退 職 給 付 引 当 金）	34,800	（退　職　給　付）	34,800

(3) 退職給付費用の計上

（退 職 給 付 費 用）(*)	27,880	（退 職 給 付 引 当 金）	27,880

　　(*) 354,000 × 2 ％ ＝ 7,080〈利息費用〉

　　　　200,000 × 3 ％ ＝ 6,000〈期待運用収益〉

　　　　43,200 ÷（10年 － 1 年〈経過年数〉）＝ 4,800〈数理計算上の差異の費用処理額〉

　　　　22,000〈勤務費用〉＋ 7,080 － 6,000 ＋ 4,800 ＝ 27,880

　∴　B/S退職給付引当金：110,800〈前T/B〉－ 34,800 ＋ 27,880 ＝ **103,880**

■退職給付費用

退職給付費用＝勤務費用＋利息費用－期待運用収益±差異の費用処理額（償却額）

⑨ 経過勘定の計上

| （販 売 費 ・ 管 理 費） | 600 | （未 払 費 用） | 600 |
| （未 収 収 益） | 300 | （受 取 利 息 配 当 金） | 300 |

∴ B／S未払費用：$\underset{6(3)②}{\underline{602}}$〈リース資産〉＋600＝**1,202**

P／L販売費・管理費：103,941〈前Ｔ／Ｂ〉＋600＋67,860〈支店〉＝**172,401**

P／L受取利息配当金：1,850〈前Ｔ／Ｂ〉＋300＋2,320〈支店〉＝**4,470**

⑩ 当期純利益の振替え

| （損 益） | 140,000 | （繰 越 利 益 剰 余 金） | 140,000 |

∴ B／S繰越利益剰余金：115,615〈前Ｔ／Ｂ〉＋140,000〈P／L当期純利益〉＝**255,615**

Link

出題内容	出題論点	合格テキスト 合格トレーニング	スッキリわかる	簿記の教科書 簿記の問題集
本 支 店 会 計	内部利益の整理	Ⅲ－テーマ01	Ⅲ－第４章	3－CHAPTER01
	在外支店の財務諸表項目の換算	Ⅲ－テーマ10		3－CHAPTER07
収 益 認 識 基 準	カスタマー・ロイヤルティ・プログラム	Ⅰ－テーマ04	－	1－CHAPTER03
金 銭 債 権	貸倒引当金	Ⅱ－テーマ03	Ⅱ－第３章	1－CHAPTER12
有 価 証 券	その他有価証券の評価（実価法）	Ⅱ－テーマ04	Ⅱ－第５章	1－CHAPTER13
	外貨建満期保有目的債券の評価	Ⅱ－テーマ05	Ⅲ－第２章	3－CHAPTER07
社 債	転換社債型新株予約権付社債（区分法）	Ⅱ－テーマ14	Ⅱ－第16章	2－CHAPTER11
退 職 給 付 引 当 金	数理計算上の差異	Ⅱ－テーマ12	Ⅱ－第13章	2－CHAPTER08
有 形 固 定 資 産	減価償却	Ⅱ－テーマ07	Ⅱ－第６章	2－CHAPTER01
リ ー ス 取 引	所有権移転ファイナンス・リース取引	Ⅱ－テーマ08	Ⅱ－第８章	2－CHAPTER03

❖ 会計学　解答への道

第1問　空欄記入問題

1 株式交付費の会計処理　　　　　　　　　　　　　「繰延資産の会計処理に関する当面の取扱い　3⑴」

　株式募集のための広告費、金融機関の取扱手数料、証券会社の取扱手数料、目論見書・株券等の印刷費、変更登記の登録免許税、その他株式の交付等のために直接支出した費用を、**株式交付費**といい、原則として、支出時に費用として処理する。ただし、企業規模の拡大のためにする資金調達などの財務活動に係る**株式交付費**については、**繰延資産**に計上することができる。この場合には、株式交付のときから3年以内のその効果の及ぶ期間にわたって、**定額**法により償却をしなければならない。

2 引当金について　　　　　　　　　　　　　　　　　　　　　「企業会計原則注解　注18」

　将来の特定の費用又は損失であって、その発生が当期以前の事象に起因し、発生の可能性が高く、かつ、その金額を合理的に見積ることができる場合には、当期の負担に属する金額を当期の費用又は損失として**引当金**に繰入れ、当該**引当金**の残高を貸借対照表の負債の部又は資産の部に記載するものとする。

3 退職給付見込額の期間帰属　　　　　　　　　　　　　　「退職給付に関する会計基準　19」

　退職給付見込額のうち期末までに発生したと認められる額は、**期間定額**基準または給付算定式基準のいずれかの方法を選択適用して計算する。この場合、いったん採用した方法は、原則として、継続して適用しなければならない。

Link

出題内容	出題論点	合格テキスト 合格トレーニング	スッキリわかる	簿記の教科書 簿記の問題集
空　欄　記　入	株式交付費の会計処理	Ⅱ－テーマ10	Ⅱ－第10章	2－CHAPTER05
	引当金について	Ⅱ－テーマ11	Ⅱ－第12章	2－CHAPTER07
	退職給付見込額の期間帰属	Ⅱ－テーマ12	Ⅱ－第13章	2－CHAPTER08

第2問　資産除去債務（以下、単位：千円）

問1　20×1年4月1日時点の資産除去債務計上額（機械の取得と資産除去債務の計上）

　資産除去債務はそれが発生したときに、有形固定資産の除去に要する割引前の将来キャッシュ・フローを見積り、割引後の金額（割引価値）で算定する。また、資産除去債務に対応する除去費用は、資産除去債務を負債として計上した時に、当該負債の計上額と同額を、関連する有形固定資産の帳簿価額に加える。

（機　　械）(*2)	208,596	（現　金　預　金）	200,000
		（資　産　除　去　債　務）(*1)	8,596

　(*1)　$9,600 \div 1.028^4 \fallingdotseq 8,596$
　(*2)　$200,000 + 8,596 = 208,596$

　∴　**20×1年4月1日時点の資産除去債務計上額：8,596**

問2　20×1年4月1日～20×2年3月31日の期間の減価償却費および利息費用

(1)　機械の減価償却と除去費用の費用配分

　資産計上された資産除去債務に対応する除去費用は、減価償却を通じて、当該有形固定資産の残存耐用年数にわたり、各期に費用配分する。

（減　価　償　却　費）(*)	52,149	（減　価　償　却　累　計　額）	52,149

　(*)　$208,596 \div 4$ 年 $= 52,149$〈利息費用を除く〉

(2)　時の経過による資産除去債務の調整

　時の経過による資産除去債務の調整額（利息費用）は、その発生時の費用として処理する。当該調整額は、期首の資産除去債務の帳簿価額に当初負債計上時の割引率を乗じて算定する。

（減　価　償　却　費）(*) 利息費用	241	（資　産　除　去　債　務）	241

　(*)　$8,596 \times 0.028 \fallingdotseq 241$〈利息費用〉

　∴　**20×1年4月1日～20×2年3月31日の期間の減価償却費（利息費用を含む）：$52,149 + 241 = $ 52,390**

問3　20×2年3月31日における機械の帳簿価額

　割引前将来キャッシュ・フローに重要な見積りの変更が生じた場合の当該見積りの変更による調整額は、資産除去債務の帳簿価額および関連する有形固定資産の帳簿価額に加減して処理する。なお、その変更により、当該キャッシュ・フローが増加する場合には、その時点の割引率を適用する。

（機　　械）(*)	2,190	（資　産　除　去　債　務）	2,190

　(*)　$12,000 - 9,600 = 2,400$〈増加したCF〉
　　　$2,400 \div 1.031^3 \fallingdotseq 2,190$〈増加〉

　∴　**20×2年3月31日における機械の帳簿価額：$208,596 - 52,149 + 2,190 = $ 158,637**

問4　20×3年3月31日における資産除去債務の金額

(1)　機械の減価償却と除去費用の費用配分

（減　価　償　却　費）(*)	52,879	（減　価　償　却　累　計　額）	52,879

　(*)　$158,637$〈修正後の帳簿価額＝未償却残高〉 $\div 3$ 年〈残存耐用年数〉 $= 52,879$

(2)　時の経過による資産除去債務の調整

（減　価　償　却　費）(*)	315	（資　産　除　去　債　務）	315

　(*)　$(8,596 + 241) \times 0.028 \fallingdotseq 247$　　〈利息費用〉
　　　$2,190 \times 0.031 \fallingdotseq 68$　　　　　　 $\Big\}$ 315

(3) 見積りの変更

　　割引前将来キャッシュ・フローに重要な見積りの変更が生じた場合の当該見積りの変更による調整額
は、資産除去債務の帳簿価額および関連する有形固定資産の帳簿価額に加減して処理する。なお、その
変更により、当該キャッシュ・フローが減少する場合には、負債計上時の割引率を適用するが、本問で
は、減少部分に適用すべき割引率が特定できないため、加重平均した割引率を使用する。

（資 産 除 去 債 務）（*）	1,890	（機 械）	1,890

（*）　$8,596 + 241 + 2,190 + 315 = 11,342$〈変更前の資産除去債務〉

$$\frac{9,600\langle増加前のＣＦ\rangle}{12,000\langle増加後のＣＦ\rangle} \times 0.028 + \frac{2,400\langle増加分のＣＦ\rangle}{12,000\langle増加後のＣＦ\rangle} \times 0.031 = 0.0286\langle加重平均割引率\rangle$$

$10,000 \div 1.0286^2 ≒ 9,452$〈変更後の資産除去債務〉

$11,342 - 9,452 = 1,890$〈減少額〉

∴　**20×3年3月31日における資産除去債務：9,452**

ここ重要！

■資産除去債務の割引前将来キャッシュ・フローの見積りの変更による調整額に適用する割引率

			適用する割引率
増加する場合			増加時点の割引率
減少する場合	減少部分に適用すべき割引率が	特定可能	負債計上時の割引率
	〃	特定不可能	加重平均割引率

問5　20×3年4月1日〜20×4年3月31日の期間の資産除去債務の増加額

(1) 機械の減価償却と除去費用の費用配分

（減 価 償 却 費）（*）	51,934	（減 価 償 却 累 計 額）	51,934

（*）　$158,637 - 52,879 - 1,890 = 103,868$〈未償却残高〉

　　　$103,868 \div 2$年〈残存耐用年数〉$= 51,934$

(2) 時の経過による資産除去債務の調整

（減 価 償 却 費）（*）	270	（資 産 除 去 債 務）	270

（*）　$9,452$〈変更後の資産除去債務〉$\times 0.0286$〈加重平均割引率〉$≒ 270$〈利息費用〉

∴　**20×3年4月1日〜20×4年3月31日の期間の資産除去債務の増加額：270**

Link

出題内容	出題論点	合格テキスト 合格トレーニング	スッキリわかる	簿記の教科書 簿記の問題集
資 産 除 去 債 務	資産除去債務の見積りの変更	Ⅱ－テーマ07	Ⅱ－第7章	2－CHAPTER02

第3問　キャッシュ・フロー計算書（以下、単位：千円）

問1　間接法による営業活動によるキャッシュ・フロー（小計まで）

税引前当期純利益	47,940	← P/Lより
減価償却費	4,320	← 非資金損益項目　※加算調整
貸倒引当金の減少額	△ 180	← 非資金損益項目　※減算調整
		1,140〈当期末B/S〉−1,320〈前期末B/S〉
受取利息配当金	△ 1,920	← 営業外収益〈P/Lより〉　※減算調整
支払利息	1,680	← 営業外費用〈P/Lより〉　※加算調整
売上債権の減少額	9,000	← 営業資産の減少　※加算調整
		57,000〈当期末B/S〉−66,000〈前期末B/S〉
棚卸資産の減少額	4,440	← 営業資産の減少　※加算調整
		9,360〈当期末B/S〉−13,800〈前期末B/S〉
前払費用の増加額	△ 180	← 営業資産の増加　※減算調整
		480〈当期末B/S〉−300〈前期末B/S〉
仕入債務の増加額	2,040	← 営業負債の増加　※加算調整
		22,800〈当期末B/S〉−20,760〈前期末B/S〉
未払費用の減少額	△ 120	← 営業負債（未払給料）の減少　※減算調整
		360〈当期末B/S〉−480〈前期末B/S〉
小　計	67,020	

問2

① 営業活動によるキャッシュ・フロー（小計以下）

（1）利息及び配当金の受取額

（受取利息配当金）	360	（未収利息）前期末残高	360
（現金預金）利息及び配当金の受取額	2,040	（受取利息配当金）	2,040
（未収利息）当期末残高	240	（受取利息配当金）	240

受取利息配当金

前期末残高 →　未収利息 360 ｜ 利息及び配当金の受取額 2,040（貸借差額）

P/L 1,920 ｜ 未収利息 240 ← 当期末残高

67

(2) 利息の支払額

（未 払 利 息）	840	（支 払 利 息）	840
前期末残高			
（支 払 利 息）	2,100	（現 金 預 金）	2,100
		利息の支払額	
（支 払 利 息）	420	（未 払 利 息）	420
		当期末残高	

支 払 利 息

利息の支払額 2,100	未 払 利 息 840	← 前期末残高
貸借差額		
当期末残高 → 未 払 利 息 420		P／L 1,680

(3) 法人税等の支払額

（未 払 法 人 税 等）	5,760	（現 金 預 金）	5,760
前期末残高		法人税等の支払額	
（仮 払 法 人 税 等）	7,560	（現 金 預 金）	7,560
		法人税等の支払額	
（法 人 税 等）	15,120	（仮 払 法 人 税 等）	7,560
		（未 払 法 人 税 等）	7,560
		当期末残高	

未 払 法 人 税 等

| 法人税等の支払額 5,760 | 前 期 末 残 高 5,760 |
| 期末残高 7,560 | 当 期 末 残 高 7,560 |

法 人 税 等

法人税等の支払額 7,560	P／L 15,120
貸借差額	
未 払 法 人 税 等 7,560	
当期末残高	

∴ 法人税等の支払額：5,760 ＋ 7,560 ＝ 13,320

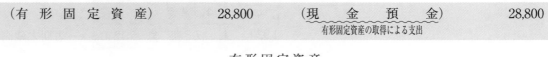

小　　　　計		67,020
利息及び配当金の受取額		2,040
利息の支払額	△	2,100
法人税等の支払額	△	13,320
営業活動によるキャッシュ・フロー		**53,640**

② 投資活動によるキャッシュ・フロー

(1) 有形固定資産

| （有 形 固 定 資 産） | 28,800 | （現 金 預 金） | 28,800 |
| | | 有形固定資産の取得による支出 | |

有 形 固 定 資 産

期 首 残 高 76,800	期末残高 105,600
取得による支出 28,800	
貸借差額	

(2) 貸付金

本問では当期における貸付額または回収額が資料に与えられていないため、貸付けによる支出または
回収による収入のいずれかを純額で計算しておく。

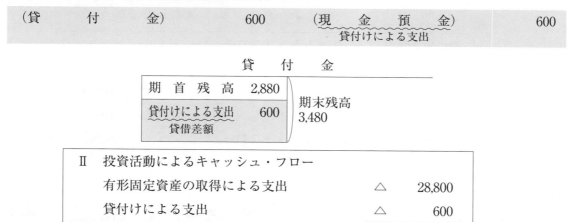

| （貸　　付　　金） | 600 | （現　金　預　金） | 600 |
| | | 貸付けによる支出 | |

貸　付　金

期　首　残　高　2,880	期末残高
貸付けによる支出　　600	3,480
貸借差額	

Ⅱ　投資活動によるキャッシュ・フロー

有形固定資産の取得による支出	△	28,800
貸付けによる支出	△	600
投資活動によるキャッシュ・フロー	△	**29,400**

3 財務活動によるキャッシュ・フロー

(1) 借入金

本問では当期における借入額または返済額が資料に与えられていないため、借入れによる収入または
返済による支出のいずれかを純額で計算しておく。

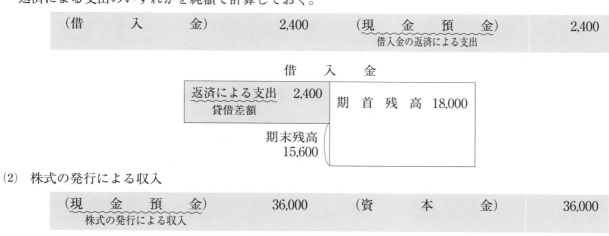

| （借　　入　　金） | 2,400 | （現　金　預　金） | 2,400 |
| | | 借入金の返済による支出 | |

借　入　金

返済による支出　2,400	期　首　残　高　18,000
貸借差額	
期末残高	
15,600	

(2) 株式の発行による収入

| （現　金　預　金） | 36,000 | （資　　本　　金） | 36,000 |
| 株式の発行による収入 | | | |

資　本　金

期末残高	期　首　残　高　108,000
144,000	株式の発行による収入　36,000
	貸借差額

(3) 配当金の支払額

（繰 越 利 益 剰 余 金）	6,000	（未 払 配 当 金）	6,000
（未 払 配 当 金）	6,000	（現 金 預 金）	6,000

配当金の支払額

Ⅲ 財務活動によるキャッシュ・フロー		
借入金の返済による支出	△	2,400
株式の発行による収入		36,000
配当金の支払額	△	6,000
財務活動によるキャッシュ・フロー		**27,600**

Link

出題内容	出題論点	合格テキスト 合格トレーニング	スッキリわかる	簿記の教科書 簿記の問題集
キャッシュ・フロー計算書	個別キャッシュ・フロー計算書	Ⅲ－テーマ11	Ⅲ－第5章	3－CHAPTER08

問題　〈解答55ページ・解説57ページ〉

◆重要な指示やキーワードには、印や下線を入れます。◆
⇒会計期間や端数処理は、計算する際に必要なので、チェックしておきましょう。

　東京商事株式会社の当期（20×3年3月31日を決算日とする1年）に関する次の資料にもとづいて、答案用紙の本支店合併損益計算書および貸借対照表を作成しなさい。なお、当期の1ドルあたりの直物為替相場は、前期首128円、前期中平均122円、当期首120円、当期中平均116円、当期末110円とする。また、税金は考慮しないものとする。計算上、千円未満の端数が生じた場合には、千円未満を四捨五入すること。

（資料1）本店の決算整理前残高試算表（単位：千円）
変動した金額を勘定科目の横にメモしておきます。

決算整理前残高試算表
20×3年3月31日

（左余白メモ：貸くり 2,100）

借　方　科　目	金　額	貸　方　科　目	金　額
現　金　預　金	61,154	支　払　手　形	51,200
受　取　手　形	64,000	買　掛　金	76,700
売　掛　金	96,000	契　約　負　債	20,000　△2,000
繰　越　商　品	17,000	リ　ー　ス　債　務	40,145
短　期　貸　付　金	20,000	長　期　借　入　金	154,000
建　　　　　物	90,000	社　　　　　債	~~57,600~~ 19,400
備　　　　　品	52,000	退職給付引当金	各自推定 110,800 △39,800 +27,880
リ　ー　ス　資　産	40,145	貸　倒　引　当　金	1,100　2,100
土　　　　　地	140,000	建物減価償却累計額	36,000　4,500
投　資　有　価　証　券	~~236,000~~ 210,070	備品減価償却累計額	18,720　6,656
支　　　　　店	188,000	繰　延　内　部　利　益	各自推定 1,220
仕　　　　　入	302,000	資　　本　　金	140,000　20,300
販　売　費・管　理　費	103,941　(600)	資　本　準　備　金	18,000　20,300
退　職　給　付	34,800	利　益　準　備　金	9,000
支　払　利　息	3,760　(602)	繰　越　利　益　剰　余　金	115,615
社　債　利　息	400　(400)	新　株　予　約　権	3,000　△2,000
為　替　差　損　益	800　(18,222)	売　　　　　上	510,000　2,000
		支　店　へ　売　上	81,200
		受　取　利　息　配　当　金	1,850　300
		有　価　証　券　利　息	3,850　4,292
	1,450,000		1,450,000

（左余白メモ：退E 27,880 ／ 未収収益 300）

（右下メモ：リースDろい 4,015 ／ 未払E 602　600）

（資料2）本店の決算整理事項等
1．カスタマー・ロイヤルティ・プログラム
　(1) 本店では、当期首より顧客が当社の商品を購入した際に、一定のポイントを顧客に付与するカスタマー・ロイヤルティ・プログラムを提供している。顧客は、ポイントを使用して、将来、当社の商品購入時に1ポイント当たり1円の値引きを受けることができる。
　　　決算整理前残高試算表に計上されている「契約負債」は、すべてカスタマー・ロイヤルティ・プログラムによって付与したポイントに配分された額である。
　(2) 決算日現在において、当期に使用されたポイントが2,200ポイントあったが、未処理であることが判明したため、これを適正に処理する。
　　　なお、使用されると見込むポイント総数は22,000ポイントであり、変更はなかった。
2．期末商品棚卸高は、26,400千円である。なお、上記1．の未処理であった売上取引は反映済みである。
3．受取手形と売掛金の期末残高に2％の貸倒引当金を差額補充法により設定する。

4．投資有価証券は、すべて当期首に取得したものであり、その内訳は次のとおりである。

銘　柄	分　類	取得原価	市場価格	備　考
Ａ社株式	その他有価証券	20,000千円	なし	（注1）
Ｂ社社債	満期保有目的債券	1,800千ドル	1,840千ドル	（注2）

（手書き）投有損 12,000／有利 4,292　有価 18,222／

（注1）Ａ社の発行済株式総数の10%を保有しているが、Ａ社の財政状態は著しく悪化し、その純資産額は80,000千円となっている。

（注2）Ｂ社社債（クーポン利子率：年1.75%、利払日：3月末日、満期日：20×7年3月31日）の額面総額2,000千ドルと取得原価との差額は、すべて金利調整差額と認められるため、利息法（実効利子率：4%）により償却する。なお、クーポン利息の処理は適正に行われている。

5．固定資産に関する事項

(1) 建物については定額法（耐用年数：20年、残存価額ゼロ）、備品については定率法（償却率：20%）により減価償却を行う。

(2) 試算表上のリース資産は、車両のファイナンス・リース取引に係るものである。当該ファイナンス・リース取引は、所有権移転ファイナンス・リース取引に該当するものであり、20×2年10月1日より期間4年、毎期9月30日に10,800千円ずつ後払いの条件による。なお、リース物件の貸手の購入価額は40,145千円であり、貸手の計算利子率は年3%である。当該車両については定額法（経済的耐用年数：5年、残存価額ゼロ）により減価償却（月割計算）を行う。また、リース料の期末までの期間にかかる利息については未払利息（月割計算）を計上すること。

6．社債および新株予約権は、20×1年4月1日に額面金額60,000千円、期間5年の転換社債型新株予約権付社債を払込金額60,000千円（社債の対価：57,000千円、新株予約権の対価：3,000千円）で発行し、区分法により処理している。このうち額面金額40,000千円について20×2年9月30日に新株予約権の行使請求を受けたため、新株式を発行して交付したが、金利調整差額の償却（定額法）とともに未処理である。なお、会社法に定める最低額を資本金とする。

7．前期末現在、退職給付引当金勘定には、退職給付債務354,000千円、年金資産200,000千円、未認識数理計算上の差異43,200千円（前々期末における割引率の引下げによって生じたものであり、前期から10間にわたり定額法によって費用処理を行っている）*（手書き）9年* が含まれていた。なお、当期末に支払われた年金拠出額と退職一時金は、退職給付勘定で暫定的に処理している。また、当期の勤務費用は22,000千円、割引率は年2%、長期期待運用収益率は年3%である。

（手書き）+7,080　△6,000　+4,800 = 27,880

8．その他の決算整理事項

販売費・管理費の未払額600千円、受取利息配当金の未収額300千円を経過勘定として計上する。

（資料3）ニューヨーク支店の外貨による損益計算書および貸借対照表（単位：千ドル）

損　益　計　算　書
自20×2年4月1日　至20×3年3月31日

期首商品棚卸高	150	売　上　高	2,250
当期仕入高△	1,520	期末商品棚卸高	230
販売費・管理費	585	受　取　利　息	20
貸倒引当金繰入	10		
減価償却費HR	60		
支　払　利　息	15		
当　期　純　利　益	160		
	2,500		2,500

貸　借　対　照　表
20×3年3月31日現在

現　金　預　金	1,575	買　掛　金	1,020
売　掛　金	750	長期借入金	240
貸倒引当金	△ 15	本　店	1,600
商　　品AR	230	当期純利益	160
備　　品HR	600		
減価償却累計額HR	△ 120		
	3,020		3,020

（資料4）ニューヨーク支店のその他の資料

1．本店による支店への売上総利益率は、前期も当期も20%である。

2．期首商品のうち50千ドル、当期仕入高のうち700千ドル、期末商品のうち80千ドルは本店より仕入れたものである。なお、売上原価の計算は先入先出法によっており、前期末、当期末ともに正味売却価額は下落していない。

3．備品はすべて前期首に取得したものである。

4．諸収益および諸費用（減価償却費を除く）ならびに商品は、期中平均相場により換算する。

（手書きメモ）円換算に用いる為替相場を記入しておきます。損益計算書は期中平均為替相場、貸借対照表は当期末為替相場を使いますが、簡略化のため、それ以外の為替相場のみメモします。

〈下書用紙〉

在外支店の財務諸表を円換算します。
→円換算する順番は貸借対照表が先です。

B/S				P/L	
現金預金	173,250	Kx	112,200	売上高	261,000
Ux	82,500	長借	26,400	期首商	△ 18,300
貸引	△ 1,650	本店	188,000	当期仕入	△ 176,320
商品	26,680	当期純利益	15,620	期末商	26,680
ビ品	76,800			販管	△ 67,860
びるい	△ 15,360			貸くり	△ 1,160
				Dep	△ 7,680
				受利	2,320
				支利	△ 1,740
				為替	△ 1,320
				当期純利益	15,620

仕入

本店	17,000	売原	379,976
支店	18,300		
	△ 1,220	本店	26,400
		支店	26,680
本店	302,000		△ 1,856
支店	95,120		

本店売上高 512,000
支店　〃　261,000

仕入勘定は内部利益控除もあり、混乱しやすいためT勘定に整理して解きます。

リース債務　→602

40,145	10,800	1,204	△9,596
30,549	10,800	916	△9,884
20,665	10,800	620	△10,180
10,485	10,800	315	△10,485

リース債務や転換社債型新株予約権付社債は、ケアレスミスを防止するために、下書きして解きます。

社債　20X1年4/1　　当期首　　9/30　　当期末

40,000	38,000	+400	38,400	+200	38,600	
20,000	19,000	+200	19,200	+200		19,400

社債	38,600	資	20,300
新予	2,000	資準	20,300

貸くり：貸倒引当金繰入、退ヒ：退職給付費用、リースDるい：リース資産減価償却累計額、未払ヒ：未払費用、投有損：投資有価証券評価損、有利：有価証券利息、為替：為替差損益、AR：期中平均為替相場、HR：取得時の為替相場、B/S：貸借対照表、P/L：損益計算書、U×：売掛金、貸引：貸倒引当金、ビ品：備品、びるい：備品減価償却累計額、K×：買掛金、長借：長期借入金、期首商：期首商品棚卸高、当期仕入：当期仕入高、期末商：期末商品棚卸高、販管：販売費・管理費、Dep：減価償却費、受利：受取利息、支利：支払利息、売原：売上原価、資：資本金、資準：資本準備金、新予：新株予約権

73

合格る下書用紙
第2予想〈会計学〉はこうやって書こう！

第2問──〈解答56ページ・解説65ページ〉──

◆重要な指示やキーワードには、印や下線を入れます。◆
⇒会計期間や端数処理は、計算する際に必要なので、チェックしておきましょう。

当社（会計期間1年、3月末決算）の次の**資料**にもとづいて、資産除去債務に係る以下の**問**に答えなさい。

〔資料〕

1. 20×1年4月1日に機械を200,000千円で取得し、同日より使用を開始した。
2. 当該機械は耐用年数経過後に除去する法的義務があり、各時点における当該機械の除去費用の見積額と割引率は次のとおりである。なお、<u>20×3年</u>3月31日における見積の変更による減少分については、適用する割引率が特定できないため加重平均した割引率を使用すること。 2.86%

> 加重平均した割引率を計算してメモします。

	除去費用の見積額	割引率
20×1年4月1日	9,600千円	2.8%
20×2年3月31日	12,000千円	3.1%
20×3年3月31日	10,000千円	3.3%
20×4年3月31日	10,000千円	3.3%

12,000 ⟨ 9,600 2.8%   2,400 3.1% → 2.86%

3. 機械の減価償却は、耐用年数4年、残存価額0とし、定額法により償却する。
4. 計算上端数が生ずる場合には、その都度千円未満を四捨五入すること。

問1　20×1年4月1日時点の資産除去債務計上額を求めなさい。 8,596
問2　20×1年4月1日〜20×2年3月31日の期間の減価償却費（利息費用を含む）を求めなさい。
問3　20×2年3月31日における機械の帳簿価額を求めなさい。 2,190
問4　20×3年3月31日における資産除去債務の金額を求めなさい。 ⑨,452
問5　20×3年4月1日〜20×4年3月31日の期間の資産除去債務の増加額を求めなさい。

各年度の仕訳を書きます。

20×2年/ Dep 52,149 / Dるい
　　　　Dep 241 / 資除
20×3年/ Dep 52,879 / Dるい
　　　　Dep 315 / 資除
　　　　資除 1890 / 機
20×4年/ Dep 51,939 / Dるい
　　　　Dep 270 / 資除

Dep：減価償却費、**Dるい**：減価償却累計額、**資除**：資産除去債務、**機**：機械

◆重要な指示やキーワードには、印や下線を入れます。◆
⇒会計期間などは、計算する際に必要なので、チェックしておきましょう。

　　　　下記の資料にもとづいて、キャッシュ・フロー計算書に関する以下の問に答えなさい。なお、貸借対照表における現金預金を現金及び現金同等物とし、利息・配当金の受取額および利息の支払額は営業活動によるキャッシュ・フローに含めること。また、商品の仕入・売上はすべて掛取引で行われており、貸倒引当金はすべて売上債権に対するものである。解答上、キャッシュ・フローの減少となる場合には、金額の前に△印を付すこと。

問1　営業活動によるキャッシュ・フローの区分（小計まで）を間接法により作成しなさい。
問2　答案用紙の各項目の金額を答えなさい。

（資料1）財務諸表（単位：千円）

損　益　計　算　書	
売　上　高	355,200
売　上　原　価	△ 216,960
給　　　　料	△ 47,520
貸倒引当金繰入	△ 180
減価償却費	△ 4,320
その他の営業費	△ 38,520
営　業　利　益	47,700
受取利息配当金	1,920
支　払　利　息	△ 1,680
税引前当期純利益	47,940
法　人　税　等	△ 15,120
当　期　純　利　益	32,820

貸　借　対　照　表（一部）					
資　　　　産	前 期 末	当 期 末	負債・純資産	前 期 末	当 期 末
現　金　預　金	32,400	各自推定	仕　入　債　務	20,760	22,800
売　上　債　権	66,000	57,000	未払法人税等	5,760	7,560
貸　倒　引　当　金	△ 1,320	△ 1,140	未　払　利　息	840	420
商　　　　品	13,800	9,360	未　払　給　料	480	360
貸　付　金	2,880	3,480	借　入　金	18,000	15,600
前　払　営　業　費	300	480	資　本　金	108,000	144,000
未　収　利　息	360	240	資本準備金	36,000	36,000
有形固定資産	76,800	105,600			
減価償却累計額	△ 39,360	△ 43,680			

↑
基本的には、前期末と当期末の差額から当期のCFを算定します。
→電卓で算定したものから答案用紙に記入しましょう。

（資料2）その他の事項
1．前期に計上した売上債権360千円が貸し倒れた。
2．当期に通常の新株発行による増資 各自推定 千円を行った。
3．当期に利益剰余金を財源とする配当6,000千円を行っている。

〈下書用紙〉

受取利息配当金
| 前・未収 360 | 当・未収 240 |
| P/L 1,920 | CF 2,040 |

支払利息
| 当・未利 420 | 前・未利 840 |
| CF 2,100 | P/L 1,680 |

未法 → CF △5,760

法
| 当・未法 7,560 | |
| CF 7,560 | P/L 15,120 |

有形固定資産 → CF △28,800
貸付金 → CF △600
借入金 → CF △2,400
資本金 → CF +36,000
配当 → CF △6,000

動きの複雑な勘定科目はT勘定で整理します。

営業活動によるキャッシュ・フロー以外のものは、最後に集計するため個々に変動額をメモしておきます。

前：前期末、当：当期末、未収：未収利息、未利：未払利息、
P/L：損益計算書、未法：未払法人税等、法：法人税等、
CF：キャッシュ・フロー

2024年度

日商簿記検定試験対策

第168回試験をあてる
TAC直前予想模試

解答・解答への道

| 1　級 | ―Ⅱ |

工業簿記・原価計算

第2予想

目標得点

第1目標　41点
第2目標　50点

答に示した🅐🅑🅒マークを活用し、
絶対に落としてはいけない🅐のすべてと、
できれば落としたくない🅑のうち半分は得点し、
目標得点に到達できるまで繰り返し解きましょう。

TAC簿記検定講座

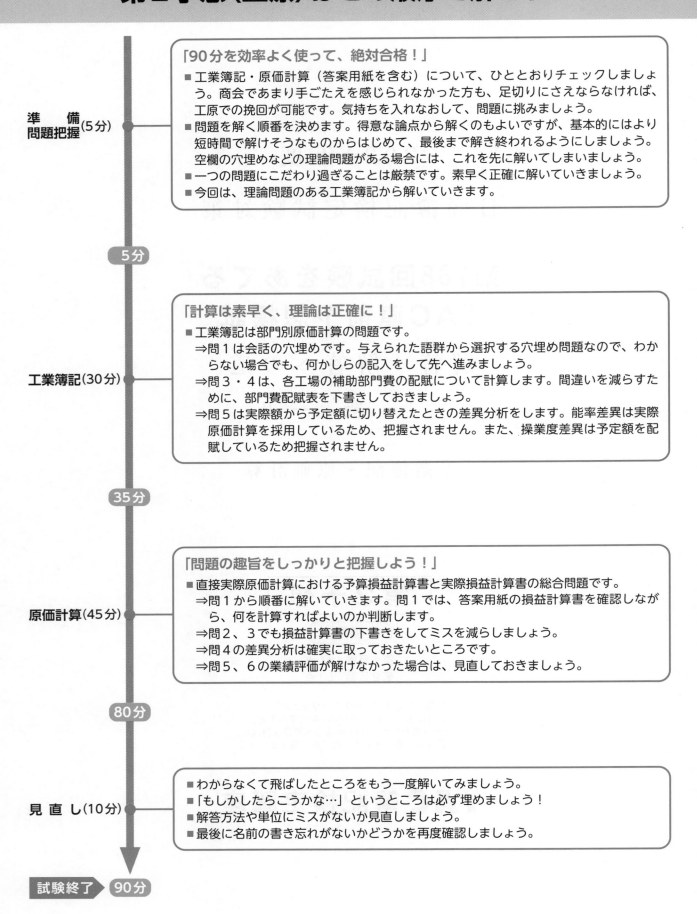

合格るタイムライン
第2予想（工原）はこの順序で解こう！

**準　備
問題把握(5分)**

「90分を効率よく使って、絶対合格！」
- 工業簿記・原価計算（答案用紙を含む）について、ひととおりチェックしましょう。商会であまり手ごたえを感じられなかった方も、足切りにさえならなければ、工原での挽回が可能です。気持ちを入れなおして、問題に挑みましょう。
- 問題を解く順番を決めます。得意な論点から解くのもよいですが、基本的にはより短時間で解けそうなものからはじめて、最後まで解き終われるようにしましょう。空欄の穴埋めなどの理論問題がある場合には、これを先に解いてしまいましょう。
- 一つの問題にこだわり過ぎることは厳禁です。素早く正確に解いていきましょう。
- 今回は、理論問題のある工業簿記から解いていきます。

5分

工業簿記(30分)

「計算は素早く、理論は正確に！」
- 工業簿記は部門別原価計算の問題です。
  ⇒問1は会話の穴埋めです。与えられた語群から選択する穴埋め問題なので、わからない場合でも、何かしらの記入をして先へ進みましょう。
  ⇒問3・4は、各工場の補助部門費の配賦について計算します。間違いを減らすために、部門費配賦表を下書きしておきましょう。
  ⇒問5は実際額から予定額に切り替えたときの差異分析をします。能率差異は実際原価計算を採用しているため、把握されません。また、操業度差異は予定額を配賦しているため把握されません。

35分

原価計算(45分)

「問題の趣旨をしっかりと把握しよう！」
- 直接実際原価計算における予算損益計算書と実際損益計算書の総合問題です。
  ⇒問1から順番に解いていきます。問1では、答案用紙の損益計算書を確認しながら、何を計算すればよいのか判断します。
  ⇒問2、3でも損益計算書の下書きをしてミスを減らしましょう。
  ⇒問4の差異分析は確実に取っておきたいところです。
  ⇒問5、6の業績評価が解けなかった場合は、見直しておきましょう。

80分

見　直　し(10分)

- わからなくて飛ばしたところをもう一度解いてみましょう。
- 「もしかしたらこうかな…」というところは必ず埋めましょう！
- 解答方法や単位にミスがないか見直しましょう。
- 最後に名前の書き忘れがないかどうかを再度確認しましょう。

試験終了　90分

解答 目標22点

問1

(ア)	❷Ⓐ	直接配賦法
(イ)		相互配賦法（連立方程式法）
(ウ)	❷Ⓐ	階梯式配賦法

(エ)		単一基準配賦法
(オ)	❷Ⓐ	複数基準配賦法

問2

第1製造部	❷Ⓐ	8,185	千円
第2製造部		7,759	千円

A補助部		10,625	千円
B補助部	❷Ⓐ	4,570	千円

問3

第1製造部への配賦額	❸Ⓐ	8,026	千円
第2製造部への配賦額	❸Ⓐ	7,169	千円

問4

第1製造部への配賦額	❸Ⓑ	8,065	千円
第2製造部への配賦額	❸Ⓑ	7,130	千円

問5

変動費予算差異	❶Ⓐ	220	千円	〔 貸 方 〕
固定費予算差異	❶Ⓐ	125	千円	〔 借 方 〕
変動費能率差異		―	千円	〔 〕
固定費能率差異		―	千円	〔 〕
操業度差異	❶Ⓐ	―	千円	〔 〕

（注）本問で把握される差異のみを解答欄に記入すること。

〔 〕内には、「借方」もしくは「貸方」を記入すること。

把握されない差異に関しては、金額欄に「―」を記入するとともに、〔 〕内は、無記入でよい。

●数字は採点基準 合計25点

解答 目標19点

〔問1〕 (単位：千円)

	製 品 A	製 品 B	合 計
売 上 高	(500,000)	(350,000)	(850,000)
変 動 費			
製 造 原 価	(375,000)	(❶Ⓐ 140,000)	(515,000)
販 売 費	(❶Ⓐ 25,000)	(35,000)	(60,000)
計	(400,000)	(175,000)	(575,000)
貢 献 利 益	(100,000)	(175,000)	(275,000)
個別自由裁量製造固定費	(4,500)	(8,000)	(12,500)
管 理 可 能 利 益	(95,500)	(167,000)	(262,500)
個別拘束製造固定費	(40,500)	(❶Ⓐ 72,000)	(112,500)
製 品 貢 献 利 益	(55,000)	(95,000)	(150,000)
共 通 固 定 費			
拘 束 製 造 固 定 費			(❶Ⓐ 25,000)
自由裁量販売・一般管理固定費			(33,000)
拘束販売・一般管理固定費			(❶Ⓐ 49,500)
計			(107,500)
営 業 利 益			(42,500)

〔問2〕損益分岐点販売量

製品A ＝ ☐ 16,250 個　　　製品B ＝ ☐ 80,000 個　　**両方正解で❸Ⓐ**

〔問3〕

売 上 高	標準変動製造原価	実際貢献利益	固定販売費・一般管理費
❶Ⓐ 842,000 千円	❶Ⓐ 544,000 千円	❶Ⓐ 239,750 千円	❶Ⓐ 58,240 千円

〔問4〕差異分析表：変動費差異の分析 (単位：千円)

	製 品 A	製 品 B	合 計
直 接 材 料 費 差 異	7,950 (U)	❶Ⓐ 7,400 (U)	15,350 (U)
直 接 労 務 費 差 異	❶Ⓐ 11,650 (F)	1,920 (F)	13,570 (F)
変動製造間接費差異	3,350 (F)	❶Ⓐ 1,980 (F)	5,330 (F)
変 動 販 売 費 差 異	2,800 (U)	0 (－)	❶Ⓐ 2,800 (U)

〔問5〕

		予 算		実 績	
		製品A	製品B	製品A	製品B
(1)	投資利益率	24.06 ％	27.71 ％	19.48 ％	21.59 ％
(2)	残 余 利 益	20,328 千円	37,992 千円	19,426 千円	34,460 千円

(1)すべて正解で❸Ⓑ
(2)すべて正解で❸Ⓑ

〔問6〕
{ 投資利益率が (――――――) ％ }　{ 増加 / 減少 }　するので、この投資案を採用 { すべきである。/ すべきでない。 }
{ 残余利益が (86,400) 円 }

(注) { } 内のいずれか不要な方を二重線で消し、文章を完成させなさい。

すべて正解で❸Ⓑ

●数字は採点基準　合計25点

問1　会話文の語句の穴埋め

1 （　ア　）と（　イ　）と（　ウ　）に関して

　原価計算課長の会話に「補助部門間のサービス提供の実態からすると」とあることから、補助部門間の用役の授受を配賦計算にどの程度反映するべきなのかという観点で、「直接配賦法」「階梯式配賦法」「相互配賦法（連立方程式法）」のいずれかであることがわかる。

　まず、原価計算課長の会話に「もっとも精度の高い方法として（　イ　）があります」とあることから、（　イ　）にはこれらの中でもっとも理論的な計算方法である**相互配賦法（連立方程式法）**があてはまる。

　次に、経理部長の会話に「（　ウ　）というのは、補助部門間のサービスの授受を部分的に認める方法だね」とあることから、（　ウ　）には補助部門の順位付けをして上位の補助部門から下位の補助部門への用役提供のみを考慮する**階梯式配賦法**があてはまる。

　そして、（　ア　）には残った配賦方法である**直接配賦法**があてはまる。なお、原価計算課長の会話に（単一基準配賦法・）直接配賦法を行った際の補助部門費の第1製造部への配賦額（約8,204千円）が記されている。復習時に確認していただきたい。

2 （　エ　）と（　オ　）に関して

　（　エ　）と（　オ　）には、変動費と固定費で配賦基準を別々にすべきなのかという観点で、残った選択肢の「単一基準配賦法」「複数基準配賦法」のどちらかがあてはまる。

　経理部長の会話に「固定費がサービス提供能力を維持するために要するコストであると考えれば、変動費とは異なった配賦基準を用いる（　オ　）のほうがより望ましいのではないかな」とあることから、（　オ　）には、変動費には用役実際消費量（本問では資料3．の実際消費量割合）を用いて配賦し、固定費には用役消費能力（本問では資料4．の消費能力割合）を用いて配賦する**複数基準配賦法**があてはまる。そして、（　エ　）には、残った配賦方法である**単一基準配賦法**があてはまる。もしくは、経理部長の会話にある「固定費も変動費と同様にみなす」というところからも、（　エ　）には**単一基準配賦法**があてはまることがわかる。

問2　部門個別費と部門共通費の集計（第1次集計）

1 部門費配賦表の作成

　資料2．より、建物減価償却費（1,430千円）は第1製造部・第2製造部に対して30％ずつ配賦し、A補助部・B補助部に対して20％ずつ配賦する。また、機械保険料（1,320千円）はすべての部門に対して均等に配賦するため、第1製造部・第2製造部・A補助部・B補助部に対して1/4の25％ずつ配賦する。なお、以下の部門費配賦表では、変動費と固定費に分けて集計している。

部　門　費　配　賦　表　　　　　　　（単位：千円）

費　　目	第1製造部		第2製造部		A 補 助 部		B 補 助 部	
	変動費	固定費	変動費	固定費	変動費	固定費	変動費	固定費
部 門 個 別 費	5,002	2,424	5,134	1,866	6,500	3,509	3,184	770
部 門 共 通 費								
建物減価償却費(*1)	—	429	—	429	—	286	—	286
機 械 保 険 料(*2)	—	330	—	330	—	330	—	330
部　　門　　費	5,002	3,183	5,134	2,625	6,500	4,125	3,184	1,386

(*1) 建物減価償却費（固定費）
　　第1製造部へ：1,430千円×30％＝429千円
　　第2製造部へ：1,430千円×30％＝429千円
　　A 補 助 部 へ：1,430千円×20％＝286千円
　　B 補 助 部 へ：1,430千円×20％＝286千円

(*2) 機械保険料（固定費）
　　第1製造部へ：1,320千円×25％＝330千円
　　第2製造部へ：1,320千円×25％＝330千円
　　A 補 助 部 へ：1,320千円×25％＝330千円
　　B 補 助 部 へ：1,320千円×25％＝330千円

2 まとめ

　　第1製造部：5,002千円＋3,183千円＝　**8,185千円**
　　第2製造部：5,134千円＋2,625千円＝　**7,759千円**
　　A 補 助 部：6,500千円＋4,125千円＝　**10,625千円**
　　B 補 助 部：3,184千円＋1,386千円＝　**4,570千円**

問3　補助部門費の製造部門への配賦（階梯式配賦法・単一基準配賦法）

1 会話文からの読み取り

　問3では、会話文の中盤にある①の波線部の経理部長の「その（　ウ　）による計算」にもとづき配賦を行う。まず、上記の**問1**の解説より、（　ウ　）は階梯式配賦法である。また、単一基準配賦法、複数基準配賦法のどちらを採用するのかは、経理部長の「では、試しにその（　ウ　）による計算も行ってみようではないか」の段階では判断できかねるが、それ以降の会話で従来から採用している方法が単一基準配賦法であると判断することができる。よって、**問3**では、階梯式配賦法かつ単一基準配賦法により、補助部門の第1次集計費を実際配賦すればよい。

2 補助部門費の製造部門への配賦（第2次集計）

（1）補助部門の順位付け

　　階梯式配賦法は上位の補助部門から下位の補助部門に対しての用役提供のみを配賦計算に反映させるため、補助部門の順位付けを行わなければならない。

①　第1判断基準

　　他の補助部門への用役提供件数の多い補助部門を上位とする。A補助部・B補助部ともに1件であり、ここでは優劣がつかない。そこで、第2判断基準に進む。

② 第2判断基準

第1次集計費の多い補助部門を上位とする。A補助部が10,625千円、B補助部が4,570千円であるため、A補助部を第1位、B補助部を第2位とする。（なお、本問では、補助部門間相互の配賦額の大小で判断しても同じ順位になる。）

(2) 部門費配賦表の作成

単一基準配賦法であるため、変動費と固定費をまとめて配賦計算する。また、用いる配賦基準は資料3．の実際消費量割合である。

部 門 費 配 賦 表 （単位：千円）

費　　　目	第 1 製 造 部	第 2 製 造 部	B 補 助 部	A 補 助 部
部　　門　　費	8,185	7,759	4,570	10,625
A 補 助 部 費(*1)	5,100	3,825	1,700	10,625
B 補 助 部 費(*2)	2,926	3,344	6,270	
製 造 部 門 費	16,211	14,928		

(*1) A補助部費の配賦

第1製造部へ：$10{,}625千円 \times \dfrac{48\%}{48\%+36\%+16\%} = 5{,}100千円$

第2製造部へ：$10{,}625千円 \times \dfrac{36\%}{48\%+36\%+16\%} = 3{,}825千円$

B 補 助 部 へ：$10{,}625千円 \times \dfrac{16\%}{48\%+36\%+16\%} = 1{,}700千円$

(*2) B補助部費の配賦（A補助部に対しては配賦しない）

第1製造部へ：$(4{,}570千円+1{,}700千円) \times \dfrac{35\%}{35\%+40\%} = 2{,}926千円$

第2製造部へ：$(4{,}570千円+1{,}700千円) \times \dfrac{40\%}{35\%+40\%} = 3{,}344千円$

(3) まとめ

第1製造部への配賦額：5,100千円〈A補助部費〉＋2,926千円〈B補助部費〉＝**8,026千円**

第2製造部への配賦額：3,825千円〈A補助部費〉＋3,344千円〈B補助部費〉＝**7,169千円**

ここ重要!

■階梯式配賦法の補助部門の順位付けに関するルール

第1の判断基準	他の補助部門への用役提供件数が多い補助部門を上位とする（自部門への用役提供は含めない）
第2の判断基準	他の補助部門への用役提供件数が同数の場合は、次のいずれかの方法による（ⅰ）第1次集計額の多い方を上位とする（ⅱ）相互の配賦額を比較し、相手への配賦額の多い方を上位とする　※（ⅰ）と（ⅱ）の判断については、問題文の指示に従うこと。　特に指示がない場合、（ⅰ）第1次集計額の大小で判断してよい。

問4　補助部門費の製造部門への配賦（相互配賦法の連立方程式法・複数基準配賦法）

1 会話文からの読み取り

問4では、会話文の終盤にある②の波線部の原価計算課長の「ここまでに出てきた配賦方法の中で理論上もっとも望ましい方法である（　イ　）と（　オ　）の組み合わせに変更し」配賦計算を行う。上記の**問1**の解説より、（　イ　）は相互配賦法（連立方程式法）となり、（　オ　）は複数基準配賦法となるため、**問4**では、相互配賦法（連立方程式法）かつ複数基準配賦法により、補助部門の第1次集計費を実際配賦すればよい。

2 補助部門費の製造部門への配賦（第2次集計）

（1）部門費配賦表の作成

　　複数基準配賦法であるため、変動費と固定費とで別々の配賦基準を用いて配賦計算する。変動費の配賦には資料3．の実際消費量割合、固定費の配賦には資料4．の消費能力割合を用いる。

　　まず、相互に配賦し終えた最終の補助部門費について、A補助部では変動費をX、固定費をxとおき、B補助部では変動費をY、固定費をyとおく。そして、相互に配賦し終えた最終の補助部門費は自部門費と他の補助部門からの配賦額の合計額となることより、XとY、xとyの連立方程式を作成し、その連立方程式を解いて、他部門へ配賦する最終の補助部門費を算定する。

　　なお、この関係を部門費配賦表で示すと、以下のようになる。

部　門　費　配　賦　表　　　　　　　　　　（単位：千円）

費　　　目	第1製造部		第2製造部		A補助部		B補助部	
	変動費	固定費	変動費	固定費	変動費	固定費	変動費	固定費
部　　門　　費	5,002	3,183	5,134	2,625	6,500	4,125	3,184	1,386
A補助部費	0.48X	0.44x	0.36X	0.38x	—	—	0.16X	0.18x
B補助部費	0.35Y	0.34y	0.4Y	0.36y	0.25Y	0.3y	—	—
製　造　部　門　費					X	x	Y	y

（変動費）$\begin{cases} X = 6{,}500 + 0.25Y \\ Y = 3{,}184 + 0.16X \end{cases}$　　（固定費）$\begin{cases} x = 4{,}125 + 0.3y \\ y = 1{,}386 + 0.18x \end{cases}$

∴　X = 7,600、Y = 4,400　　　　∴　x = 4,800、y = 2,250

この相互に配賦し終えた最終の補助部門費にもとづき、部門費配賦表を作成する。

部　門　費　配　賦　表　　　　　　　　　　（単位：千円）

費　　　目	第1製造部		第2製造部		A補助部		B補助部	
	変動費	固定費	変動費	固定費	変動費	固定費	変動費	固定費
部　　門　　費	5,002	3,183	5,134	2,625	6,500	4,125	3,184	1,386
A補助部費	3,648	2,112	2,736	1,824	(7,600)	(4,800)	1,216	864
B補助部費	1,540	765	1,760	810	1,100	675	(4,400)	(2,250)
製　造　部　門　費	10,190	6,060	9,630	5,259	0	0	0	0

（2）まとめ

　　第1製造部への配賦額：3,648千円〈A補助部変動費〉＋2,112千円〈A補助部固定費〉
　　　　　　　　　　　　　　＋1,540千円〈B補助部変動費〉＋765千円〈B補助部固定費〉＝**8,065千円**

　　第2製造部への配賦額：2,736千円〈A補助部変動費〉＋1,824千円〈A補助部固定費〉
　　　　　　　　　　　　　　＋1,760千円〈B補助部変動費〉＋810千円〈B補助部固定費〉＝**7,130千円**

問5　責任会計における補助部門の差異分析

❶ 問題資料の読み取り

　原価管理上、製造部門の業績を適正に評価するうえで、補助部門の実際発生額のすべてを第2次集計で配賦するのは好ましくない。

　予算差異は補助部門の原価管理活動の良否の結果であり、当該補助部門で責任を負うべき項目であるため、第2次集計の配賦額の中に含めるべきではない。また、操業度差異はサービスが計画通りに消費されなかった結果であり、サービスを消費する部門で責任を負うべき項目であるため、第2次集計の配賦額の中に含めるべきといえる。

　以上より、変動費はサービス実際消費量を基準として予定配賦し、固定費はサービス消費能力を基準として予算額を配賦する、いわゆる複数基準配賦法による予定配賦（つまり予算許容額配賦）がもっとも望ましいものといえる。

　この方法によれば、補助部門の差異分析においては、予算差異のみが把握され、操業度差異は把握されない点に注意すること。

　なお、本問は実際原価計算であるため、標準操業度等の算定は行っていないものとして、能率差異は把握されない。

❷ A補助部の差異分析

　変動費予算差異：6,720千円〈予定配賦額〉－6,500千円〈実際発生額〉＝（＋）**220千円**〔貸方〕

　固定費予算差異：4,000千円〈予算額〉－4,125千円〈実際発生額〉＝（－）**125千円**〔借方〕

　操　業　度　差　異：予算額を配賦するため、補助部門では把握されない。

　変動費能率差異：⎫
　　　　　　　　　⎬実際原価計算を採用しており、把握されない。
　固定費能率差異：⎭

　なお、問題資料に操業度等の数値は与えられていないものの、仮に（月間）基準操業度が1,000時間、実際操業度が960時間であるとすると、以下のように表すことができる。

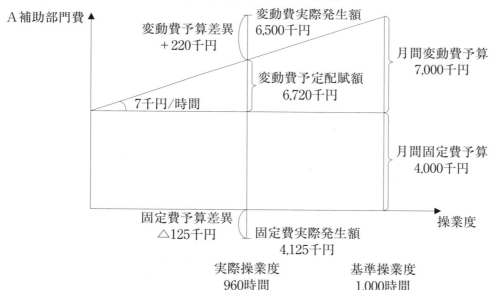

　変動費予算差異：7千円/時間×960時間－6,500千円＝（＋）**220千円**〔貸方〕

　固定費予算差異：4,000千円－4,125千円＝（－）**125千円**〔借方〕

Link

出題内容	出題論点	合格テキスト 合格トレーニング	スッキリわかる	簿記の教科書 簿記の問題集
部 門 別 計 算	部門個別費の賦課・部門共通費の配賦	Ⅰ－テーマ08	Ⅰ－第7章	1－CHAPTER08
	補助部門間相互の用役の授受（直接配賦法・相互配賦法・階梯式配賦法）	Ⅰ－テーマ08	Ⅰ－第7章	1－CHAPTER08
	単一基準配賦法・複数基準配賦法	Ⅰ－テーマ09	Ⅰ－第8章	1－CHAPTER08
	責任会計（補助部門における差異分析）	Ⅰ－テーマ09	Ⅰ－第8章	1－CHAPTER08

〔問１〕製品別予算損益計算書の作成

　資料①、②、③および④より製品別予算損益計算書を作成する。

　この際、固定費を先に分類しておくとよい（下記参照）。

1 予算固定製造原価（150,000千円）の分類（資料③）

	個　別　固　定　費 125,000千円		共通固定費 25,000千円
	〈製品A　45,000千円〉	〈製品B　80,000千円〉	
10%	自由裁量固定費 4,500千円	自由裁量固定費 8,000千円	拘束固定費
90%	拘束固定費 40,500千円	拘束固定費 72,000千円	25,000千円 （全額）

2 予算固定販売費・一般管理費（82,500千円）の分類（資料④）

	共通固定費
40%	自由裁量固定費 33,000千円
60%	拘束固定費 49,500千円

3 製品別予算損益計算書の作成

	製品　A		製品　B		合　　計
売上高	@10 千円	×50,000個	@ 5千円	×70,000個	850,000千円
変動費					
製造原価	@7.5千円(*1)	×50,000個	@ 2千円(*2)	×70,000個	515,000千円
販売費	@0.5千円	×50,000個	@0.5千円	×70,000個	60,000千円
計	@ 8千円	×50,000個	@2.5千円	×70,000個	575,000千円
貢献利益	@ 2千円	×50,000個	@2.5千円	×70,000個	275,000千円
個別自由裁量固定費	4,500千円		8,000千円		12,500千円
管理可能利益	95,500千円		167,000千円		262,500千円
個別拘束製造固定費	40,500千円		72,000千円		112,500千円
製品貢献利益	55,000千円		95,000千円		150,000千円
共通固定費					
拘束製造固定費					25,000千円
自由裁量販売・一般管理固定費					33,000千円
拘束販売・一般管理固定費					49,500千円
計					107,500千円
営業利益					42,500千円

(*1)　製品A：2.5千円＋3千円＋2千円＝7.5千円
(*2)　製品B：0.5千円＋0.75千円＋0.75千円＝2千円

〔問2〕 損益分岐点販売量の算定

20×2年度の予算にもとづき「貢献利益率の高い製品から優先して販売した場合」の損益分岐点販売量を求める。

製品Aの貢献利益率は20％（＝貢献利益2千円/個÷販売単価10千円/個）であり、製品Bの貢献利益率は50％（＝貢献利益2.5千円/個÷販売単価5千円/個）であることから、製品Bを優先して販売する。

ここで、製品Bの販売だけで固定費総額を回収するならば、販売量は93,000個（＝232,500千円÷2.5千円/個）となってしまう。そこで製品Bを需要上限の80,000個販売し、製品Aの販売量をaとおいたCVPの関係を示せば次のようになる。

（単位：円）

	製品　A	製品　B	合　　計
売　上　高	@10,000円×a	@5,000円×80,000個	10,000 a ＋400,000,000
変　動　費	@ 8,000円×a	@2,500円×80,000個	8,000 a ＋200,000,000
貢　献　利　益	@ 2,000円×a	@2,500円×80,000個	2,000 a ＋200,000,000
固　定　費			232,500,000
営　業　利　益			2,000 a －32,500,000

この関係より、2,000 a －32,500,000＝0　を解いて

$$a = 16,250 （個）$$

したがって、貢献利益率の高い製品から優先して生産・販売した場合の損益分岐点販売量は

製品A……16,250個
製品B……80,000個　　となる。

〔問3〕実際損益計算書における各金額の算定

	製　品　A	製　品　B	合　　　計
売上高	@9.5千円×56,000個	@ 5千円×62,000個	**842,000千円**
標準変動費			
製造原価	@7.5千円×56,000個	@ 2千円×62,000個	**544,000千円**
販売費	@0.5千円×56,000個	@0.5千円×62,000個	59,000千円
計	@ 8千円×56,000個	@2.5千円×62,000個	603,000千円
貢献利益	@1.5千円×56,000個	@2.5千円×62,000個	239,000千円
標準変動費差異	4,250千円（**問4**より）	3,500千円（**問4**より）	750千円　（資料①より）
実際貢献利益	88,250千円	151,500千円	**239,750千円**
固定費			
製造原価			138,300千円　（資料①より）
販売費・一般管理費			**58,240千円**（*2）
計			196,540千円（*1）
営業利益			43,210千円　（資料①より）

（*1）　固定費総額：239,750千円（実際貢献利益）－43,210千円（営業利益）＝196,540千円
（*2）　固定販売費・一般管理費：196,540千円（固定費総額）－138,300千円（固定製造原価）＝58,240千円

〔問4〕差異分析表の作成：変動費差異の分析

		（標準変動費）	（実際発生額）	（差　異）
製 品 A	直 接 材 料 費 差 異：	2.5千円/個×56,000個 －	147,950千円	＝ 7,950千円（U＝不利）
	直 接 労 務 費 差 異：	3千円/個×56,000個 －	156,350千円	＝11,650千円（F＝有利）
	変動製造間接費差異：	2千円/個×56,000個 －	108,650千円	＝ 3,350千円（F）
	変 動 販 売 費 差 異：	0.5千円/個×56,000個	－0.55千円/個×56,000個	＝ 2,800千円（U）
			小計：変動費差異	4,250千円（F）(*)

		（標準変動費）	（実際発生額）	（差　異）
製 品 B	直 接 材 料 費 差 異：	0.5千円/個×62,000個 －	38,400千円	＝ 7,400千円（U）
	直 接 労 務 費 差 異：	0.75千円/個×62,000個 －	44,580千円	＝ 1,920千円（F）
	変動製造間接費差異：	0.75千円/個×62,000個 －	44,520千円	＝ 1,980千円（F）
	変 動 販 売 費 差 異：	0.5千円/個×62,000個	－0.5千円/個×62,000個	＝ 0千円（－）
			小計：変動費差異	3,500千円（U）(*)
			変動費差異合計	750千円（F）(*)

（*）　上記変動費差異合計750千円（有利差異）が実際損益計算書〔**問3**〕における標準変動費差異にあたる。

第2予想　原価計算

〔問5〕事業部の業績測定尺度の算定

(1) 投資利益率

　設問の指示から、税引後製品貢献利益を各製品に対する投資額で除することにより、投資利益率を算定する。

① 予　算

〈製品A〉

$$\frac{55,000千円 \times (1-0.3)}{400,000千円 \times 40\%} \times 100 = 24.0625\%$$

〈製品B〉

$$\frac{95,000千円 \times (1-0.3)}{400,000千円 \times 60\%} \times 100 = 27.70\overset{1}{8}\cdots\%$$

② 実　績

〈製品A〉

$$\frac{32,732千円(*1)}{420,000千円 \times 40\%} \times 100 = 19.483\%$$

〈製品B〉

$$\frac{54,418千円(*2)}{420,000千円 \times 60\%} \times 100 = 21.594\cdots\%$$

(*1) 製品Aの税引後製品貢献利益

$$(\underbrace{88,250千円}_{実際貢献利益} - \underbrace{138,300千円 \times \frac{45,000千円}{150,000千円}}_{個別固定費}) \times (1-0.3) = 32,732千円$$

(*2) 製品Bの税引後製品貢献利益

$$(\underbrace{151,500千円}_{実際貢献利益} - \underbrace{138,300千円 \times \frac{80,000千円}{150,000千円}}_{個別固定費}) \times (1-0.3) = 54,418千円$$

(2) 残余利益

　税引後製品貢献利益から資本コスト（各製品への投資額×税引後加重平均資本コスト率）を差し引くことにより残余利益を算定する。

① 予　算

〈製品A〉

33,000千円 － 400,000千円 × 40％ × 7.92％(*) = **20,328千円**

〈製品B〉

57,000千円 － 400,000千円 × 60％ × 7.92％(*) = **37,992千円**

② 実　績

〈製品A〉

32,732千円 － 420,000千円 × 40％ × 7.92％(*) = **19,426.4千円**

〈製品B〉

54,418千円 － 420,000千円 × 60％ × 7.92％(*) = **34,45$\overset{60}{9}$.6千円**

(*) 加重平均資本コスト率

資本源泉	構成割合		源泉別資本コスト率		税引後		
負　債	40％	×	6％	×	(1-0.3)	=	1.68％
資　本	60％	×	10.4％			=	6.24％
					合　計		7.92％

ここ重要!

■業績測定の指標

	内容	計算方法
投資利益率 （資本利益率）	活動に投下した資本が効率よく使用されているかどうかを比率で表したもの	$\dfrac{利益額}{投下資本} \times 100$
残余利益	投下資本に対する費用を差し引いた後に残る利益	利益額－資本コスト

■資本コスト率

　資本コストとは、経営活動に投下される資金に必要なコストをいい、資本コスト率とは資本コストを比率で表したものをいいます。

	計算方法
資本コスト	投下資本×資本コスト率
税引後加重平均資本コスト率の計算方法	他人資本（負債）の構成割合×他人資本（負債）の税引後資本コスト率 ＋自己資本（資本）の構成割合×自己資本（資本）の資本コスト率

〔問6〕 投資案の採否

1 事業部の業績測定尺度についての検討

（1）　投資利益率（ROI）

　　　　長所……指標が比率で表されるため、他の事業部や他社との比較に有用である。

　　　　短所……利益額の増大よりも比率の増大に目が向けられる傾向がある。このことから、全社的利益の増大と事業部利益の増大という目標整合性が失われる可能性がある。

（2）　残余利益（RI）

　　　　長所……指標が金額で表されるため、事業部利益の増大と全社的利益の増大という目標整合性が保たれる。

　　　　短所……投下資本の規模が異なる場合は比較に適さない。

　全社的目標整合性の観点から投資案の採否について検討するので、本設問では**残余利益を用いて投資案の採否を決定する**。

2 投資案の評価

製品Cについて次年度計画データを整理すれば次のようになる。

（1）　製品Cに関する原価の固変分解

　　　変動費率：$\dfrac{131,300,000円－91,300,000円}{8,000個－4,000個}＝10千円/個$

　　　固定費：$91,300,000円－10千円/個×4,000個＝51,300千円$

（2）　製品Cから得られる製品貢献利益

　　　$(15千円/個－10千円/個)×10,500個－51,300千円＝1,200千円$

（3）　残余利益による投資案の評価

　　　残余利益：$\underset{840千円}{\underline{1,200千円×(1－0.3)}}－8,000千円×7.92\%＝\textbf{206.4千円}$

　この計算より、製品Cへ投資すれば**206,400円**の**残余利益が得られ**、同額だけ全社的利益の増大に寄与することから、この**投資案は採用すべきである**。

　なお、製品AとBについて20×2年度の実績を次年度の計画データとすれば、製品Cに投資することによる全社的な残余利益と投資利益率は次のようになる。

① 残余利益

投資前：$(32,732千円 + 54,418千円) - 420,000千円 \times 7.92\% = 53,886千円$

投資後：$(32,732千円 + 54,418千円 + 840千円) - (420,000千円 + 8,000千円) \times 7.92\% = 54,092.4千円$

したがって、残余利益が206.4千円（＝54,092.4千円 − 53,886千円）増加している。

② 投資利益率

投資前：$\dfrac{32,732千円 + 54,418千円}{420,000千円} \times 100 = 20.75\%$

投資後：$\dfrac{32,732千円 + 54,418千円 + 840千円}{420,000千円 + 8,000千円} \times 100 = 20.55\overset{6}{8}\cdots\%$

　このように、投資前に比べて投資後は投資利益率が減少している。しかしながら、利益率の増大よりも全社的利益の金額の増大に目を向けるべきであり、残余利益は投資後に増大していることから、この投資案は採用すべきである。

Link

出題内容	出題論点	合格テキスト 合格トレーニング	スッキリわかる	簿記の教科書 簿記の問題集
事 業 部 の 業 績 測 定	セグメント別損益計算書の作成	Ⅲ－テーマ07	Ⅲ－第5章	3－CHAPTER06
	ＣＶＰ分析	Ⅲ－テーマ05	Ⅲ－第2章	3－CHAPTER03
	変動費差異の分析	Ⅲ－テーマ08	Ⅲ－第6章	3－CHAPTER07
	事業部の業績測定尺度の算定	Ⅲ－テーマ07	Ⅲ－第5章	3－CHAPTER06
	投資案の評価	Ⅲ－テーマ07	Ⅲ－第5章	3－CHAPTER06

合格る下書用紙
第2予想〈工業簿記〉はこうやって書こう！

第1問　―〈解答79ページ・解説81ページ〉―

◆重要な指示やキーワードには、印や下線を入れます。◆
工業簿記は、細かい指示が多いので慎重に問題文を読みます。
⇒問われている原価計算の種類や処理方法を確認します。

　ＨＲ社（以下、当社という）では飲料・食品の製造販売を行っており、全部実際部門別個別原価計算を採用している。当社には2つの製造部門（第1製造部と第2製造部）と2つの補助部門（A補助部とB補助部）がある。従来から採用している計算方法に関して、当社内で以下のような会話が行われた。そこで、下記の会話文および資料にもとづき、以下の**問**に答えなさい。なお、計算するうえで端数が生じる場合には、計算途中ではその端数を処理せずに、解答する段階で千円未満を四捨五入しなさい。

会話文形式の問題では、重要な語句に波線を引きます。
→また、空欄箇所が判明した際には、その内容がわかるよう記入します。

（当社内の会話）

経 理 部 長「さて、製品原価の算定の過程において、第1製造部にどれほど原価が集計されているのだろうか。補助部門の具体的な計算方法について確認したい。」

原価計算課長「補助部門の原価の取り扱いについて従来通りの方法で集計したところ、補助部門費は第1製造部に約8,204千円配賦されています。」

経 理 部 長「補助部門費の配賦方法にはいくつかあるようだが、どれを採用しているのかね。」

原価計算課長「はい、当社では従来より（直接）を計算に用いています。補助部門間のサービス提供の実態からすると、計算の精度という観点では不十分ですが、他の計算方法に比べると手間が少ないという利点があります。」

経 理 部 長「では、他にはどのような方法があるのかね。」

原価計算課長「もっとも精度の高い方法として（相互）があります。補助部門の配賦方法には、そのほかに（階梯式）があります。」

経 理 部 長「なるほど。（　ウ　）というのは、補助部門間のサービスの授受を部分的に認める方法だね。では、①試しにその（　ウ　）による計算も行ってみようではないか。」

原価計算課長「わかりました。」

経 理 部 長「ところで、従来からの方法では（エ）だったね。この方法では、固定費も変動費と同様にみなすことになるが、もしかして、当社での変動費の占める割合が多いからなのかな。しかし、固定費がサービス提供能力を維持するために要するコストであると考えれば、変動費とは異なった配賦基準を用いる（複数）のほうがより望ましいのではないかな。」

原価計算課長「そうですね。それでは、②ここまでに出てきた配賦方法の中で理論上もっとも望ましい方法である（　イ　）と（　オ　）の組み合わせに変更したものであらためて計算を行っておきましょう。」

経 理 部 長「お願いするよ。それはさておき、補助部門の実際額を配賦する前提でここまで話を進めてきたが、製造部門の業績を適正に評価するのに、より良い方法はないものだろうか。」

原価計算課長「そうであれば、なにも補助部門費の実際額のすべてを配賦する必要もないと思います。それについても検討してみましょう。」

（資　料）

1．当月の各製造部門および各補助部門の実際部門個別費

	第1製造部	第2製造部	A補助部	B補助部	合　計
変 動 費	5,002千円	5,134千円	6,500千円	3,184千円	19,820千円
固 定 費	2,424千円	1,866千円	3,509千円	770千円	8,569千円
合　計	7,426千円	7,000千円	10,009千円	3,954千円	28,389千円

2．当月の実際部門共通費

　部門共通費として、建物減価償却費1,430千円および機械保険料1,320千円がある。建物減価償却費は各製造部門へ30％ずつ、各補助部門へ20％ずつ配賦する。機械保険料はすべての部門に均等に配賦する。なお、部門共通

費はすべて固定費である。

3．当月の各補助部門サービスの実際消費量割合

	第1製造部	第2製造部	A補助部	B補助部
A補助部サービス	48％	36％	—	16％
B補助部サービス	35％	40％	25％	—

4．当月の各補助部門サービスの消費能力割合

	第1製造部	第2製造部	A補助部	B補助部
A補助部サービス	44％	38％	—	18％
B補助部サービス	34％	36％	30％	—

問1 上記の会話文中の（ ア ）～（ オ ）に該当する語句を、以下の語群より選び、答案用紙に記入しなさい。
（語群） 直接配賦法　階梯式配賦法　相互配賦法（連立方程式法）　単一基準配賦法　複数基準配賦法

問2 各製造部門および各補助部門の第1次集計費の実際額（部門個別費および部門共通費の合計）を計算しなさい。

問3 経理部長の会話にある①の波線部の方法にもとづき配賦を行い、補助部門費の第1製造部および第2製造部への配賦額を計算しなさい。

問4 原価計算課長の会話にある②の波線部の方法にもとづき配賦を行い、補助部門費の第1製造部および第2製造部への配賦額を計算しなさい。

問5 会話文の最後において、製造部門の業績を適正に評価するうえで、検討すべき課題があることが示されている。そこで、（ オ ）において実際額の配賦から予定額の配賦に切り替えて、各部門の業績評価に適した体系にシフトするものとして、以下の資料より必要な項目を用いてA補助部で把握される差異について計算し解答しなさい。

A補助部	実 際 額	予算額（月間）	予定配賦額
変 動 費	（問2より）	7,000千円	6,720千円
固 定 費	（問2より）	4,000千円	3,840千円

（注）上記の予定配賦額は公式法変動予算を前提としており、予定配賦率にサービスの実際消費量を掛け合わせた金額である。

直接：直接配賦法、相互：相互配賦法（連立方程式法）、階梯：階梯式配賦法、
単一：単一基準配賦法、複数：複数基準配賦法

〈下書用紙〉

問2
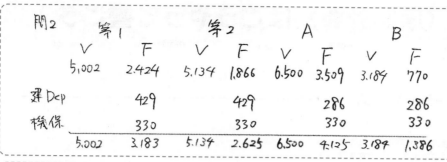

	第1		第2		A		B	
	V	F	V	F	V	F	V	F
	5,002	2,424	5,134	1,866	6,500	3,509	3,184	770
建Dep		429		429		286		286
機保		330		330		330		330
	5,002	3,183	5,134	2,625	6,500	4,125	3,184	1,386

問3

第1	第2	B	A
8,185	7,759	4,570	10,625
5,100	3,825	1,700	10,625
2,926	3,344	6,270	
16,211	14,928		

簡易的な部門費配賦表を作成して算定します。
→問題によって配賦方法が異なるため、別々の部門費配賦表を作成して解きます。

問4

	第1		第2		A		B	
	V	F	V	F	V	F	V	F
	5,002	3,183	5,134	2,625	6,500	4,125	3,184	1,386
	0.48A	0.44a	0.36A	0.38a			0.16A	0.18a
	0.35B	0.34b	0.4B	0.36b	0.25B	0.3b		
	10,190	6,060	9,630	5,259	A	a	B	b

$$\begin{cases} A = 6,500 + 0.25B \\ B = 3,184 + 0.16A \end{cases} \quad \begin{array}{l} A = 7,600 \\ B = 4,400 \end{array} \quad \begin{cases} a = 4,125 + 0.3b \\ b = 1,386 + 0.18a \end{cases} \quad \begin{array}{l} a = 4,800 \\ b = 2,250 \end{array}$$

問5

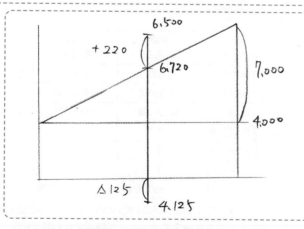

ケアレスミスを防ぐためシュラッター図を作成します。通常の問題とは異なり、すべての数値が判明するわけではありませんが、判明している数値だけで解答を導くことができます。

第1：第1製造部、第2：第2製造部、A：A補助部、B：B補助部、V：変動費、F：固定費、建Dep：建物減価償却費、機保：機械保険料

第2予想〈原価計算〉はこうやって書こう！

問題 ─〈解答80ページ・解説87ページ〉─

◆重要な指示やキーワードには、印や下線を入れます。◆
原価計算は、細かい指示が多いので慎重に問題文を読みます。
⇒問われている処理方法などを確認します。

　当社では、製品Aと製品Bを製造・販売しているが、責任を明確にするため、各製品に責任ある経営管理者を割り当て、それぞれ利益センターとして管理している。原価計算制度は、直接原価計算制度が採用されている。
　20×2年度における当社の予算および実績は、以下のとおりであった。

① 予算財務諸表および実際財務諸表（単位：千円）

	予算損益計算書	実際損益計算書
売上高	850,000	? 842,000
標準変動費		
製造原価	515,000	? 544,000
販売費	60,000	? 59,000
計	575,000	? 603,000
標準貢献利益	275,000	? 239,000
標準変動費差異	—	750 （有利差異）
実際貢献利益	275,000	? 239,750
固定費		
製造原価	150,000	138,300
販売費・一般管理費	82,500	? 58,240
計	232,500	? 196,540
営業利益	42,500	43,210

年次貸借対照表	予　算	実　際
流動資産	80,000	78,000
固定資産	320,000	342,000
資産合計	400,000	420,000
流動負債	50,000	53,000
固定負債	110,000	115,000
負債合計	160,000	168,000
資　本	240,000	252,000
負債・資本合計	400,000	420,000

空欄箇所は判明したつど、書き込んでいきます。

② 売上高および製品単位あたり変動費に関するデータ

変動製造原価は合算してメモします。

	予算〈製品A〉	予算〈製品B〉	実際〈製品A〉	実際〈製品B〉
販売単価	10,000円	5,000円	9,500円	5,000円
生産・販売数量	50,000個	70,000個	56,000個	62,000個
需要上限	60,000個	80,000個	60,000個	70,000個
直接材料費	7,500 2,500円/個	2,000 500円/個	?	?
直接労務費	3,000円/個	750円/個	?	?
変動製造間接費	2,000円/個	750円/個	?	?
変動販売費	500円/個	500円/個	550円/個	500円/個

共 25,000,000

③ 予算固定製造原価のうち、125,000,000円は個別固定費（製品Aが45,000,000円、製品Bが80,000,000円）、残りは共通固定費である。個別固定費のうち、10％が自由裁量固定費である。個別固定費の残り90％と共通固定費は、すべて拘束固定費（コミッティッド固定費）である。
④ 予算固定販売費・一般管理費は、すべて共通費である。その40％が自由裁量固定費、60％が拘束固定費である。
⑤ 予算総投資額のうち40％は製品Aに対する投資額、残りは製品Bに対する投資額である。
⑥ 実際固定製造原価または実際固定販売費・一般管理費における個別固定費と共通固定費、自由裁量固定費と拘束固定費の割合および製品別の発生割合、総投資額における製品別の割合は、予算と同一であった。

⑦ 各製品の原価標準

	製 品 A	製 品 B
直接材料費	500円×5単位 …… 2,500円	250円× 2単位 …… 500円
直接労務費	1,500円×2時間 …… 3,000円	1,500円×0.5時間 …… 750円
変動製造間接費	1,000円×2時間 …… 2,000円	1,500円×0.5時間 …… 750円

⑧ 製品別実際変動製造原価：（ ）内は、実際数量。

	製 品 A	製 品 B
直接材料費	147,950,000円（291,000単位）	38,400,000円（128,000単位）
直接労務費	156,350,000円（106,000時間）	44,580,000円（ 30,000時間）
変動製造間接費	108,650,000円（106,000時間）	44,520,000円（ 30,000時間）

⑨ 次年度計画データ

次年度において製品Cをラインナップに加える可能性を検討中である。この製品の導入に要する投資額は8,000千円、販売単価は15,000円であり、予想販売量は10,500個である。また、この製品の製造・販売に要する原価は、製造・販売量が4,000個のときは91,300,000円、8,000個のときは131,300,000円と予測された。

⑩ 法人税率と資本コスト率

この計算上、法人税率は30%とする。また当社の全社的資本調達源泉別の資本コスト率は下記のとおりである。

資本源泉	構成割合	源泉別資本コスト率	
負 債	40%	6%（支払利子率）	×0.7 = 1.68%
資 本	60%	10.4%	= 6.24%
	100%		7.92%

← 加重平均資本コストを計算してメモします。

⑪ 棚卸資産の状況

各年度の期首・期末において、在庫はないものとする。

〔問1〕 答案用紙の製品別予算損益計算書を作成しなさい。

〔問2〕 20×2年度の予算にもとづいて、貢献利益率の高い製品から優先して販売するものとして、損益分岐点販売量を求めなさい。ただし、この計算では当社の固定費総額を回収することを前提に計算すること。

〔問3〕 実際損益計算書の各金額を計算しなさい。

〔問4〕 答案用紙の差異分析表を作成しなさい。なお、各差異分析表の（ ）内には、不利差異であれば「U」、有利差異であれば「F」と記入しなさい。差異が0の場合は「-」と記入すればよい。

〔問5〕 (1)予算と実績の投資利益率を税引後製品貢献利益を用いて計算しなさい。以下、業績測定尺度の計算にあたっては、すべて税引後製品貢献利益を用いて計算すること。また、(2)全社的加重平均資本コスト率を用いて、予算および実績の残余利益を計算しなさい。なお、残余利益がマイナスの場合は、金額の前に△を付すこと。また、解答にあたって端数が生じたさいには、金額については千円未満四捨五入、比率については％未満第3位を四捨五入すること。

〔問6〕 次年度において製品Cをラインナップに加える投資案を検討中である。全社的目標整合性の観点からこの投資案の採否について検討しなさい。なお、製品Cは変動販売費及び固定販売・一般管理費は発生せず、固定製造原価は、すべて個別固定費であるものとする。

共：共通固定費

〈下書用紙〉

製造原価

共 25,000,000 （拘）

A 45,000,000 ⟨ 4,500,000 （自）
40,500,000 （拘）

B 80,000,000 ⟨ 8,000,000 （自）
72,000,000 （拘）

販管費
共 82,500,000 ⟨ 33,000,000 （自）
49,500,000 （拘）

製品別予算損益計算
書を作成するのに必
要な固定費分類を算
定してメモします。

貢献利益率を比較し
て、製品Bを優先し
て作ると判断します。

問2 A $\frac{2,000}{10,000}$ = 0.2   B $\frac{2,500}{5,000}$ = (0.5) → 80,000 個
↓
200,000,000 円

F = 232,500 千円

232,500,000 = 0.2A + 200,000,000

A = 162,500,000 ÷ 10,000 = 16,250 個

問5 予算投資 400,000 ⟨ A 160,000 千円
B 240,000 千円

A = $\frac{55,000 \times 0.7}{160,000}$ = 0.290625

B = $\frac{95,000 \times 0.7}{240,000}$ = 0.277083…

実際投資 420,000 ⟨ A 168,000
B 252,000

A = $\frac{32,732}{168,000}$ = 0.19483…

B = $\frac{54,418}{252,000}$ = 0.21594…

F 138,300 ⟨ A 41,490
B 73,760
共 23,050

	A	B
貢	84,000	155,000
差	4,250	△ 3,500
	88,250	151,500
F	△ 41,490	△ 73,760
	46,760	77,740
法	△ 14,028	△ 23,322
	32,732	54,418

問6 C：V = @10,000   販売単価 @15,000
F = 51,300,000

貢 1,200,000
法 360,000
840,000   投 633,600

計算過程を下書きに
残しておくと、ケア
レスミスを防ぐだけ
ではなく、見直しが
楽になります。

共：共通費、A：製品A、B：製品B、自：自由裁量固定費、拘：拘束固定費、
販管費：予算固定販売費・一般管理費、F：固定費、貢：貢献利益、
差：標準変動費差異、法：法人税等、V：変動費、投：投資額

98

2024年度

日商簿記検定試験対策

第168回試験をあてる TAC直前予想模試

解答・解答への道

| 1 　級 |－I|

商業簿記・会計学

第3予想

目標得点

第1目標　40点
第2目標　49点

答に示した Ⓐ Ⓑ Ⓒ マークを活用し、
絶対に落としてはいけない Ⓐ のすべてと、
できれば落としたくない Ⓑ のうち半分は得点し、
目標得点に到達できるまで繰り返し解きましょう。

TAC 簿記検定講座

合格(うか)るタイムライン
第3予想（商会）はこの順序で解こう！

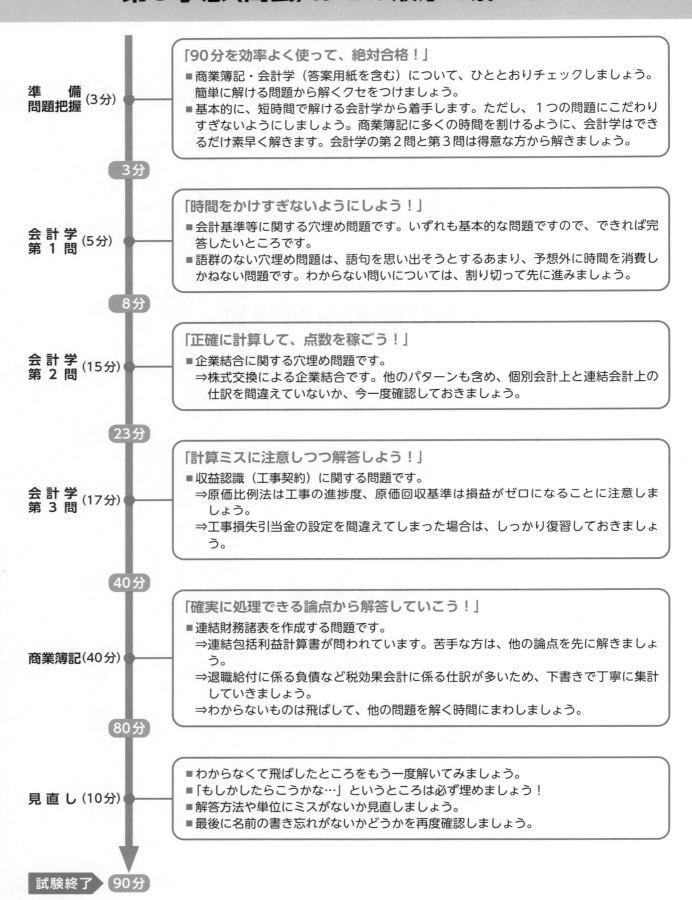

準　備
問題把握（3分）

「90分を効率よく使って、絶対合格！」
- 商業簿記・会計学（答案用紙を含む）について、ひととおりチェックしましょう。簡単に解ける問題から解くクセをつけましょう。
- 基本的に、短時間で解ける会計学から着手します。ただし、1つの問題にこだわりすぎないようにしましょう。商業簿記に多くの時間を割けるように、会計学はできるだけ素早く解きます。会計学の第2問と第3問は得意な方から解きましょう。

3分

会計学
第1問（5分）

「時間をかけすぎないようにしよう！」
- 会計基準等に関する穴埋め問題です。いずれも基本的な問題ですので、できれば完答したいところです。
- 語群のない穴埋め問題は、語句を思い出そうとするあまり、予想外に時間を消費しかねない問題です。わからない問いについては、割り切って先に進みましょう。

8分

会計学
第2問（15分）

「正確に計算して、点数を稼ごう！」
- 企業結合に関する穴埋め問題です。
  ⇒株式交換による企業結合です。他のパターンも含め、個別会計上と連結会計上の仕訳を間違えていないか、今一度確認しておきましょう。

23分

会計学
第3問（17分）

「計算ミスに注意しつつ解答しよう！」
- 収益認識（工事契約）に関する問題です。
  ⇒原価比例法は工事の進捗度、原価回収基準は損益がゼロになることに注意しましょう。
  ⇒工事損失引当金の設定を間違えてしまった場合は、しっかり復習しておきましょう。

40分

商業簿記（40分）

「確実に処理できる論点から解答していこう！」
- 連結財務諸表を作成する問題です。
  ⇒連結包括利益計算書が問われています。苦手な方は、他の論点を先に解きましょう。
  ⇒退職給付に係る負債など税効果会計に係る仕訳が多いため、下書きで丁寧に集計していきましょう。
  ⇒わからないものは飛ばして、他の問題を解く時間にまわしましょう。

80分

見直し（10分）

- わからなくて飛ばしたところをもう一度解いてみましょう。
- 「もしかしたらこうかな…」というところは必ず埋めましょう！
- 解答方法や単位にミスがないか見直しましょう。
- 最後に名前の書き忘れがないかどうかを再度確認しましょう。

試験終了 ▶ 90分

解答 目標19点

連結貸借対照表
20×4年3月31日現在 (単位：千円)

資　産		金　額	負債・純資産		金　額
現　金　預　金		546,000	買　掛　金	❷Ⓐ	322,000
売　掛　金		470,600	未払法人税等		76,600
商　品		200,400	退職給付に係る負債		28,300
備　品		796,500	その他の負債		721,000
減価償却累計額		△ 322,800	資　本　金		1,000,000
土　地	❷Ⓐ	920,000	資本剰余金		350,000
の　れ　ん	❷Ⓐ	13,600	利益剰余金		656,032
A　社　株　式	❷Ⓑ	129,560	その他有価証券評価差額金		9,170
繰延税金資産	❷Ⓑ	17,142	退職給付に係る調整累計額		△ 1,890
その他の資産		575,100	非支配株主持分		184,890
		3,346,102			3,346,102

連結損益計算書
自20×3年4月1日 至20×4年3月31日 (単位：千円)

売　上　高		3,202,760
売上原価	❷Ⓐ△	1,954,600
減価償却費	❷Ⓐ△	102,300
のれん償却額	△	800
受取利息配当金		11,650
持分法による投資利益	❷Ⓑ	9,400
固定資産売却益	❷Ⓐ	10,000
その他の収益		57,000
その他の費用	△	784,000
税金等調整前当期純利益		449,110
法人税等	△	144,000
法人税等調整額		5,592
当期純利益		310,702
非支配株主に帰属する当期純利益	❷Ⓑ△	33,786
親会社株主に帰属する当期純利益		276,916

連結包括利益計算書
自20×3年4月1日 至20×4年3月31日 (単位：千円)

当期純利益		310,702
その他の包括利益		
その他有価証券評価差額金	❶Ⓐ	2,590
退職給付に係る調整額	△	280
包括利益		313,012
(内　訳)		
親会社株主に係る包括利益		278,806
非支配株主に係る包括利益	❶Ⓑ	34,206

連結株主資本等変動計算書
自20×3年4月1日 至20×4年3月31日 (単位：千円)

	株主資本			その他の包括利益累計額		非支配株主持分
	資本金	資本剰余金	利益剰余金	その他有価証券評価差額金	退職給付に係る調整累計額	
当期首残高	1,000,000	350,000	439,116	7,000	△ 1,610	162,834
剰余金の配当			△ 60,000			
親会社株主に帰属する当期純利益			276,916			
株主資本以外の項目の当期変動額（純額）				2,170	△ 280	22,056
当期末残高	1,000,000	350,000	❶Ⓒ 656,032	9,170	❶Ⓑ△ 1,890	❶Ⓐ 184,890

●数字は採点基準　合計25点

解答 目標21点

第1問

1	資 本 剰 余 金	❶Ⓐ
2	負 債 計 上 時	❶Ⓐ
3	課 税 所 得	❶Ⓐ
4	株 主 資 本	❶Ⓐ
5	現 金 同 等 物	❶Ⓐ

第2問

a	b	c
Ⓐ 10,000	Ⓐ 16,400	Ⓐ 3,100

d	e	
Ⓑ 10,000	Ⓑ 3,100	各❷

第3問

	A 工 事		B 工 事	
	20×2年度	20×3年度	20×2年度	20×3年度
工 事 収 益	❷Ⓐ 384,000 千円	324,000 千円	❷Ⓐ 129,600 千円	❷Ⓐ 369,600 千円
工 事 原 価	❷Ⓑ 489,600 千円	❷Ⓑ 308,000 千円	129,600 千円	331,200 千円
工 事 損 益	△105,600 千円	16,000 千円	0 千円	38,400 千円

●数字は採点基準　合計25点

（以下、単位：千円）

I　P社未認識数理計算上の差異の計上

1 開始仕訳

(1)　20×1年3月31日（支配獲得日）の連結修正仕訳

（繰 延 税 金 資 産）(*2)	540	（退職給付に係る負債）(*1)	1,800
―P社―			
（退職給付に係る調整累計額当期首残高）(*3)	1,260		

(*1)　1,800〈20×1年3/31〉
(*2)　1,800×30%〈実効税率〉=540
(*3)　1,800−540=1,260

(2)　20×1年度〜20×2年度の連結修正仕訳

（繰 延 税 金 資 産）(*2)	150	（退職給付に係る負債）(*1)	500
―P社―			
（退職給付に係る調整累計額当期首残高）(*3)	350		

(*1)　2,300〈20×3年3/31〉−1,800〈20×1年3/31〉=500
(*2)　500×30%〈実効税率〉=150
(*3)　500−150=350

(3)　開始仕訳のまとめ（(1)+(2)）

（繰 延 税 金 資 産）	690	（退職給付に係る負債）	2,300
―P社―			
（退職給付に係る調整累計額当期首残高）	1,610		

2 期中仕訳

（繰 延 税 金 資 産）(*2)	120	（退職給付に係る負債）(*1)	400
―P社―			
（退職給付に係る調整累計額当期変動額）(*3)	280		

(*1)　2,700〈20×4年3/31〉−2,300〈20×3年3/31〉=400
(*2)　400×30%〈実効税率〉=120
(*3)　400−120=280

II　S社（連結子会社）に関する処理

1 タイムテーブル（資本勘定の推移）

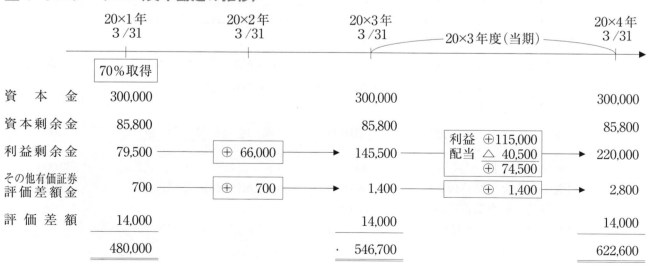

	20×1年 3/31	20×2年 3/31	20×3年 3/31	20×3年度（当期）	20×4年 3/31
	70%取得				
資 本 金	300,000		300,000		300,000
資 本 剰 余 金	85,800		85,800		85,800
利 益 剰 余 金	79,500	⊕ 66,000	145,500	利益 ⊕115,000 / 配当 △ 40,500 / ⊕ 74,500	220,000
その他有価証券 評 価 差 額 金	700	⊕ 700	1,400	⊕ 1,400	2,800
評 価 差 額	14,000		14,000		14,000
	480,000		546,700		622,600

2 開始仕訳

(1) 20×1年3月31日（支配獲得日）の連結修正仕訳

① 取得関連費用の取扱い

　　取得関連費用は、個別会計上は取得原価に算入されるが、連結会計上は取得原価に含めずに発生した事業年度の費用として処理する。

| （利益剰余金当期首残高） | 10,000 | （S 社 株 式） | 10,000 |

　　取得関連費用

② S社土地の時価評価

（土　　地）(*1)	20,000	（繰 延 税 金 負 債）(*2)	6,000
		―S社―	
		（評 価 差 額）(*3)	14,000

(*1) 320,000〈時価〉－300,000〈簿価〉＝20,000
(*2) 20,000×30％＝6,000
(*3) 20,000－6,000＝14,000

③ 投資と資本の相殺消去

（資 本 金 当 期 首 残 高）	300,000	（S 社 株 式）(*2)	352,000
（資本剰余金当期首残高）	85,800	（非支配株主持分当期首残高）(*3)	144,000
（利益剰余金当期首残高）	79,500		
（その他有価証券評価差額金当期首残高）（注）	700		
（評 価 差 額）	14,000		
（の れ ん）(*1)	16,000		

(*1) 300,000＋85,800＋79,500＋700＋14,000＝480,000〈20×1年3/31のS社資本（評価替後）〉
　　　480,000×70％〈P社持分割合〉＝336,000〈P社持分〉
　　　352,000－336,000＝16,000〈のれん〉
(*2) 362,000－10,000＝352,000
(*3) 480,000×30％〈非支配株主持分割合〉＝144,000〈非支配株主持分〉

（注）投資と資本の相殺消去にあたっては、その他有価証券評価差額金（その他の包括利益累計額）を子会社の資本に含める。

(2) 20×1年度～20×2年度の連結修正仕訳

① のれんの償却

| （利益剰余金当期首残高）(*) | 1,600 | （の れ ん） | 1,600 |

(*) 16,000÷20年×2年＝1,600

② S社利益剰余金の増加額の振替え

| （利益剰余金当期首残高）(*) | 19,800 | （非支配株主持分当期首残高） | 19,800 |

(*) （145,500〈20×3年3/31〉－79,500〈20×1年3/31〉）×30％〈非支配株主持分割合〉＝19,800

③ S社その他有価証券評価差額金の増加額の振替え

| （その他有価証券評価差額金当期首残高）(*) | 210 | （非支配株主持分当期首残高） | 210 |

(*) （1,400〈20×3年3/31〉－700〈20×1年3/31〉）×30％〈非支配株主持分割合〉＝210

(3) 開始仕訳のまとめ（(1)＋(2)）

（土　　地）	20,000	（繰 延 税 金 負 債）	6,000
		―S社―	
（資 本 金 当 期 首 残 高）	300,000	（S 社 株 式）	362,000
（資本剰余金当期首残高）	85,800	（非支配株主持分当期首残高）	164,010
（利益剰余金当期首残高）	110,900		
（その他有価証券評価差額金当期首残高）	910		
（の れ ん）	14,400		

❸ 期中仕訳（20×3年度の連結修正仕訳）

(1) のれんの償却

（の れ ん 償 却 額）（＊）	800	（の　れ　ん）	800

(＊) 16,000÷20年＝800

(2) S社当期純利益の振替え

（非支配株主に帰属する当期純利益）（＊）	34,500	（非支配株主持分当期変動額）	34,500

(＊) 115,000〈当期純利益〉×30%〈非支配株主持分割合〉＝34,500

(3) S社配当金の修正

（受 取 利 息 配 当 金）（＊1）	28,350	（利益剰余金・剰余金の配当）	40,500
（非支配株主持分当期変動額）（＊2）	12,150		

(＊1) 40,500〈配当金〉×70%〈P社持分割合〉＝28,350
(＊2) 40,500〈配当金〉×30%〈非支配株主持分割合〉＝12,150

(4) S社その他有価証券評価差額金の増加額の振替え

（その他有価証券評価差額金当期変動額）（＊）	420	（非支配株主持分当期変動額）	420

(＊) (2,800〈20×4年 3/31〉－1,400〈20×3年 3/31〉)×30%〈非支配株主持分割合〉＝420

(5) 未達取引の整理

（商　　　　　品）	6,000	（買　　掛　　金）	6,000

(6) 売上高と売上原価の相殺消去

（売　　上　　高）	380,000	（売　上　原　価）	380,000

(7) 棚卸資産に含まれる未実現利益の消去（アップ・ストリーム）

① 期首棚卸資産

(A) 開始仕訳

（利益剰余金当期首残高）（＊1） 売上原価	5,600	（商　　　　　品）	5,600
（繰 延 税 金 資 産）（＊2） ―S社―	1,680	（利益剰余金当期首残高） 法人税等調整額	1,680
（非支配株主持分当期首残高）（＊3）	1,176	（利益剰余金当期首残高） 非支配株主に帰属する当期純利益	1,176

(＊1) 28,000×20%〈利益率〉＝5,600
(＊2) 5,600×30%〈実効税率〉＝1,680
(＊3) (5,600－1,680)×30%〈非支配株主持分割合〉＝1,176

(B) 実現仕訳

（商　　　　　品）（＊1）	5,600	（売　上　原　価）	5,600
（法 人 税 等 調 整 額）（＊2）	1,680	（繰 延 税 金 資 産） ―S社―	1,680
（非支配株主に帰属する当期純利益）（＊3）	1,176	（非支配株主持分当期変動額）	1,176

② 期末棚卸資産

（売　上　原　価）（＊1）	6,200	（商　　　　　品）	6,200
（繰 延 税 金 資 産）（＊2） ―S社―	1,860	（法 人 税 等 調 整 額）	1,860
（非支配株主持分当期変動額）（＊3）	1,302	（非支配株主に帰属する当期純利益）	1,302

(＊1) (25,000＋6,000〈未達商品〉)×20%〈利益率〉＝6,200
(＊2) 6,200×30%〈実効税率〉＝1,860
(＊3) (6,200－1,860)×30%〈非支配株主持分割合〉＝1,302

③ まとめ（①＋②）

（売　上　原　価）	600	（商　　　　　品）	6,200	
（利益剰余金当期首残高）	2,744	（法 人 税 等 調 整 額）	180	
（非支配株主持分当期首残高）	1,176	（非支配株主に帰属する当期純利益）	126	
（繰 延 税 金 資 産）	1,860			
―S社―				
（非支配株主持分当期変動額）	126			

(8) 売掛金と買掛金の相殺

（買　　掛　　金）	30,000	（売　　掛　　金）	30,000

(9) 備品に含まれる未実現利益の消去（アップ・ストリーム）

① 未実現利益の消去

（固 定 資 産 売 却 益）(*1)	3,500	（備　　　　　品）	3,500
（繰 延 税 金 資 産）(*2)	1,050	（法 人 税 等 調 整 額）	1,050
―S社―			
（非支配株主持分当期変動額）(*3)	735	（非支配株主に帰属する当期純利益）	735

(*1) 40,000〈売却価額〉－36,500〈帳簿価額〉＝3,500〈売却益〉　　(*2) 3,500×30%〈実効税率〉＝1,050
(*3) （3,500－1,050）×30%〈非支配株主持分割合〉＝735

② 減価償却費の修正

（減 価 償 却 累 計 額）(*1)	700	（減 価 償 却 費）	700
（法 人 税 等 調 整 額）(*2)	210	（繰 延 税 金 資 産）	210
―S社―			
（非支配株主に帰属する当期純利益）(*3)	147	（非支配株主持分当期変動額）	147

(*1) 3,500÷5年〈耐用年数〉＝700　　(*2) 700×30%〈実効税率〉＝210
(*3) （700－210）×30%〈非支配株主持分割合〉＝147

ここ重要！

■未実現利益の負担関係

連結会社間の取引によって生じた未実現利益は、親会社が売手の場合（ダウン・ストリーム）と子会社が売手の場合（アップ・ストリーム）とで負担関係が区別されます。

親会社→子会社 （ダウン・ストリーム）	全額消去・親会社負担方式
	連結上、未実現利益を全額消去する
子会社→親会社 （アップ・ストリーム）	全額消去・持分按分負担方式
	連結上、未実現利益を全額消去し、子会社に非支配株主が存在する場合には、その負担額を非支配株主持分から減額する

Ⅲ　A社（持分法適用関連会社）に関する処理

1 タイムテーブル（資本勘定の推移）

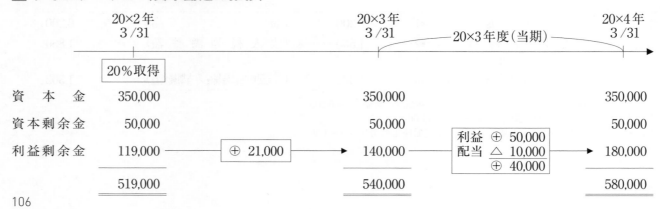

2 開始仕訳

(1) 20×2年3月31日（投資時）

投資と資本の相殺消去は行わないため、連結修正仕訳はない。ただし、のれん（投資差額）の金額を計算する。

のれんの計算：

$(350,000〈土地の時価〉-320,000〈土地の簿価〉)×20\%〈P社持分割合〉×(100\%-30\%〈実効税率〉)$
$=4,200〈取得持分に対する評価差額〉$

$120,000〈A社株式〉-\underline{(350,000+50,000+119,000)×20\%〈P社持分割合〉}+4,200=12,000〈のれん〉$
$\qquad\qquad\qquad\qquad\qquad 108,000〈P社持分〉$

(2) 20×3年3月31日（20×2年度の連結修正仕訳）

① のれんの償却

（利益剰余金当期首残高）(*)	600	（A 社 株 式）	600

(*) $12,000÷20年=600$

② A社利益剰余金の増加額の振替え

（A 社 株 式）(*)	4,200	（利益剰余金当期首残高）	4,200

(*) $(140,000〈20×3年3/31〉-119,000〈20×2年3/31〉)×20\%〈P社持分割合〉=4,200$

(3) 開始仕訳のまとめ（(1)+(2)）

（A 社 株 式）	3,600	（利益剰余金当期首残高）	3,600

3 期中仕訳（20×3年度の連結修正仕訳）

(1) のれんの償却

（持分法による投資損益）(*)	600	（A 社 株 式）	600

(*) $12,000÷20年=600$

(2) A社当期純利益の振替え

（A 社 株 式）(*)	10,000	（持分法による投資損益）	10,000

(*) $180,000〈20×4年3/31利益剰余金〉-(140,000〈20×3年3/31利益剰余金〉-10,000〈剰余金の配当〉)$
$=50,000〈当期純利益〉$
$50,000×20\%〈P社持分割合〉=10,000$

(3) A社配当金の修正

（受 取 利 息 配 当 金）(*)	2,000	（A 社 株 式）	2,000

(*) $10,000〈配当金〉×20\%〈P社持分割合〉=2,000$

（注）利益準備金の繰入れや別途積立金の積み立てなど資本の額の増減をともなわない株主資本の計数の変動については、修正不要である。

(4) 棚卸資産に含まれる未実現利益の消去（ダウン・ストリーム）

① 期首棚卸資産

(A) 開始仕訳

（利益剰余金当期首残高）(*1) 売上高	1,200	（A 社 株 式）	1,200
（繰 延 税 金 資 産）(*2) ―P社―	360	（利益剰余金当期首残高） 法人税等調整額	360

(*1) $20,000×30\%〈利益率〉×20\%〈P社持分割合〉=1,200$

(*2) $1,200×30\%〈実効税率〉=360$

(B) 実現仕訳

（A 社 株 式）(*1)	1,200		（売 上 高）	1,200	
（法 人 税 等 調 整 額）(*2)	360		（繰 延 税 金 資 産）	360	
			―P社―		

② 期末棚卸資産

（売 上 高）(*1)	1,440		（A 社 株 式）	1,440	
（繰 延 税 金 資 産）(*2)	432		（法 人 税 等 調 整 額）	432	
―P社―					

    (*1) 24,000×30%〈利益率〉×20%〈P社持分割合〉=1,440
    (*2) 1,440×30%〈実効税率〉=432

③ まとめ（①+②）

（売 上 高）	240		（A 社 株 式）	1,440	
（利益剰余金当期首残高）	840		（法 人 税 等 調 整 額）	72	
（繰 延 税 金 資 産）	432				
―P社―					

Ⅳ　繰延税金資産と繰延税金負債の相殺

1 P社分

(1)　勘定記入

繰延税金資産				繰延税金負債	
個別B/S	15,000				
Ⅰ1(3)	690				
Ⅰ2	120	16,242			
Ⅲ3(4)③	432				

(2)　相　殺

仕　訳　な　し	

2 S社分

(1)　勘定記入

繰延税金資産				繰延税金負債			
個別B/S	4,200	Ⅱ3(9)②	210		6,000	Ⅱ2(3)	6,000
Ⅱ3(7)③	1,860						
Ⅱ3(9)①	1,050	6,900					

(2)　相　殺

（繰 延 税 金 負 債）	6,000		（繰 延 税 金 資 産）	6,000

V 連結精算表

表 示 科 目	個別財務諸表			連結修正仕訳		連結財務諸表
	P 社	S 社	合 計			
(損益計算書)						
売 上 高	2,413,000	1,170,000	3,583,000	380,000 240		3,202,760
売 上 原 価	△1,573,000	△761,000	△2,334,000	600	380,000	△1,954,600
減 価 償 却 費	△68,000	△35,000	△103,000		700	△102,300
の れ ん 償 却 額	—	—	—	800		△800
受 取 利 息 配 当 金	36,000	6,000	42,000	28,350 2,000		11,650
持分法による投資損益	—	—	—	600	10,000	9,400
固 定 資 産 売 却 益	8,000	5,500	13,500	3,500		10,000
そ の 他 の 収 益	40,000	17,000	57,000			57,000
そ の 他 の 費 用	△543,000	△241,000	△784,000			△784,000
法 人 税 等	△96,000	△48,000	△144,000			△144,000
法 人 税 等 調 整 額	3,000	1,500	4,500	210	180 1,050 72	5,592
当 期 純 利 益	220,000	115,000	335,000	416,300	392,002	310,702
非支配株主に帰属する当期純利益	—	—	—	34,500 147	126 735	△33,786
親会社株主に帰属する当期純利益	220,000	115,000	335,000	450,947	392,863	276,916
(貸借対照表)						
現 金 預 金	360,000	186,000	546,000			546,000
売 掛 金	353,600	147,000	500,600		30,000	470,600
商 品	148,000	52,600	200,600	6,000	6,200	200,400
備 品	520,000	280,000	800,000		3,500	796,500
減 価 償 却 累 計 額	△188,000	△135,500	△323,500	700		△322,800
土 地	600,000	300,000	900,000	20,000		920,000
の れ ん	—	—	—	14,400	800	13,600
S 社 株 式	362,000	—	362,000		362,000	—
A 社 株 式	120,000	—	120,000	3,600 10,000	600 2,000 1,440	129,560
繰 延 税 金 資 産	15,000	4,200	19,200	690 120 1,860 1,050 432	210 6,000	17,142
そ の 他 の 資 産	409,400	165,700	575,100			575,100
合 計	2,700,000	1,000,000	3,700,000	58,852	412,750	3,346,102
買 掛 金	220,000	126,000	346,000	30,000	6,000	322,000
未 払 法 人 税 等	48,600	28,000	76,600			76,600
退 職 給 付 に 係 る 負 債	25,600	—	25,600		2,300 400	28,300
繰 延 税 金 負 債	—	—	—	6,000	6,000	—
そ の 他 の 負 債	483,600	237,400	721,000			721,000
資 本 金	1,000,000	300,000	1,300,000	300,000		1,000,000
資 本 剰 余 金	350,000	85,800	435,800	85,800		350,000
利 益 剰 余 金	564,500	220,000	784,500	565,431	436,963	656,032
その他有価証券評価差額金	7,700	2,800	10,500	1,330		9,170
退職給付に係る調整累計額	—	—	—	1,890		△1,890
非 支 配 株 主 持 分	—	—	—	14,187	199,077	184,890
合 計	2,700,000	1,000,000	3,700,000	1,004,638	650,740	3,346,102

（株主資本等変動計算書）						
資本金当期首残高	1,000,000	300,000	1,300,000	300,000		1,000,000
資本金当期末残高	1,000,000	300,000	1,300,000	300,000		1,000,000
資本剰余金当期首残高	350,000	85,800	435,800	85,800		350,000
資本剰余金当期末残高	350,000	85,800	435,800	85,800		350,000
利益剰余金当期首残高	404,500	145,500	550,000	110,900 2,744 840	3,600	439,116
剰余金の配当	△ 60,000	△ 40,500	△ 100,500		40,500	△ 60,000
親会社株主に帰属する当期純利益	220,000	115,000	335,000	450,947	392,863	276,916
利益剰余金当期末残高	564,500	220,000	784,500	565,431	436,963	656,032
その他有価証券評価差額金当期首残高	6,510	1,400	7,910	910		7,000
その他有価証券評価差額金当期変動額	1,190	1,400	2,590	420		2,170
その他有価証券評価差額金当期末残高	7,700	2,800	10,500	1,330		9,170
退職給付に係る調整累計額当期首残高	—	—	—	1,610		△ 1,610
退職給付に係る調整累計額当期変動額	—	—	—	280		△ 280
退職給付に係る調整累計額当期末残高	—	—	—	1,890		△ 1,890
非支配株主持分当期首残高	—	—	—	1,176	164,010	162,834
非支配株主持分当期変動額	—	—	—	12,150 126 735	34,500 420 147	22,056
非支配株主持分当期末残高	—	—	—	14,187	199,077	184,890

Ⅵ 連結包括利益の計算

　連結会計上の包括利益には、非支配株主に帰属する部分が含まれるため、連結会計上の包括利益は、当期純利益にその他の包括利益（非支配株主に帰属する部分を含む）を加減して求める。ただし、包括利益の内訳を付記する。

	連結包括利益計算書		包括利益の内訳			
			非支配株主に係る包括利益		親会社株主に係る包括利益	
当 期 純 利 益	(*1)	310,702	(*1)	33,786	(*1)	276,916
その他の包括利益						
その他有価証券評価差額金	(*2)	2,590	(*3)	420	(*4)	2,170
退職給付に係る調整額	(*5)	△ 280		—	(*5)	△ 280
包 括 利 益		313,012		34,206		278,806

(*1)　連結Ｐ／Ｌより
(*2)　1,190〈Ｐ社個別Ｓ／Ｓ〉＋1,400〈Ｓ社個別Ｓ／Ｓ〉＝2,590
(*3)　1,400〈Ｓ社個別Ｓ／Ｓ〉×30％〈非支配株主持分割合〉＝420
(*4)　2,590－420＝2,170
(*5)　連結Ｓ／Ｓ当期変動額より

■包括利益の内訳

①親会社株主に帰属する当期純利益	③親会社のその他の包括利益	} 親会社株主に係る包括利益
	④子会社のその他の包括利益のうち親会社持分相当額	
②非支配株主に帰属する当期純利益	⑤子会社のその他の包括利益のうち非支配株主持分相当額	非支配株主に係る包括利益

Link

出題内容	出題論点	合格テキスト 合格トレーニング	スッキリわかる	簿記の教科書 簿記の問題集
連 結 会 計	連結損益計算書	Ⅲ－テーマ03、04、06	Ⅳ－第2、4章	3－CHAPTER03、05
	連結貸借対照表	Ⅲ－テーマ03、04、06	Ⅳ－第2、4章	3－CHAPTER03、05
	連結株主資本等変動計算書	Ⅲ－テーマ03、04、06	Ⅳ－第2、4章	3－CHAPTER03、05
	連結包括利益計算書	Ⅲ－テーマ07	Ⅳ－第4章	3－CHAPTER10

❖ 会計学　解答への道

第1問　空欄記入問題

1 子会社株式の一部売却
「連結財務諸表に関する会計基準　29」

　子会社株式を一部売却した場合（親会社と子会社の支配関係が継続している場合に限る。）には、売却した株式に対応する持分を親会社の持分から減額し、非支配株主持分を増額する。売却による親会社の持分の減少額と売却価額との間に生じた差額は、**資本剰余金**とする。

2 資産除去債務（見積りの変更による調整額に適用する割引率）
「資産除去債務に関する会計基準　11」

　資産除却債務の計算にあたって、割引前の将来キャッシュ・フローに重要な見積りの変更が生じ、当該キャッシュ・フローが増加する場合、その時点の割引率を適用する。これに対し、当該キャッシュ・フローが減少する場合には、**負債計上時**の割引率を適用する。なお、過去に割引前の将来キャッシュ・フローの見積りが増加した場合で、減少部分に適用すべき割引率を特定できないときは、加重平均した割引率を適用する。

3 一時差異等
「税効果会計に係る会計基準　第二・一・2、4」

　一時差異とは、貸借対照表に計上されている資産および負債の金額と**課税所得**計算上の資産および負債の金額との差額をいう。将来の**課税所得**と相殺可能な繰越欠損金等については、一時差異と同様に取り扱うものとする。

4 事業分離（分離元企業の会計処理）
「事業分離等に関する会計基準　17」

　分離先企業の株式のみを受取対価とする事業分離により分離先企業が新たに分離元企業の子会社となる場合、個別財務諸表上、移転した事業に係る**株主資本**相当額に基づいて、当該分離元企業が受け取った分離先企業の株式（子会社株式）の取得原価を算定し、移転損益を認識しない。

5 資金の範囲
「連結キャッシュ・フロー計算書作成基準　第二・一」

　連結キャッシュ・フロー計算書が対象とする資金の範囲は、現金及び**現金同等物**とする。現金とは、手許現金及び要求払預金をいい、**現金同等物**とは、容易に換金可能であり、かつ、価値の変動について僅少なリスクしか負わない短期投資をいう。

Link

出題内容	出題論点	合格テキスト 合格トレーニング	スッキリわかる	簿記の教科書 簿記の問題集
空欄記入問題	子会社株式の一部売却	Ⅲ－テーマ05	Ⅳ－第3章	3－CHAPTER04
	資産除去債務（見積りの変更による調整額に適用する割引率）	Ⅱ－テーマ07	Ⅱ－第7章	2－CHAPTER02
	一時差異等	Ⅱ－テーマ01	Ⅲ－第3章	2－CHAPTER12
	事業分離（分離元企業の会計処理）	Ⅲ－テーマ09	Ⅳ－第1章	3－CHAPTER02
	資金の範囲	Ⅲ－テーマ11	Ⅲ－第5章	3－CHAPTER08

第2問　株式交換 (以下、単位：千円)

1 20×1年度末の連結財務諸表

(1) 開始仕訳

(資　　本　　金)	7,500	(S　社　株　式)	6,000
		(非 支 配 株 主 持 分)(＊)	1,500

（＊）7,500×20%〈非支配株主持分割合〉＝1,500

(2) 期中仕訳

(利　益　剰　余　金)(＊)	1,600	(非 支 配 株 主 持 分)	1,600

〈非支配株主に帰属する当期純利益〉

（＊）8,000×20%〈非支配株主持分割合〉＝1,600

(3) 連結貸借対照表

科　　　　　目	個別貸借対照表			修正消去仕訳		連　結貸借対照表
	P　社	S　社	合　計	借　方	貸　方	
諸　　資　　産	30,000	25,000	55,000			55,000
S　社　株　式	6,000	—	6,000		6,000	—
	36,000	25,000	61,000		6,000	55,000
諸　　負　　債	16,000	9,500	25,500			25,500
資　　本　　金	10,000	7,500	17,500	7,500		**10,000**
利　益　剰　余　金	10,000	8,000	18,000	1,600		**16,400**
非 支 配 株 主 持 分	—	—	—		1,500 1,600	**3,100**
	36,000	25,000	61,000	9,100	3,100	55,000

2 株式交換

(1) P社の個別会計上の処理

本問はP社（株式交換完全親会社）を取得企業とする通常の取得に該当し、P社が追加取得するS社株式（株式交換完全子会社株式）の取得原価は、非支配株主に交付したP社株式の時価をもって算定する。

(S　　社　　株　　式)(＊)	4,000	(資　本　剰　余　金)	4,000

〈その他資本剰余金〉

（＊）＠20×200株＝4,000〈P社株式の時価〉

∴　**個別B/SのS社株式**：6,000＋4,000＝**10,000**

(2) P社の連結会計上の処理

追加取得した株式交換完全子会社株式の取得原価と追加取得により減少する非支配株主持分の金額との差額を資本剰余金として処理する。

(非 支 配 株 主 持 分)	3,100	(S　　社　　株　　式)	4,000
(資　本　剰　余　金)(＊)	900		

（＊）貸借差額

∴　**連結B/Sの資本剰余金**：4,000－900＝**3,100**

第3問　工事契約 ～ 収益の認識（以下、単位：千円）

❶ A工事（原価比例法）

(1)　20×1年度

「工事収益総額960,000千円　＞　工事原価総額672,000千円」であるため、工事損失引当金を設定しない。

工 事 収 益	(*)	192,000
工 事 原 価		134,400
工 事 損 益		57,600

$$(*)\ 960,000 \times \frac{134,400}{672,000}\ (0.2) = 192,000 \langle 工事収益 \rangle$$

(2)　20×2年度

「工事収益総額960,000千円　＜　工事原価総額1,008,000千円」であるため、工事損失引当金を設定する。

①　工事損失引当金設定前

工 事 収 益	(*)	384,000
工 事 原 価		470,400
工 事 損 益		△　86,400

$$(*)\ 960,000 \times \frac{134,400 + 470,400}{1,008,000}\ (0.6) = 576,000$$
$$576,000 - 192,000 = 384,000 \langle 工事収益 \rangle$$

②　工事損失引当金設定後

工 事 収 益		**384,000**
工 事 原 価	(*)	**489,600**
工 事 損 益		△　**105,600**

$$(*)\ 1,008,000 \langle 20×2年度工事原価総額 \rangle - 960,000 \langle 工事収益総額 \rangle = 48,000 \langle 見積工事損失 \rangle$$
$$48,000 + 57,600 \langle 20×1年度工事利益 \rangle - 86,400 \langle 20×2年度引当金設定前工事損失 \rangle = 19,200 \langle 工事損失引当金設定額 \rangle$$
$$470,400 \langle 引当金設定前工事原価 \rangle + 19,200 \langle 引当金繰入額 \rangle = 489,600 \langle 引当金設定後工事原価 \rangle$$

(3)　20×3年度

①　工事損失引当金設定前

工 事 収 益	(*)	324,000
工 事 原 価		324,000
工 事 損 益		0

$$(*)\ 1,000,000 \times \frac{134,400 + 470,400 + 324,000}{1,032,000}\ (0.9) = 900,000$$
$$900,000 - 192,000 - 384,000 = 324,000 \langle 工事収益 \rangle$$

② 工事損失引当金設定後

工 事 収 益		324,000
工 事 原 価	(*)	308,000
工 事 損 益		16,000

(*) 1,032,000〈20×3年度工事原価総額〉− 1,000,000〈工事収益総額〉= 32,000〈見積工事損失〉

32,000 + 57,600〈20×1年度工事利益〉− 86,400〈20×2年度引当金設定前工事損失〉

− 0〈20×3年度引当金設定前工事損失〉= 3,200〈工事損失引当金設定額〉

3,200 − 19,200 = △16,000〈引当金戻入額〉

324,000〈引当金設定前工事原価〉− 16,000〈引当金戻入額〉= 308,000〈引当金設定後工事原価〉

ここ重要!

■工事損失引当金の設定

計 上 条 件	工事原価総額等（販売直接経費含む） ＞ 工事収益総額	
工事損失引当金の 設 定 額	(工事原価総額等−工事収益総額)±計上済損益 　　　　見積工事損失 (注) 計上済みの損失は控除し、利益は加算する。	
表 示 区 分	工 事 損 失 引 当 金	B／S流動負債（原則） B／S棚卸資産と相殺（容認）
	工事損失引当金繰入	P／L売上原価（工事原価）に加算
	工事損失引当金戻入	P／L売上原価（工事原価）から控除

2 B工事（原価回収基準から原価比例法）

(1) 20×2年度（原価回収基準）

工事の進捗度を合理的に見積ることができないが、履行義務を充足する際に発生する費用の回収は見込まれるため、原価回収基準により収益を認識する。

工 事 収 益	(*)	129,600
工 事 原 価		129,600
工 事 損 益		0

(*) 工事原価と同額

(2) 20×3年度（原価比例法）

工事の進捗度を合理的に見積ることができるようになったため、原価比例法により収益を認識する。

「工事収益総額624,000千円 ＞ 工事原価総額576,000千円」であるため、工事損失引当金を設定しない。

工 事 収 益	(*)	369,600
工 事 原 価		331,200
工 事 損 益		38,400

(*) $624,000 \times \dfrac{129,600 + 331,200}{576,000}\,(0.8) = 499,200$

$499,200 − 129,600 = 369,600$〈工事収益〉

Link

出題内容	出題論点	合格テキスト 合格トレーニング	スッキリわかる	簿記の教科書 簿記の問題集
工 事 契 約	収益の認識	Ⅰ－テーマ05	Ⅰ－第10章	1－CHAPTER04
	工事損失引当金			

問題 ─〈解答101ページ・解説103ページ〉─

◆重要な指示やキーワードには、印や下線を入れます。◆
⇒会計期間や端数処理は、計算する際に必要なので、チェックしておきましょう。

P社およびS社の〔資料Ⅰ〕個別財務諸表および〔資料Ⅱ〕連結に関する諸事項にもとづいて、答案用紙の当期（20×3年4月1日から20×4年3月31日まで）の連結貸借対照表、連結損益計算書、連結包括利益計算書および連結株主資本等変動計算書を完成しなさい。のれんは計上年度の翌年度より20年にわたり定額法で償却する。また、連結会計上、新たに生ずる一時差異については、法人税等の実効税率30％として税効果会計を適用し、繰延税金資産と繰延税金負債は相殺表示する。ただし、納税主体の異なるものは相殺表示しないこと。なお、P社、S社ともに、20×1年3月31日以降その他有価証券の売買は行っていない。

〔資料Ⅰ〕個別財務諸表

貸 借 対 照 表
20×4年3月31日現在 （単位：千円）

資　　産	P　社	S　社	負債・純資産	P　社	S　社
現　金　預　金	360,000	186,000	買　　掛　　金	220,000	126,000
売　　掛　　金	353,600	147,000	未 払 法 人 税 等	48,600	28,000
商　　　　　品	148,000	52,600	退職給付に係る負債	25,600	—
備　　　　　品	520,000	280,000	そ の 他 の 負 債	483,600	237,400
減 価 償 却 累 計 額	△ 188,000	△ 135,500	資　　本　　金	1,000,000	300,000
土　　　　　地	600,000	300,000	資 本 剰 余 金	350,000	85,800
S　社　株　式	362,000	—	利 益 剰 余 金	564,500	220,000
A　社　株　式	120,000	—	その他有価証券評価差額金	7,700	2,800
繰 延 税 金 資 産	15,000	4,200			
そ の 他 の 資 産	409,400	165,700			
	2,700,000	1,000,000		2,700,000	1,000,000

損 益 計 算 書
自20×3年4月1日　至20×4年3月31日 （単位：千円）

借　　方	P　社	S　社	貸　　方	P　社	S　社
売 上 原 価	1,573,000	761,000	売　　上　　高	2,413,000	1,170,000
減 価 償 却 費	68,000	35,000	受 取 利 息 配 当 金	36,000	6,000
そ の 他 の 費 用	543,000	241,000	固 定 資 産 売 却 益	8,000	5,500
法 人 税 等	96,000	48,000	そ の 他 の 収 益	40,000	17,000
当 期 純 利 益	220,000	115,000	法 人 税 等 調 整 額	3,000	1,500
	2,500,000	1,200,000		2,500,000	1,200,000

株 主 資 本 等 変 動 計 算 書
自20×3年4月1日　至20×4年3月31日 （単位：千円）

	株 主 資 本						その他の包括利益累計額	
	資 本 金		資本剰余金		利 益 剰 余 金		その他有価証券評価差額金	
	P　社	S　社	P　社	S　社	P　社	S　社	P　社	S　社
当 期 首 残 高	1,000,000	300,000	350,000	85,800	404,500	145,500	6,510	1,400
剰余金の配当					△ 60,000	△ 40,500		
当 期 純 利 益					220,000	115,000		
株主資本以外の項目の当期変動額（純額）							1,190	1,400
当 期 末 残 高	1,000,000	300,000	350,000	85,800	564,500	220,000	7,700	2,800

[資料Ⅱ] 連結に関する諸事項

1. P社の退職給付に係る負債（退職給付引当金）について、未認識数理計算上の差異（いずれも引当不足）が生じている。未認識数理計算上の差異の推移は次のとおりである。

20×1年3月31日	20×2年3月31日	20×3年3月31日	20×4年3月31日
1,800千円	2,100千円	2,300千円	2,700千円

(手書き注記: DTA 690 / 退負 2,300, 退調 1,610 / DTA 120 / 退負 400, 退調 280)

2. S社に関する事項

(1) P社は20×1年3月31日にS社の発行済議決権株式の70%を362,000千円（取得関連費用10,000千円を含む）で取得し、S社を連結子会社とした。

(2) S社の20×1年3月31日現在の資本金は300,000千円、資本剰余金は85,800千円、利益剰余金は79,500千円、その他有価証券評価差額金は700千円（貸方）であった。

(3) S社の20×1年3月31日現在の土地の簿価は300,000千円、時価は320,000千円であり、土地以外の資産および諸負債については、簿価と時価とに相違はなかった。

(4) S社のP社への当期売上高は380,000千円であったが、そのうち売価で6,000千円が決算日現在P社へ未達であった。なお、前期末には未達商品はなかった。

(5) P社の期首商品棚卸高のうち28,000千円、期末商品棚卸高のうち25,000千円（未達分を含まない）はS社から仕入れたものであった。なお、S社のP社に対する売上総利益率は毎期20%で一定であった。

(6) S社の当期末における売掛金のうち30,000千円はP社に対するものであった。

(7) S社は当期首にP社に対して簿価36,500千円の備品を40,000千円で売却している。なお、P社はこの備品について残存価額をゼロ、耐用年数を5年とする定額法により減価償却している。 *(手書き: 3,500)*

3. A社に関する事項

(1) P社は20×2年3月31日にA社の発行済議決権株式の20%を120,000千円で取得し、A社を持分法適用関連会社とした。

(2) A社の資本勘定の推移は次のとおりであった。なお、A社はその他の包括利益累計額は計上していない。

	20×2年3月31日	20×3年3月31日	20×4年3月31日
資　本　金	350,000千円	350,000千円	350,000千円
資本剰余金	50,000千円	50,000千円	50,000千円
利益剰余金	119,000千円	140,000千円	180,000千円

(3) A社の20×2年3月31日現在の土地の簿価は320,000千円、時価は350,000千円であり、その他の資産および負債については、簿価と時価とに相違はなかった。

(4) A社が当期中に行った利益剰余金の配当と処分の内訳は次のとおりであった。

利益準備金　1,000千円　　　配当金　10,000千円　　　別途積立金　2,500千円

(5) P社は、当期においてA社に対して260,000千円の商品を売上げている。なお、A社の期首商品棚卸高のうち20,000千円、期末商品棚卸高のうち24,000千円はP社から仕入れたものであった。また、P社のA社に対する売上総利益率は毎期30%で一定であった。

DTA：繰延税金資産、退負：退職給付に係る負債、退調：退職給付に係る調整累計額

118

〈下書用紙〉

取得 10,000 / S株 10,000
土 20,000 / DTL 6,000
　　　　 / 評差 14,000

のDep 1,600 / の 1,600
利剰 19,800 / 非持 19,800
そ差 210 / 非持 210

前期以前の仕訳（開始仕訳）については、線を引いて当期の仕訳と区別します。

資 300,000 / S株 352,000
資剰 85,800 / 非持 149,000
利剰 79,500
そ差 700
評差 14,000
の 16,000

のDep 600 / A株 600
A株 4,200 / 利剰 4,200

のDep 800 / の 800
非利 34,500 / 非持 34,500
受配 28,350 / 利剰 40,500
非持 12,150
そ差 420 / 非持 420
商 6,000 / Kx 6,000
売上 380,000 / 売原 380,000
　　　　　 / 商 6,200
売原 600
利剰 2,744 / 法調 180
非持 1,176 / 非利 126
DTA 1,860
非持 126

持 600 / A株 600
A株 10,000 / 持 10,000
受配 2,000 / A株 2,000
売上 240 / A株 1,440
利剰 840 / 法調 72
DTA 432

Kx 30,000 / Ux 30,000
固売 3,500 / ビ品 3,500
DTA 1,050 / 法調 1,050
非持 735 / 非利 735
Dるい 700 / Dep 700
法調 210 / DTA 210
非利 147 / 非持 147

取得：取得関連費用、S株：S社株式、土：土地、DTL：繰延税金負債、評差：評価差額、資：資本金、
資剰：資本剰余金、利剰：利益剰余金、そ差：その他有価証券評価差額金、の：のれん、非持：非支配株主持分、
のDep：のれん償却、A株：A社株式、非利：非支配株主に帰属する当期純利益、受配：受取利息配当金、
商：商品、Kx：買掛金、売上：売上高、売原：売上原価、法調：法人税等調整額、Ux：売掛金、
固売：固定資産売却益、ビ品：備品、Dep：減価償却費、Dるい：減価償却累計額、持：持分法による投資損益

第3予想　合格る下書用紙

合格る下書用紙
第3予想〈会計学〉はこうやって書こう！

第2問ー〈解答102ページ・解説113ページ〉

◆重要な指示やキーワードには、印や下線を入れます。◆
⇒会計期間や端数処理は、計算する際に必要なので、チェックしておきましょう。

　次の文章の空欄（　a　）～（　e　）に当てはまる適切な金額を答案用紙に記入しなさい。

　P社は、20×1年3月31日に6,000千円を<u>出資</u>し、子会社S社（P社の持分割合⑧80%）を設立した。20×1年3月31日におけるS社の財政状態は、諸資産7,500千円、資本金7,500千円であった。また、S社の20×1年度（20×1年4月1日～20×2年3月31日）の当期純利益は8,000千円であった。20×1年度末のP社およびS社の個別貸借対照表は次のとおりである。

資 7,500 / S株 6,000　　非利 1,600 / 非持 1,600
非持 1,500

P社	貸借対照表	（単位：千円）
諸　資　産	30,000	諸　負　債　16,000
S　社　株　式	6,000	資　本　金　10,000
		利 益 剰 余 金　10,000
	36,000	36,000

S社	貸借対照表	（単位：千円）
諸　資　産	25,000	諸　負　債　9,500
		資　本　金　7,500
		利 益 剰 余 金　8,000
	25,000	25,000

問題を解くうえで
必要な仕訳をメモ
します。

　P社は、20×2年4月1日に<u>株式交換</u>（P社を取得企業とする）によりS社を完全子会社化した。株式の交換比率は1：1であり、P社はS社の非支配株主に200株（株式交換日のP社株式の時価は1株当たり20千円）を発行した。また、P社は新株発行に伴う増加資本の全額をその他資本剰余金とした。

S株 4,000 / そ資 4,000

　このとき、P社が20×1年度末の連結財務諸表において計上する資本金は（　a　）千円、利益剰余金は（　b　）千円、非支配株主持分は（　c　）千円となる。また、20×2年4月1日の株式交換に際して、P社の個別財務諸表において計上するS社株式の金額は、（　d　）千円となり、P社が株式交換後に作成する連結財務諸表において計上する資本剰余金の金額は（　e　）千円となる。

非持 3,100 / S株 4,000
資剰 900 /

資：資本金、S株：S社株式、非持：非支配株主持分、非利：非支配株主に帰属する当期純利益、
そ資：その他資本剰余金、資剰：資本剰余金

120

◆重要な指示やキーワードには、印や下線を入れます。◆
⇒会計期間や端数処理は、計算する際に必要なので、チェックしておきましょう。

　C株式会社（決算は年1回、3月31日）は、20×1年度の期首にA工事について契約を締結し、20×2年度の期首にB工事についての契約を締結した。A工事およびB工事ともに20×4年度中の完成を予定している。次の【A工事に関する資料】および【B工事に関する資料】にもとづいて、20×2年度および20×3年度の損益計算書（工事損益まで）を作成しなさい。なお、工事に損失が見込まれる場合には、損失が見込まれることが判明した期から工事損失引当金を設定し、工事損失となる場合には、金額の前に△印を付すこと。

【A工事に関する資料】 各年度で見積もられた工事収益総額、工事原価総額等

	20×1年度	20×2年度	20×3年度
契約締結時点での工事収益総額	960,000千円	960,000千円	960,000千円
変　更　額	―	―	40,000千円
工事収益総額（変更後）	960,000千円	960,000千円	1,000,000千円
当期に発生した工事原価	134,400千円	470,400千円	324,000千円
契約締結時点での工事原価総額	672,000千円	672,000千円	672,000千円
変　更　額	―	336,000千円	360,000千円
工事原価総額（変更後）	672,000千円	1,008,000千円	1,032,000千円

注1　20×2年度から建築資材の需給が悪化しはじめ、20×2年度に工事原価総額の見積りが1,008,000千円へと増加し、20×3年度にはさらに悪化して1,032,000千円へと増加したため、同年に工事収益総額を1,000,000千円とする契約条件の変更を行った。
　2　工事の進捗度を合理的に見積もることができるため、進捗度にもとづいて収益を認識する。
　3　決算日における工事の進捗度を原価比例法によって算定する。

【B工事に関する資料】 各年度で見積もられた工事収益総額、工事原価総額等

	20×2年度	20×3年度
工事収益総額	624,000千円	624,000千円
当期に発生した工事原価	129,600千円	331,200千円
工事原価総額	不　明	576,000千円

注1　20×2年度において工事の進捗度を合理的に見積もることができないが、履行義務を充足する際に発生する費用の回収は見込まれる。
　2　20×3年度において工事の進捗度を合理的に見積もることができるようになったため、20×3年度より進捗度にもとづいて収益を認識する。
　3　決算日における工事の進捗度を原価比例法によって算定する。

A工事、B工事それぞれ計算方法が異なるため、どのような条件であるか慎重に把握するため、重要な情報には波線を引いておきます。

〈下書用紙〉

A工事

20×1年度
0.2
192,000
134,400
57,600

20×2年度
0.6
384,000
470,400
Δ 86,400
↓
489,600
Δ 105,600

20×3年度
0.9
324,000
324,000
0
↓
308,000
16,000

A工事とB工事を分けて計算します。
→A工事は工事損失引当金が生じる
　ため、工事原価を調整します。

B工事

20×2年度
129,600
129,600
0

20×3年度
0.8
369,600
331,200
38,400

→B工事は、20×2年度では発生した
　工事原価と同額の工事収益を計上
　していましたが、20×3年度から
　工事の進捗度を見積もることがで
　きるようになったため、原価比例
　法による進捗度にもとづき工事収
　益を算定します。

122

2024年度

日商簿記検定試験対策

第168回試験をあてる
TAC直前予想模試

解答・解答への道

| 1　級 | ─ II |

工業簿記・原価計算

第3予想

目標得点

第1目標　40点
第2目標　50点

答に示した Ⓐ Ⓑ Ⓒ マークを活用し、
絶対に落としてはいけない Ⓐ のすべてと、
できれば落としたくない Ⓑ のうち半分は得点し、
目標得点に到達できるまで繰り返し解きましょう。

TAC 簿記検定講座

合格(うか)るタイムライン
第3予想（工原）はこの順序で解こう！

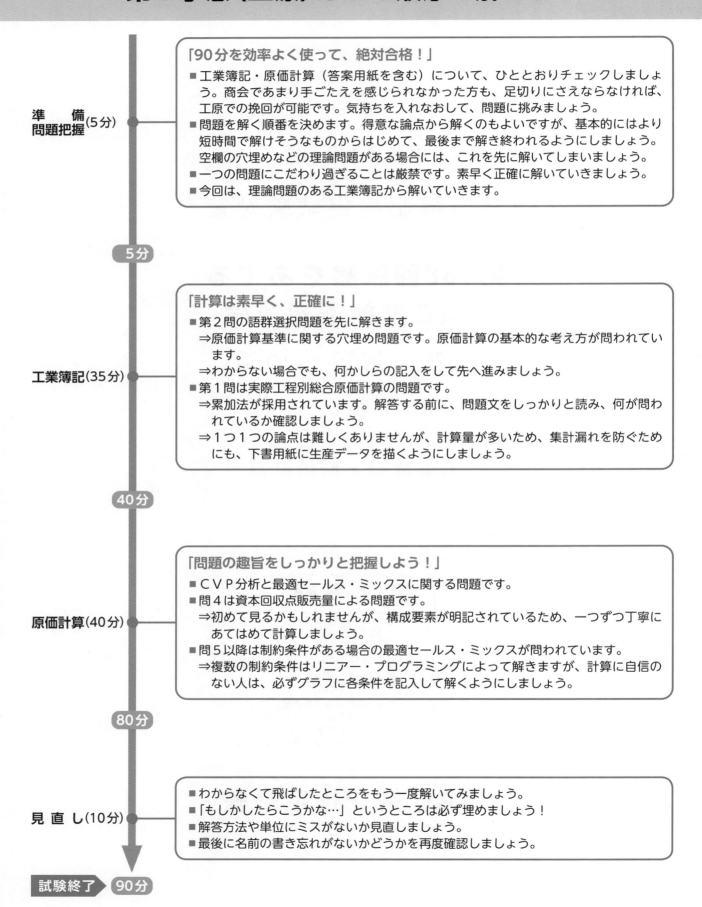

準　備　問題把握(5分)

「90分を効率よく使って、絶対合格！」
- 工業簿記・原価計算（答案用紙を含む）について、ひととおりチェックしましょう。商会であまり手ごたえを感じられなかった方も、足切りにさえならなければ、工原での挽回が可能です。気持ちを入れなおして、問題に挑みましょう。
- 問題を解く順番を決めます。得意な論点から解くのもよいですが、基本的にはより短時間で解けそうなものからはじめて、最後まで解き終われるようにしましょう。空欄の穴埋めなどの理論問題がある場合には、これを先に解いてしまいましょう。
- 一つの問題にこだわり過ぎることは厳禁です。素早く正確に解いていきましょう。
- 今回は、理論問題のある工業簿記から解いていきます。

5分

工業簿記(35分)

「計算は素早く、正確に！」
- 第2問の語群選択問題を先に解きます。
  ⇒原価計算基準に関する穴埋め問題です。原価計算の基本的な考え方が問われています。
  ⇒わからない場合でも、何かしらの記入をして先へ進みましょう。
- 第1問は実際工程別総合原価計算の問題です。
  ⇒累加法が採用されています。解答する前に、問題文をしっかりと読み、何が問われているか確認しましょう。
  ⇒1つ1つの論点は難しくありませんが、計算量が多いため、集計漏れを防ぐためにも、下書用紙に生産データを描くようにしましょう。

40分

原価計算(40分)

「問題の趣旨をしっかりと把握しよう！」
- ＣＶＰ分析と最適セールス・ミックスに関する問題です。
- 問4は資本回収点販売量による問題です。
  ⇒初めて見るかもしれませんが、構成要素が明記されているため、一つずつ丁寧にあてはめて計算しましょう。
- 問5以降は制約条件がある場合の最適セールス・ミックスが問われています。
  ⇒複数の制約条件はリニアー・プログラミングによって解きますが、計算に自信のない人は、必ずグラフに各条件を記入して解くようにしましょう。

80分

見　直　し(10分)

- わからなくて飛ばしたところをもう一度解いてみましょう。
- 「もしかしたらこうかな…」というところは必ず埋めましょう！
- 解答方法や単位にミスがないか見直しましょう。
- 最後に名前の書き忘れがないかどうかを再度確認しましょう。

試験終了　90分

解答 目標21点

第1問

[問1]

仕 掛 品 － 第 1 工 程 (単位：円)

月初仕掛品原価		完 成 品 原 価	
材 料 A	(4,206,000)	材 料 A	(28,206,000)
材 料 B	(697,500)	材 料 B	(❷Ⓐ 4,950,000)
加 工 費	(3,429,000)	加 工 費	(27,432,000)
計	(8,332,500)	計	60,588,000
当 月 製 造 費 用		異 常 減 損 費	(❷Ⓐ 4,877,400)
材 料 A	(❷Ⓐ 28,800,000)	月末仕掛品原価	
材 料 B	(4,987,500)	材 料 A	(2,400,000)
加 工 費	(27,432,000)	材 料 B	(315,000)
計	(61,219,500)	加 工 費	(1,371,600)
		計	(4,086,600)
	(69,552,000)		(69,552,000)

仕 掛 品 － 第 2 工 程 (単位：円)

月初仕掛品原価		完 成 品 原 価	
前 工 程 費	(❷Ⓐ 6,683,000)	前 工 程 費	(57,173,000)
材 料 C	(366,750)	材 料 C	(4,686,750)
加 工 費	(2,195,460)	加 工 費	(33,789,860)
計	(9,245,210)	正 常 仕 損 費	(❷Ⓑ 4,134,750)
当 月 製 造 費 用		計	(99,784,360)
前 工 程 費	(❶Ⓐ 60,588,000)	仕 損 品	(137,000)
材 料 C	(4,860,000)	異 常 減 損 費	(❷Ⓑ 1,795,330)
加 工 費	(❷Ⓐ 35,543,700)	月末仕掛品原価	
計	(100,991,700)	前 工 程 費	(5,385,600)
		材 料 C	(❷Ⓐ 324,000)
		加 工 費	(2,369,580)
		正 常 仕 損 費	(441,040)
		計	(8,520,220)
	(110,236,910)		(110,236,910)

[問2]

第2工程異常減損費 ＝ ❷Ⓑ 1,797,693 円

第2工程月末仕掛品原価 ＝ 8,462,330 円

完 成 品 総 合 原 価 ＝ ❷Ⓑ 99,839,888 円 （別解 99,839,887円）

第2問

①	同 一 工 程	②	❶Ⓐ同 種 製 品	③	❶Ⓐ等 価 係 数	④	総 合 原 価
⑤	❶Ⓐ製 造 費 用	⑥	原 価 要 素	⑦	❶Ⓐ積 数		

●数字は採点基準 合計25点

解答 目標19点

〔問1〕

製品A 　61.25　% 　　製品B ❷Ⓐ 　52　% 　　製品C 　55　%

〔問2〕

損益分岐点販売量 ❶Ⓐ 　4,991　個 　　損益分岐点売上高 ❷Ⓐ 　19,369,400　円

〔問3〕

製品A 　1,635　個 　　製品B 　1,090　個 　　製品C ❷Ⓐ 　2,725　個

〔問4〕

製品A 　2,250　個 　　製品B ❷Ⓐ 　1,500　個 　　製品C 　3,750　個

〔問5〕

製品A ❷Ⓐ 　3,940　個 　　製品B ❷Ⓐ 　2,500　個 　　製品C ❷Ⓐ 　1,950　個

〔問6〕

製品A ❷Ⓑ 　2,500　個 　　製品B 　2,500　個 　　製品C ❷Ⓑ 　3,750　個

最適セールス・ミックスのときの営業利益 ❷Ⓑ 7,335,400 円

〔問7〕

(1) 直接作業時間の利用可能量を10時間増強したときの増分貢献利益 ❷Ⓑ 　11,250　円

(2) 機械の生産能力を10時間増強したときの増分貢献利益 ❷Ⓑ 　35,500　円

●数字は採点基準　合計25点

❖ 工業簿記　解答への道

第1問　実際工程別単純総合原価計算（累加法）

［問1］非度外視法による計算

1 当月製造費用の計算

（1）　材料Aの購入量の推定

買　掛　金

当月支払	月　　初
43,000,000円	11,349,000円
	当月増加
月　　末	
11,821,500円	43,472,500円（*1）
	（貸借差額）

当月材料購入高：

　材料A：@14,800円× 　2,300（*3）単位＝　34,040,000（*2）円

　材料B：@ 　796円× 　6,750　 単位＝　 5,373,000　　円

　材料C：@ 176.5円×23,000　 単位＝　 4,059,500　　円

　　　　　　　　　　　　　　　　　　　43,472,500　　円

（*1）　43,000,000円＋11,821,500円－11,349,000円＝43,472,500円
（*2）　43,472,500円－5,373,000円－4,059,500円＝34,040,000円
（*3）　34,040,000円÷@14,800円＝2,300単位

（2）　各材料費の計算

材　料　A　（平均法）

月　　初	当月消費
@13,250円　800単位	（差引） 2,000単位
10,600,000円	28,800,000円
当月購入	
2,300単位	
@14,800円　34,040,000円	月　　末
	1,100単位
	15,840,000円

→ 仕掛品－第1工程勘定へ

材料A平均単価：$\dfrac{@13,250円 \times 800単位 + @14,800円 \times 2,300単位}{800単位 + 2,300単位} = @14,400円$

当 月 材 料 費：@14,400円×2,000単位＝**28,800,000円**

材　料　B　（平均法）

月　　初	当月消費
@802.5円　3,000単位	（差引） 6,250単位
2,407,500円	4,987,500円
当月購入	
6,750単位	
@796円　5,373,000円	月　　末
	3,500単位
	2,793,000円

→ 仕掛品－第1工程勘定へ

材料B平均単価：$\dfrac{@802.5円 \times 3,000単位 + @796円 \times 6,750単位}{3,000単位 + 6,750単位} = @798円$

当 月 材 料 費：@798円×6,250単位＝**4,987,500円**

材 料 C （先入先出法）

	月　　初	当月消費
@190円	7,000単位	（差引）27,000単位
	1,330,000円	4,860,000円
	当月購入	
	23,000単位	
@176.5円	4,059,500円	月　　末
		3,000単位
		529,500円

➡ 仕掛品 − 第2工程勘定へ

当月材料費：@190円×7,000単位＋@176.5円×（27,000単位−7,000単位）=**4,860,000円**

(3) 加工費の計算

① 正常配賦率

第1工程正常配賦率：30,480,000円÷40,000kg＝762円/kg

第2工程正常配賦率：39,493,000円÷10,000個＝3,949.3円/個

② 正常配賦額

第1工程正常配賦額：762円/kg× 36,000kg ＝**27,432,000円**
完成品換算量［解説2(1)③参照］

第2工程正常配賦額：3,949.3円/個× 9,000個 ＝**35,543,700円**
完成品換算量［解説3(2)③参照］

ここ重要！

■工程別総合原価計算の種類

累加法	工程ごとに単純総合原価計算を行って完成品原価を計算し、その完成品原価を前工程費として次工程に振り替えることにより、工程の数だけ発生する原価を順次積み上げて最終完成品原価を計算する工程別計算の方法をいう。
非累加法	工程別計算を工夫することにより、完成品原価や仕掛品原価のなかにどこの工程で生じたコストがいくら含まれているか、その内訳がわかるように原価の集計を行う工程別計算の方法をいう。
加工費法	材料がすべて最初の工程の始点で投入され、その後の工程では、単にそれを加工するにすぎない場合には、加工費のみ工程別に集計し、材料費については工程別の計算を省略し、完成品総合原価を計算する方法をいう。

2 仕掛品－第1工程勘定における計算

（1）　生産データの整理と計算（先入先出法）

① 材料A

仕掛品－第1工程　　（材料A）

月　初	6,000kg	完 成 品	36,000kg
	4,206,000円		28,206,000円
当月投入			
	36,000kg		
	（貸借差引）		
	28,800,000円	異常減損	3,000kg
			2,400,000円
		月　末	3,000kg
			2,400,000円

月末仕掛品：$\dfrac{28,800,000円}{36,000kg-6,000kg+3,000kg+3,000kg} \times 3,000kg = \textbf{2,400,000円}$

異常減損：$\dfrac{28,800,000円}{36,000kg-6,000kg+3,000kg+3,000kg} \times 3,000kg = 2,400,000円$

完　成　品：4,206,000円＋28,800,000円－（2,400,000円＋2,400,000円）＝**28,206,000円**

② 材料B

材料Bは工程の始点から80%の段階まで平均的に投入される。完成品、異常減損についてはすでに80%を通過しており、材料Bに関する進捗度は100%となる。月末仕掛品については加工費進捗度80%を終点とみなし、材料Bに関する進捗度は75%（＝60%÷80%）となり、完成品換算量2,250kg（＝3,000kg×75%）と計算される。同じく、月初仕掛品については、材料Bに関する進捗度は93.75%（＝75%÷80%）となり、完成品換算量5,625kg（＝6,000kg×93.75%）と計算される。

〈タイムテーブル〉

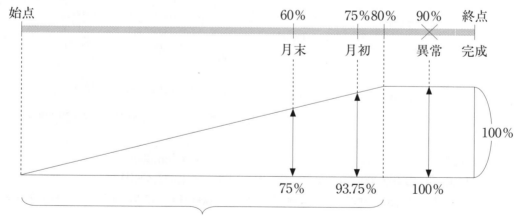

〈材料B〉
始点から80%まで平均的投入

仕掛品－第1工程　　（材料B）

月　初	5,625kg	完成品	36,000kg
	697,500円		4,950,000円
当月投入			
	35,625kg		
（貸借差引）		異常減損	3,000kg
	4,987,500円		420,000円
		月　末	2,250kg
			315,000円

月末仕掛品：$\dfrac{4{,}987{,}500円}{36{,}000kg - 5{,}625kg + 3{,}000kg + 2{,}250kg} \times 2{,}250kg = \mathbf{315{,}000円}$

異常減損：$\dfrac{4{,}987{,}500円}{36{,}000kg - 5{,}625kg + 3{,}000kg + 2{,}250kg} \times 3{,}000kg = 420{,}000円$

完　成　品：697,500円 + 4,987,500円 － （315,000円 + 420,000円）= **4,950,000円**

③　加工費

仕掛品－第1工程　　（加工費）

月　初	4,500kg(*1)	完成品	36,000kg
	3,429,000円		27,432,000円
当月投入			
	36,000kg		
（貸借差引）		異常減損	2,700kg(*2)
	27,432,000円		2,057,400円
		月　末	1,800kg(*3)
			1,371,600円

(*1) 6,000kg × 75% = 4,500kg
(*2) 3,000kg × 90% = 2,700kg
(*3) 3,000kg × 60% = 1,800kg

月末仕掛品：$\dfrac{27{,}432{,}000円}{36{,}000kg - 4{,}500kg + 2{,}700kg + 1{,}800kg} \times 1{,}800kg = \mathbf{1{,}371{,}600円}$

異常減損：$\dfrac{27{,}432{,}000円}{36{,}000kg - 4{,}500kg + 2{,}700kg + 1{,}800kg} \times 2{,}700kg = 2{,}057{,}400円$

完　成　品：3,429,000円 + 27,432,000円 － （1,371,600円 + 2,057,400円）= **27,432,000円**

(2)　まとめ

月末仕掛品原価：2,400,000円 + 315,000円 + 1,371,600円 = **4,086,600円**

異常減損費：2,400,000円 + 420,000円 + 2,057,400円 = **4,877,400円**

完成品原価：28,206,000円 + 4,950,000円 + 27,432,000円 = 60,588,000円（→全額を第2工程へ振替）

3 仕掛品－第2工程勘定における計算

(1) 正常仕損費の負担関係と材料Cの進捗度

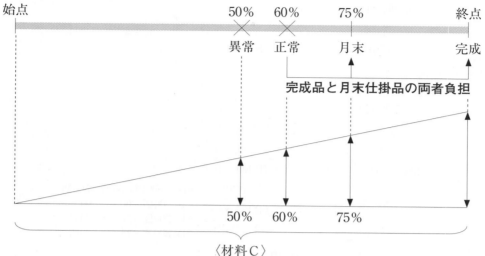

〈材料C〉
工程を通じて平均的投入

(2) 生産データの整理と計算（先入先出法）

① 前工程費

第1工程からの振替量：36,000kg ÷ 4 kg /個＝9,000個

仕掛品－第2工程 （前工程費）

月　　初　1,000個	完 成 品 8,500個
6,683,000円(*)	57,173,000円
当月投入	
9,000個	
60,588,000円	正常仕損 500個
（第1工程完成品原価）	3,366,000円
	異常減損 200個
	1,346,400円
	月　　末 800個
	5,385,600円

(*) 月初仕掛品の前工程費：2,944,000円＋523,000円＋3,216,000円＝**6,683,000円**

月末仕掛品：$\dfrac{60,588,000円}{8,500個－1,000個＋500個＋200個＋800個} ×800個 ＝ \textbf{5,385,600円}$

異常減損：$\dfrac{60,588,000円}{8,500個－1,000個＋500個＋200個＋800個} ×200個 ＝ 1,346,400円$

正常仕損：$\dfrac{60,588,000円}{8,500個－1,000個＋500個＋200個＋800個} ×500個 ＝ 3,366,000円$

完　成　品：6,683,000円＋60,588,000円－（5,385,600円＋1,346,400円＋3,366,000円）＝ **57,173,000円**

② 材料C

仕掛品－第2工程　　（材料C）

月　初　500個(*1)	完 成 品	8,500個	
366,750円		4,686,750円	
当月投入			
9,000個			
（貸借差引）	正常仕損	300個(*2)	
		162,000円	
4,860,000円	異常減損	100個(*3)	
		54,000円	
	月　　末	600個(*4)	
		324,000円	

(*1) 1,000個×50％＝500個
(*2) 500個×60％＝300個
(*3) 200個×50％＝100個
(*4) 800個×75％＝600個

月末仕掛品：$\dfrac{4,860,000円}{8,500個-500個+300個+100個+600個}×600個 = \mathbf{324,000円}$

異常減損：$\dfrac{4,860,000円}{8,500個-500個+300個+100個+600個}×100個 = 54,000円$

正常仕損：$\dfrac{4,860,000円}{8,500個-500個+300個+100個+600個}×300個 = 162,000円$

完　成　品：366,750円＋4,860,000円－（324,000円＋54,000円＋162,000円）＝**4,686,750円**

③ 加工費

仕掛品－第2工程　　（加工費）

月　初　500個	完 成 品	8,500個	
2,195,460円		33,789,860円	
当月投入			
9,000個			
（貸借差引）	正常仕損	300個	
		1,184,790円	
35,543,700円	異常減損	100個	
		394,930円	
	月　　末	600個	
		2,369,580円	

月末仕掛品：$\dfrac{35,543,700円}{8,500個-500個+300個+100個+600個}×600個 = \mathbf{2,369,580円}$

異常減損：$\dfrac{35,543,700円}{8,500個-500個+300個+100個+600個}×100個 = 394,930円$

正常仕損品：$\dfrac{35,543,700円}{8,500個-500個+300個+100個+600個}×300個 = 1,184,790円$

完　成　品：2,195,460円＋35,543,700円－（2,369,580円＋394,930円＋1,184,790円）＝**33,789,860円**

(3) 正常仕損費の追加配賦

　　正常仕損が定点で発生していることから、正常仕損費は数量比で完成品と月末仕掛品に負担させる。また、先入先出法によっていることから、完成品量から月初仕掛品量を除くことに注意する。

　　仕損品評価額：@274円×500個＝**137,000円**

　　正常仕損費：（3,366,000円－137,000円）＋162,000円＋1,184,790円＝4,575,790円

　　完成品負担分：$\dfrac{4,575,790円}{(8,500個－1,000個)＋800個}×(8,500個－1,000個)＝$ **4,134,750円**

　　月末仕掛品負担分：$\dfrac{4,575,790円}{(8,500個－1,000個)＋800個}×800個＝$ **441,040円**

(4) まとめ

　　月末仕掛品原価：5,385,600円＋324,000円＋2,369,580円＋441,040円＝**8,520,220円**

　　異常減損費：1,346,400円＋54,000円＋394,930円＝**1,795,330円**

　　完成品総合原価：57,173,000円＋4,686,750円＋33,789,860円＋4,134,750円＝**99,784,360円**

ここ重要！

■仕損の発生形態別の仕損費の負担関係

負担関係	正常仕損（正常減損）の発生形態		度外視法と非度外視法の計算結果
完成品のみ負担	定点発生	① 工程終点発生	一致
		② 工程途中の一定点で発生 仕損（減損）の発生点の進捗度＞月末仕掛品の進捗度	
完成品と月末仕掛品の両者負担		① 工程始点発生	不一致
		② 工程途中の一定点で発生 仕損（減損）の発生点の進捗度≦月末仕掛品の進捗度	
	平均的発生		

［問2］ 第2工程の度外視法における計算（平均法）

　　度外視法の場合には、まず正常仕損費を負担しない単価で異常減損の原価を計算して分離した後、次いで正常仕損費を負担する単価で完成品と月末仕掛品原価を計算することになる。

1 前工程費

仕掛品－第2工程　　（前工程費）

月　初　　1,000個		完　成　　　8,500個
6,683,000円	9,800個	60,129,347.311…円
当月投入	65,925,580円	
9,000個		正常仕損　　　500個　→評価額：@274円×500個
60,588,000円		月　末　　　800個　　　　＝137,000円
		5,659,232.688…円　　（前工程費より控除）
	異常減損　　200個	
	1,345,420円	

　異常減損：$\dfrac{6,683,000円＋60,588,000円}{(8,500個＋\underset{正常仕損量}{500個}＋800個)＋200個}×200個＝1,345,420円$

$$\text{月末仕掛品：} \frac{(6{,}683{,}000円 + 60{,}588{,}000円 - 1{,}345{,}420円) - 137{,}000円}{8{,}500個 + 800個} \times 800個 = 5{,}659{,}232.688\cdots円$$

完 成 品：$(6{,}683{,}000円 + 60{,}588{,}000円 - 1{,}345{,}420円) - 137{,}000円 - 5{,}659{,}232.688\cdots円$
$= 60{,}129{,}347.311\cdots円$

② 材料C

仕掛品－第2工程　　　（材料C）

月　　初	500個		完　　成	8,500個
	366,750円	9,400個		4,830,738.288…円
当月投入		5,171,731.578…円		
	9,000個		正常仕損	300個
			月　　末	600個
	4,860,000円			340,993.290…円
		異常減損	100個	
			55,018.421…円	

$$\text{異常減損：} \frac{366{,}750円 + 4{,}860{,}000円}{(8{,}500個 + \underbrace{300個}_{\text{正常仕損換算量}} + 600個) + 100個} \times 100個 = 55{,}018.421\cdots円$$

$$\text{月末仕掛品：} \frac{366{,}750円 + 4{,}860{,}000円 - 55{,}018.421\cdots円}{8{,}500個 + 600個} \times 600個 = 340{,}993.290\cdots円$$

完 成 品：$366{,}750円 + 4{,}860{,}000円 - 55{,}018.421\cdots円 - 340{,}993.290\cdots円 = 4{,}830{,}738.288\cdots円$

③ 加工費

仕掛品－第2工程　　　（加工費）

月　　初	500個		完　　成	8,500個
	2,195,460円	9,400個		34,879,802.012…円
当月投入		37,341,905.684…円		
	9,000個		正常仕損	300個
			月　　末	600個
	35,543,700円			2,462,103.671…円
		異常減損	100個	
			397,254.315…円	

$$\text{異常減損：} \frac{2{,}195{,}460円 + 35{,}543{,}700円}{(8{,}500個 + \underbrace{300個}_{\text{正常仕損換算量}} + 600個) + 100個} \times 100個 = 397{,}254.315\cdots円$$

$$\text{月末仕掛品：} \frac{2{,}195{,}460円 + 35{,}543{,}700円 - 397{,}254.315\cdots円}{8{,}500個 + 600個} \times 600個 = 2{,}462{,}103.671\cdots円$$

完 成 品：$2{,}195{,}460円 + 35{,}543{,}700円 - 397{,}254.315\cdots円 - 2{,}462{,}103.671\cdots円$
$= 34{,}879{,}802.012\cdots円$

4 まとめ

異 常 減 損 費：$1{,}345{,}420$円＋$55{,}018.421\cdots$円＋$397{,}254.315\cdots$円≒**1,797,693円**（円未満四捨五入）

月末仕掛品原価：$5{,}659{,}232.688\cdots$円＋$340{,}993.290\cdots$円＋$2{,}462{,}103.671\cdots$円≒**8,462,330円**

（円未満四捨五入）

完成品総合原価：$60{,}129{,}347.311\cdots$円＋$4{,}830{,}738.288\cdots$円＋$34{,}879{,}802.012\cdots$円≒**99,839,888円**

（円未満四捨五入）

または、$(6{,}683{,}000$円＋$60{,}588{,}000$円$)-137{,}000$円＋$(366{,}750$円＋$4{,}860{,}000$円$)$

＋$(2{,}195{,}400$円＋$35{,}543{,}700$円$)-1{,}797{,}693$円$-8{,}462{,}330$円＝**99,839,887円**

第2問　理論問題（原価計算基準の語句補充）

本問は、原価計算基準22・等級別総合原価計算からの抜粋である。適語を補充すると以下のようになる。

　等級別総合原価計算は、（ ① **同一工程** ）において、（ ② **同種製品** ）を連続生産するが、その製品を形状、大きさ、品位等によって等級に区別する場合に適用する。

　等級別総合原価計算にあっては、各等級製品について適当な（ ③ **等価係数** ）を定め、一期間における完成品の（ ④ **総合原価** ）又は一期間の（ ⑤ **製造費用** ）を（ ③ **等価係数** ）に基づき各等級製品にあん分してその製品原価を計算する。

　（ ③ **等価係数** ）の算定およびこれに基づく等級製品原価の計算は、次のいずれかの方法による。

(一)　〜省略〜

(二)　一期間の（ ⑤ **製造費用** ）を構成する各（ ⑥ **原価要素** ）につき、又はその性質に基づいて分類された数個の（ ⑥ **原価要素** ）群につき、各等級製品の標準材料消費量、標準作業時間等各（ ⑥ **原価要素** ）又は（ ⑥ **原価要素** ）群の発生と関連ある物量的数値等に基づき、それぞれの（ ③ **等価係数** ）を算定し、これを各等級製品の一期間における生産量に乗じた（ ⑦ **積数** ）の比をもって、各（ ⑥ **原価要素** ）又は（ ⑥ **原価要素** ）群をあん分して、各等級製品の一期間の（ ⑤ **製造費用** ）を計算し、この（ ⑤ **製造費用** ）と各等級製品の期首仕掛品原価とを、当期における各等級製品の完成品とその期末仕掛品とに分割することにより、当期における各等級製品の（ ④ **総合原価** ）を計算し、これを製品単位に均分して単位原価を計算する。

Link

出題内容	出題論点	合格テキスト 合格トレーニング	スッキリわかる	簿記の教科書 簿記の問題集
実際工程別 総合原価計算	工程別総合原価計算（累加法）	Ⅱ－テーマ03	Ⅱ－第3章	2－CHAPTER03
	正常仕損（減損）度外視法・非度外視法	Ⅱ－テーマ02	Ⅱ－第2章	2－CHAPTER02
	正常仕損と異常減損が発生する場合	Ⅱ－テーマ02	Ⅱ－第2章	2－CHAPTER02
	追加材料費の計算	Ⅱ－テーマ01	Ⅱ－第1章	2－CHAPTER01
理 論 問 題	原価計算基準の語句補充	Ⅱ－テーマ04	Ⅱ－第4章	2－CHAPTER04

〔問1〕 各製品の貢献利益率の計算

(1) 製造間接費の固変分解

$$変動費率：\frac{5,775,000円-4,445,000円}{3,500時間-1,600時間}=700円/時間$$

固　定　費：5,775,000円－700円/時間×3,500時間＝3,325,000円

(2) 各製品の単位あたり貢献利益

	製　品　A		製　品　B		製　品　C	
販売価格		4,000円		4,500円		3,400円
変　動　費						
直　接　材　料　費	300円×2 kg　＝	600円	300円×5 kg　＝	1,500円	300円×2.5kg　＝	750円
直　接　労　務　費	800円×0.6時間＝	480	800円×0.4時間＝	320	800円×0.4時間＝	320
変 動 製 造 間 接 費	700円×0.5時間＝	350	700円×0.3時間＝	210	700円×0.4時間＝	280
変　動　販　売　費		120		130		180
変　動　費　合　計		1,550円		2,160円		1,530円
貢献利益		2,450円		2,340円		1,870円

(3) 各製品の貢献利益率

$$製品Aの貢献利益率：\frac{2,450円}{4,000円}\times100=\textbf{61.25\%}$$

$$製品Bの貢献利益率：\frac{2,340円}{4,500円}\times100=\textbf{52\%}$$

$$製品Cの貢献利益率：\frac{1,870円}{3,400円}\times100=\textbf{55\%}$$

〔問2〕 貢献利益率の高い順に生産販売したときの損益分岐点販売量および損益分岐点売上高

　貢献利益率の最も高い製品から優先的に最大販売可能量まで販売することによって固定費総額を回収していく。

(1) 固定費総額

　　　固定製造間接費＋固定販売費および一般管理費：3,325,000円＋8,327,100円＝11,652,100円

(2) 製品Aの販売後における固定費未回収額

　　　貢献利益率が最も高い製品Aを優先的に4,000個販売することによって固定費を回収する。したがって固定費未回収額は次のようになる。

　　　11,652,100円－2,450円/個×4,000個＝1,852,100円

(3) 製品Cの販売量

　　　貢献利益率が次に高い製品Cを販売することによって固定費未回収額1,852,100円を回収する販売量を求める。

　　　1,852,100円÷1,870円/個＝990.4278…個 ──▶ 991個（小数点以下切上げ）

(4) 損益分岐点販売量

　　　製品A4,000個＋製品C991個＝**4,991個**

(5) 損益分岐点売上高

　　　製品A4,000個の売上高：4,000円/個×4,000個＝16,000,000円

　　　製品C991個の売上高：3,400円/個×991個＝3,369,400円

　　　16,000,000円＋3,369,400円＝**19,369,400円**

〔問3〕販売量割合が一定の場合の損益分岐点販売量

製品A3個、製品B2個、製品C5個を1セットとして販売すると考えて計算する。

1セットあたりの売上高：4,000円/個×3個＋4,500円/個×2個＋3,400円/個×5個＝38,000円
1セットあたりの変動費：1,550円/個×3個＋2,160円/個×2個＋1,530円/個×5個＝16,620円
1セットあたりの貢献利益：2,450円/個×3個＋2,340円/個×2個＋1,870円/個×5個＝21,380円

そこで、セット販売量をXとおくと、次のように表すことができる（単位：円）。

売 上 高	38,000X
変 動 費	16,620X
貢 献 利 益	21,380X
固 定 費	11,652,100
営 業 利 益	21,380X － 11,652,100

したがって損益分岐点のセット数および各製品の損益分岐点販売量は次のとおりとなる。

$21,380X － 11,652,100 ＝ 0$ 　　　　 ∴ 　 X＝545セット

製品A：545セット×3個＝**1,635個**
製品B：545セット×2個＝**1,090個**
製品C：545セット×5個＝**2,725個**

〔問4〕投下資本を回収する販売量

投下資本と売上高が等しくなるときの販売量を求めればよい。そこでセット販売量をYとおくと次のように表すことができる。

$38,000Y × 30\% ＋ 19,950千円 ＝ 38,000Y$ 　　　 ∴ 　 Y＝750セット

製品A：750セット×3個＝**2,250個**
製品B：750セット×2個＝**1,500個**
製品C：750セット×5個＝**3,750個**

〔問5〕制約条件が1つの場合の最適セールス・ミックス

機械の最大生産能力は3,500時間であり、これが各製品に共通の制約条件となる。そこでこの制約条件単位あたり貢献利益の大きな製品から優先的に生産販売することになるが、まずは最低販売量を生産販売するために必要な機械稼働時間を求める。

製品A	1,200個×0.5時間＝	600時間
製品B	800個×0.3時間＝	240
製品C	1,950個×0.4時間＝	780
合 計		1,620時間

したがって最大生産能力から各製品の最低販売量を生産するために必要な機械稼働時間を差し引いた残りの時間は3,500時間－1,620時間＝1,880時間となる。

この残りの時間で機械稼働時間単位あたり貢献利益の大きな製品から優先的に生産し販売することになる。

〈機械稼働時間単位あたり貢献利益〉
製品A：2,450円/個÷0.5時間＝4,900円（第2位）
製品B：2,340円/個÷0.3時間＝7,800円（第1位）
製品C：1,870円/個÷0.4時間＝4,675円（第3位）

1,880時間をまず製品Bの最大販売可能量まで振り向けると残りの時間は1,370時間となる（次式参照）。

1,880時間 －（2,500個－800個）×0.3時間 ＝ 1,370時間

さらにこの時間を今度は製品Aの生産に振り向けると2,740個の生産が可能となる（次式参照）。

1,370時間÷0.5時間＝2,740個

よって製品Aは3,940個（＝1,200個＋2,740個≦製品A最大販売可能量4,000個）生産販売が可能であり、これ以上の生産はできないため製品Cの生産量は最低販売量の1,950個となる。以上より、最適セールス・ミックスは製品Aが**3,940個**、製品Bが**2,500個**、製品Cが**1,950個**となる。

〔問6〕制約条件が複数の場合の最適セールス・ミックス（ＬＰ）

　直接作業時間の最大利用可能量が4,000時間となり、これも各製品に共通の制約条件となる。したがって〔問5〕の条件と合わせて、各製品に共通の制約条件が複数あるケースとなる。そこで〔問5〕と同様に、直接作業時間単位あたり貢献利益を求める。

　　　製品A：2,450円/個÷0.6時間＝4,083.333…円（第3位）
　　　製品B：2,340円/個÷0.4時間＝5,850円（第1位）
　　　製品C：1,870円/個÷0.4時間＝4,675円（第2位）

　したがって、各製品単位あたり貢献利益についてまとめると次のようになる。

	製品A	製品B	製品C
1個あたり貢献利益	2,450円	2,340円	1,870円
機械稼働時間単位あたり貢献利益	4,900円（第2位）	7,800円（第1位）	4,675円（第3位）
直接作業時間単位あたり貢献利益	4,083.333…円（第3位）	5,850円（第1位）	4,675円（第2位）

　制約条件単位あたり貢献利益はどちらの制約条件でも製品Bが第1位であるため、最大販売可能量2,500個まで優先的に生産販売すればよい。製品Aと製品Cについては制約条件によって優先すべき製品が異なるため、リニアー・プログラミング（ＬＰ）により最適セールス・ミックスを決定する。

　まず、製品Bを最大販売可能量2,500個まで優先的に生産することによって消費される機械稼働時間および直接作業時間を求める。

　　　機械稼働時間：2,500個×0.3時間＝　750時間
　　　直接作業時間：2,500個×0.4時間＝1,000時間

　したがって製品Aと製品Cの生産に充てられる機械稼働時間および直接作業時間は、次のようになる。

　　　機械稼働時間：3,500時間－　750時間＝2,750時間
　　　直接作業時間：4,000時間－1,000時間＝3,000時間

　ここで製品A、Cの生産販売量をA、C、貢献利益をＺとおき、ＬＰにより最適セールス・ミックスを決定する。

　(1)　目的関数
　　　　$\mathrm{Max}\ Z = \mathrm{Max}\ (2{,}450A + 1{,}870C)$
　(2)　制約条件
　　　　$0.5A + 0.4C \leqq 2{,}750$　…………①（機械稼働時間の制約）
　　　　$0.6A + 0.4C \leqq 3{,}000$　…………②（直接作業時間の制約）
　　　　$1{,}200 \leqq A \leqq 4{,}000$　……………③
　　　　$1{,}950 \leqq C \leqq 4{,}500$　……………④

(3) グラフによる解法

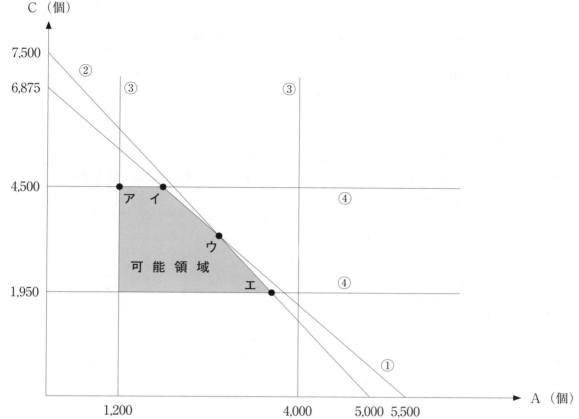

ア：(A，C) = (1,200，4,500)　　貢献利益：2,450円/個×1,200個 + 1,870円/個×4,500個 = 11,355,000円
イ：(A，C) = (1,900，4,500)　　貢献利益：2,450円/個×1,900個 + 1,870円/個×4,500個 = 13,070,000円
ウ：(A，C) = (2,500，3,750)　　貢献利益：2,450円/個×2,500個 + 1,870円/個×3,750個 = 13,137,500円（最大）
エ：(A，C) = (3,700，1,950)　　貢献利益：2,450円/個×3,700個 + 1,870円/個×1,950個 = 12,711,500円

よって、製品Aが2,500個、製品Cが3,750個のときに貢献利益は最大となる。

以上より、最適セールス・ミックスは製品Aが**2,500個**、製品Bが**2,500個**、製品Cが**3,750個**となる。

また、そのときの営業利益は

　　2,450円/個×2,500個 + 2,340円/個×2,500個 + 1,870円/個×3,750個 − 11,652,100円 = **7,335,400円**

となる。

ここ重要！

■最適セールス・ミックス（最適プロダクト・ミックス）の決定
最適セールス・ミックス（最適プロダクト・ミックス）…営業利益（貢献利益）を最大にする製品販売量
（製品生産量）の組み合わせ

共通する制約条件	最適セールス・ミックス（最適プロダクト・ミックス）の決定
1つだけの場合	共通する制約条件単位あたりの貢献利益額が大きい製品の製造・販売を優先
2つ以上の場合	リニアー・プログラミング or グラフによる解法

〔問7〕条件変更に伴う増分貢献利益の計算

〔問6〕の解説における①と②の制約条件式を変形することによって求める。

(1) 直接作業時間の利用可能量を10時間増強したときの増分貢献利益

$$\begin{cases} 0.5A + 0.4C = 2,750 \cdots\cdots\cdots\cdots① \\ 0.6A + 0.4C = 3,010 \cdots\cdots\cdots\cdots②' \end{cases}$$

①と②'の連立方程式を解くと、

A = 2,600個　　C = 3,625個

これを目的関数に代入すると、

貢献利益：2,450円/個 × 2,600個 + 1,870円/個 × 3,625個 = 13,148,750円

〔問6〕で求めた最適解における貢献利益との差額を求めれば増分貢献利益が算定できる。

13,148,750円 − 13,137,500円 = **11,250円**

(2) 機械の生産能力を10時間増強したときの増分貢献利益

$$\begin{cases} 0.5A + 0.4C = 2,760 \cdots\cdots\cdots\cdots①' \\ 0.6A + 0.4C = 3,000 \cdots\cdots\cdots\cdots② \end{cases}$$

①'と②の連立方程式を解くと

A = 2,400個　　C = 3,900個

これを目的関数に代入すると、

貢献利益：2,450円/個 × 2,400個 + 1,870円/個 × 3,900個 = 13,173,000円

〔問6〕で求めた最適解における貢献利益との差額を求めれば増分貢献利益が算定できる。

13,173,000円 − 13,137,500円 = **35,500円**

Link

出題内容	出題論点	合格テキスト 合格トレーニング	スッキリわかる	簿記の教科書 簿記の問題集
多品種製品の ＣＶＰ分析	高低点法による原価分解	Ⅲ−テーマ05	Ⅲ−第2章	3−CHAPTER03
	損益分岐点販売量の計算	Ⅲ−テーマ05	Ⅲ−第2章	3−CHAPTER03
最適セールス・ ミックスの決定	共通の制約条件が1つの場合	Ⅲ−テーマ06	Ⅲ−第3章	3−CHAPTER04
	共通の制約条件が複数の場合（ＬＰ）	Ⅲ−テーマ06	Ⅲ−第3章	3−CHAPTER04

〈解答125ページ・解説127ページ〉

◆重要な指示やキーワードには、印や下線を入れます。◆
工業簿記は、細かい指示が多いので慎重に問題文を読みます。
⇒問われている原価計算の種類や処理方法を確認します。

　　HST工業の名古屋工場では主力製品である製品MJを連続生産し、累加法による実際工程別単純総合原価計算を採用している。同工場における、ある月の原価計算関係資料を参照して、以下の**問**に答えなさい。

[資　料]
　　製品MJの製造過程は、まず第1工程始点において⦅材料A⦆を、工程の始点から加工費進捗度80％の段階まで平均的に⦅材料B⦆を投入し、第1工程の作業が終了した生産物のすべてを第2工程に振り替える。
　　第2工程では、受け入れた第1工程完成品4kgを1個として生産を行うが、工程を通じて平均的に材料Cを追加投入し、製品MJを生産している。

第1工程の生産データ：

第1工程	数　量	備　　考
月 初 仕 掛 品	6,000kg	加工費進捗度は75％
完　　成　　品	36,000kg	当月完成品の全量を第2工程へ振替えた
月 末 仕 掛 品	3,000kg	加工費進捗度は60％
異 常 減 損	3,000kg	加工費進捗度90％の段階で発生した

第2工程の生産データ：

第2工程	数　量	備　　考
月 初 仕 掛 品	1,000個	加工費進捗度は50％
完　　成　　品	8,500個	―
月 末 仕 掛 品	800個	加工費進捗度は75％
正　常　仕　損	500個	加工費進捗度60％の段階で発生した
異 常 減 損	200個	加工費進捗度50％の段階で発生した

[注]　第2工程正常仕損品には274円/個の評価額があり、第2工程前工程費から控除する。

各工程の月初仕掛品原価：

	第1工程	第2工程
A　材　料　費	4,206,000円	2,944,000円
B　材　料　費	697,500円	523,000円
C　材　料　費	―　　円	366,750円
加工費（第1工程）	3,429,000円	3,216,000円
加工費（第2工程）	―　　円	2,195,460円

当月原価発生データ：

(1)　直接材料費
　　払出額について材料Aと材料Bは平均法、材料Cは先入先出法を適用している。いずれの材料も、棚卸減耗はない。

2,000単位 28,800,000　　6,250単位 4,987,500　　27,000単位 4,860,000

	材　料　A		材　料　B		材　料　C	
月 初 在 庫 量	800単位	@13,250円	3,000単位	@ 802.5円	7,000単位	@ 190　円
当 月 購 入 量	2,300 ?単位	@14,800円	6,750単位	@ 796　円	23,000単位	@ 176.5円
月 末 在 庫 量	1,100単位	@ ?　円	3,500単位	@ ?　円	3,000単位	@ ?　円
		14,900		798		176.5

空欄にあてはまる金額を算定してメモします。
→あわせて各材料の消費高も算定してメモします。

(2) 買掛金データ（材料A、B、Cはすべて掛で購入しており、それ以外に掛買いは行っていない。）

月 初 残 高　　11,349,000円
当月支払高　　43,000,000円　　43,472,500 ←
月 末 残 高　　11,821,500円

A 34,040,000
B 5,373,000
C 4,059,500

買掛金の増加額（当期の材料購入額）を算定してメモします。
→各材料の金額もあわせてメモします。

(3) 加工費

　　加工費は、製品生産量を配賦基準として、工程別正常配賦率を用いて配賦している。月間加工費予算は、第1工程30,480,000円、第2工程39,493,000円であり、月間製品正常生産量は、第1工程40,000kg、第2工程10,000個である。 @762　@3,949.3

その他：

　　正常仕損費の負担関係は、仕損発生点の進捗度にもとづいて決定している。

[問1] 下記の条件にもとづいて、答案用紙に示された仕掛品勘定を記入しなさい。なお、計算上端数が生じる場合は、解答の最終段階で円未満を四捨五入すること。

　　正常仕損費の処理は非度外視法による。各工程の月末仕掛品および完成品への原価配分の方法は、先入先出法を採用している。なお、各工程の仕損および減損は当月投入分から生じているものとする。

[問2] 第2工程における計算条件を、正常仕損費の処理について度外視法に、月末仕掛品および完成品への原価配分の方法について平均法に変更する。そこで、第2工程異常減損費、第2工程月末仕掛品原価、完成品総合原価を求めなさい。なお、計算上端数が生じる場合は、解答の最終段階で円未満を四捨五入すること。配分すべき原価の総額と配分された個々の原価の合計額が、四捨五入を行うことで一致しないとしても、そのまま解答してよい。

第2問

　　下記の文章は「原価計算基準」からの抜粋である。次の語群の中から（　）内に入る適切な用語を選択し、答案用紙に記入しなさい。なお、同じ番号には同じ用語が入る。

　　等級別総合原価計算は、（　①　）において、（　②　）を連続生産するが、その製品を形状、大きさ、品位等によって等級に区別する場合に適用する。

　　等級別総合原価計算にあっては、各等級製品について適当な（　③　）を定め、一期間における完成品の（　④　）又は一期間の（　⑤　）を（　③　）に基づき各等級製品にあん分してその製品原価を計算する。

　　（　③　）の算定およびこれに基づく等級製品原価の計算は、次のいずれかの方法による。

（一）　～省略～

（二）　一期間の（　⑤　）を構成する各（　⑥　）につき、又はその性質に基づいて分類された数個の（　⑥　）群につき、各等級製品の標準材料消費量、標準作業時間等各（　⑥　）又は（　⑥　）群の発生と関連ある物量的数値等に基づき、それぞれの（　③　）を算定し、これを各等級製品の一期間における生産量に乗じた（　⑦　）の比をもって、各（　⑥　）又は（　⑥　）群をあん分して、各等級製品の一期間の（　⑤　）を計算し、この（　⑤　）と各等級製品の期首仕掛品原価とを、当期における各等級製品の完成品とその期末仕掛品とに分割することにより、当期における各等級製品の（　④　）を計算し、これを製品単位に均分して単位原価を計算する。

（語群）

製品原価、予定配賦率、等価係数、投入量、同一工程、原価管理、同種製品、総合原価、工程、積数、原価要素、原価標準、異種製品、製造費用、種類、単一工程、工程別、直接材料費、組製品

A：材料A、B：材料B、C：材料C

〈下書用紙〉

Ｔ勘定を用いて、非度外視法による勘定を
作成します。

材 A		材 B		加	
6,000 (4,206,000)	36,000 (28,206,000)	5,625 (697,500)	36,000 (4,950,000)	4,500 (3,429,000)	36,000 (27,432,000)
36,000 (28,800,000)	異 3,000 (2,400,000)	35,625 (4,987,500)	異 3,000 (420,000)	36,000 (27,432,000)	異 2,700 (2,057,400)
	3,000 (2,400,000)		2,250 (315,000)		1,800 (1,371,600)

前工		材 C		加	
1,000 (6,683,000)	8,500 (57,173,000)	500 (366,750)	8,500 (4,686,750)	500 (2,195,460)	8,500 (33,789,860)
9,000 (60,588,000)	正 500 (3,366,000)	9,000 (4,860,000)	正 300 (162,000)	9,000 (35,543,700)	正 300 (1,184,790)
	異 200 (1,346,400)		異 100 (54,000)		異 100 (394,930)
	800 (5,385,600)		600 (324,000)		600 (2,369,580)

	異 200 (1,345,420)		異 100 (55,018.42…)		異 100 (397,254.315…)
	8,500 (60,129,347.3…)		8,500 (4,830,738.28…)		8,500 (34,879,802.01…)
	800 (5,659,232.6…)		600 (340,993.29…)		600 (2,462,103.67…)

Ｔ勘定を用いて、度外視法による勘定を作
成します。
→異常減損を先に算定して、残りを度外視
　法（両者負担）で、完成品と月末仕掛品
　に按分します。

材Ａ：材料Ａ、材Ｂ：材料Ｂ、Ｃ：材料Ｃ、加：加工費、前工：前工程費、正：正常仕損、異：異常減損

合格る下書用紙
第3予想〈原価計算〉はこうやって書こう！

問題 —〈解答126ページ・解説136ページ〉—

◆重要な指示やキーワードには、印や下線を入れます。◆
原価計算は、細かい指示が多いので慎重に問題文を読みます。
⇒問われている処理方法などを確認します。

　当社は、製品A、製品Bおよび製品Cを生産販売する企業であり、現在、翌期の予算を編成中である。そこで下記の**資料**にもとづき、以下の**問**に答えなさい。

〔資　料〕

1. 製品A、製品Bおよび製品Cの販売単価はそれぞれ4,000円、4,500円および3,400円である。 $\overset{A}{}\overset{B}{}\overset{C}{}$

2. 原料は各製品に共通のものを使用しており、消費単価は300円で、製品A、製品Bおよび製品Cの1個あたりの標準消費量はそれぞれ2kg、5kgおよび2.5kgである。

3. 直接工の消費賃率は800円であり、製品A、製品Bおよび製品Cの1個あたりの標準直接作業時間はそれぞれ0.6時間、0.4時間および0.4時間である。

4. 製造間接費は機械稼働時間を配賦基準としており、製品A、製品Bおよび製品Cの1個あたりの標準機械稼働時間はそれぞれ0.5時間、0.3時間および0.4時間である。また、当社で使用している機械の最大生産能力は3,500時間である。なお、機械稼働時間が1,600時間のときは4,445,000円、3,500時間のときは5,775,000円が翌期の許容予算である。V@700　F3,325,000

5. 製品A、製品Bおよび製品Cの1個あたりの変動販売費は、それぞれ120円、130円および180円である。 $\overset{A}{}\overset{B}{}\overset{C}{}$

6. 固定販売費および一般管理費（全額固定費）予算は8,327,100円である。

7. 需要限度等を考慮した結果、当社製品の翌期における最大販売可能量は製品Aが4,000個、製品Bが2,500個、製品Cが4,500個と見積もられている。

固変分解をして変動費率と固定費をメモします。

〔問1〕各製品の貢献利益率を求めなさい。

〔問2〕貢献利益率の高い順に生産販売したときの損益分岐点販売量およびそのときの売上高を求めなさい。なお、損益分岐点販売量については製品A、製品Bおよび製品Cの合計量を解答し、端数が生じる場合は小数点以下を切り上げること（端数処理については以下同様）。

〔問3〕仮に製品A、製品Bおよび製品Cの販売量を3：2：5の割合で販売するとした場合の、各製品の損益分岐点販売量を求めなさい。

〔問4〕〔問3〕の条件のもとで、資本回収点販売量（売上高と投下資本が等しくなる販売量）を求めなさい。ただし、投下資本は売上高に比例して30％（変動的資本率）の割合で増加する部分と、売上高の増減に関係なく一定額（固定的資本）の19,950千円の部分とから構成されているとする。

〔問5〕仮に製品Aを1,200個、製品Bを800個および製品Cを1,950個最低限販売するとした場合の最適セールス・ミックスを求めなさい。

〔問6〕〔問5〕の条件の他に、さらに直接作業時間の最大利用可能量が4,000時間であったとしたときの最適セールス・ミックスおよびそのときの営業利益を求めなさい。

〔問7〕〔問6〕の条件のもとで、(1)直接作業時間の利用可能量を10時間増強したときの増分貢献利益、および(2)機械の生産能力を10時間増強したときの増分貢献利益をそれぞれ求めなさい。

〈下書用紙〉

問1

	A	B	C
	4,000	4,500	3,400
材	600	1,500	750
労	480	320	320
間	350) 1,550	210) 2,160	280) 1,530
販	120	130	180
貢	2,450	2,340	1,870
	61.25%	52%	55%

問2

A → C → B
④,000 4,500 2,5̶0̶0̶

990.4～

F 11,652,100

A 9,800,000   F 1,852,100

問3   セット
        38,000

V 16,620

貢 21,380   545セット

問4

売上高 38,000x

変動的資本 11,400x
固定的資本 19,950

38,000x = 11,400x + 19,950
     x = 750セット

問5
A 600 時間
B 240 時間   } 1,620 時間 （残 1,880 時間）
C 780 時間

A 4,900/ 時
B 7,800/ 時
C 4,675/ 時   B → A → C

Ⓑ 1,700個 510時間
残 1,370 時間

Ⓐ 2,740個

製品ごとに貢献利益率を求めます。
→計算途中で変動費や貢献利益を算定するので、それぞれメモしておきます。

原価計算の問題では、下書きにメモを残しながら解きましょう。
後ろの問題で、前の問題で算定した数値を使うことが多いため、何を指しているのかわかるようにメモします。

問6

A 4,083.3…

B 5,850

C 4,675

直作
B→C→A

機作
B→A→C

B 2,500個 直作 1,000時間 (残 3,000時間)

　　　機作 750時間 (残 2,750時間)

制約条件が複数ある
問題では、グラフを
書いて解くとケアレ
スミスを防ぐことが
できます。

グラフ内注記:
$0.6A + 0.4C \leqq 3,000$

$0.5A + 0.4C \leqq 2,750$

縦軸 C: 7,500 / 6,875 / 4,500 / 1,950

横軸 A: 1,200 / 4,000 / 5,000 / 5,500

A 1,200　C 4,500 → 11,355,000

A 1,900　C 4,500 → 13,070,000

A 2,500　C 3,750 → 13,137,500

A 3,700　C 1,950 → 12,711,500

問7

(1) $\left.\begin{array}{l} 0.5A + 0.4C = 2,750 \\ 0.6A + 0.4C = 3,010 \end{array}\right\}$ A 2,600　C 3,625 → 13,148,750

(2) $\left.\begin{array}{l} 0.5A + 0.4C = 2,760 \\ 0.6A + 0.4C = 3,000 \end{array}\right\}$ A 2,400　C 3,900 → 13,173,000

A：製品A、B：製品B、C：製品C、材：直接材料費、労：直接労務費、間：変動製造間接費、販：変動販売費、
F：固定費、V：変動費、貢：貢献利益、直作：直接作業時間、機作：機械作業時間

146

2024年度

日商簿記検定試験対策

第168回試験をあてる TAC直前予想模試

解答・解答への道

1 級 －I

商業簿記・会計学

プラスワン予想

目標得点

第1目標　41点
第2目標　49点

答に示した Ⓐ Ⓑ Ⓒ マークを活用し、
絶対に落としてはいけない Ⓐ のすべてと、
できれば落としたくない Ⓑ のうち半分は得点し、
目標得点に到達できるまで繰り返し解きましょう。

TAC簿記検定講座

合格るタイムライン
プラスワン予想（商会）はこの順序で解こう！

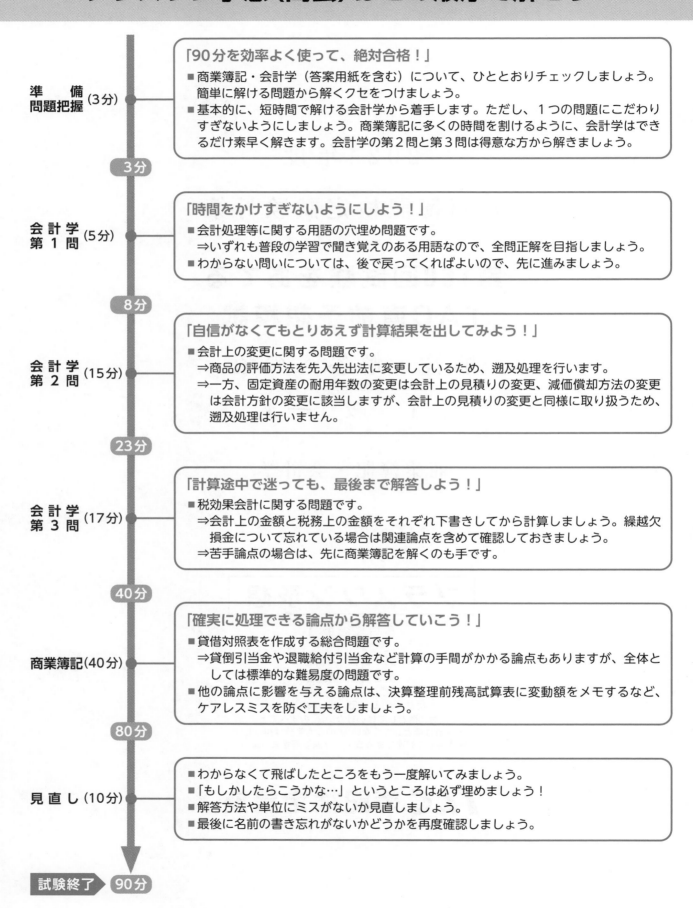

準 備
問題把握（3分）

「90分を効率よく使って、絶対合格！」
- 商業簿記・会計学（答案用紙を含む）について、ひととおりチェックしましょう。簡単に解ける問題から解くクセをつけましょう。
- 基本的に、短時間で解ける会計学から着手します。ただし、1つの問題にこだわりすぎないようにしましょう。商業簿記に多くの時間を割けるように、会計学はできるだけ素早く解きます。会計学の第2問と第3問は得意な方から解きましょう。

3分

会 計 学
第 1 問（5分）

「時間をかけすぎないようにしよう！」
- 会計処理等に関する用語の穴埋め問題です。
  ⇒いずれも普段の学習で聞き覚えのある用語なので、全問正解を目指しましょう。
- わからない問いについては、後で戻ってくればよいので、先に進みましょう。

8分

会 計 学
第 2 問（15分）

「自信がなくてもとりあえず計算結果を出してみよう！」
- 会計上の変更に関する問題です。
  ⇒商品の評価方法を先入先出法に変更しているため、遡及処理を行います。
  ⇒一方、固定資産の耐用年数の変更は会計上の見積りの変更、減価償却方法の変更は会計方針の変更に該当しますが、会計上の見積りの変更と同様に取り扱うため、遡及処理は行いません。

23分

会 計 学
第 3 問（17分）

「計算途中で迷っても、最後まで解答しよう！」
- 税効果会計に関する問題です。
  ⇒会計上の金額と税務上の金額をそれぞれ下書きしてから計算しましょう。繰越欠損金について忘れている場合は関連論点を含めて確認しておきましょう。
  ⇒苦手論点の場合は、先に商業簿記を解くのも手です。

40分

商業簿記（40分）

「確実に処理できる論点から解答していこう！」
- 貸借対照表を作成する総合問題です。
  ⇒貸倒引当金や退職給付引当金など計算の手間がかかる論点もありますが、全体としては標準的な難易度の問題です。
- 他の論点に影響を与える論点は、決算整理前残高試算表に変動額をメモするなど、ケアレスミスを防ぐ工夫をしましょう。

80分

見 直 し（10分）

- わからなくて飛ばしたところをもう一度解いてみましょう。
- 「もしかしたらこうかな…」というところは必ず埋めましょう！
- 解答方法や単位にミスがないか見直しましょう。
- 最後に名前の書き忘れがないかどうかを再度確認しましょう。

試験終了 ▶ **90分**

解答 目標21点

貸 借 対 照 表

月商株式会社 20×5年3月31日現在 （単位：千円）

資 産 の 部			負 債 の 部		
I 流 動 資 産			I 流 動 負 債		
現 金 預 金	(❷Ⓑ	78,230)	支 払 手 形	(	24,000)
受 取 手 形	(	36,000)	買 掛 金	(	32,000)
売 掛 金	(	75,000)	未 払 法 人 税 等	(	22,200)
貸 倒 引 当 金	(△	2,886)	未 払 費 用	(❶Ⓐ	800)
有 価 証 券	(	9,750)	リ ー ス 債 務	(	3,801)
商 品	(❶Ⓐ	95,500)	1 年 以 内 返 済 長 期 借 入 金	(	75,000)
前 払 費 用	(	950)	II 固 定 負 債		
未 収 収 益	(	900)	長 期 リ ー ス 債 務	(❷Ⓐ	12,579)
（為 替 予 約）	(❶Ⓐ	9,800)	長 期 （前 受 収 益）	(❷Ⓐ	1,875)
II 固 定 資 産			退 職 給 付 引 当 金	(❷Ⓐ	21,550)
1. 有 形 固 定 資 産			負 債 合 計	(	193,805)
建 物	(	330,000)	純 資 産 の 部		
減 価 償 却 累 計 額	(△	143,000)	I 株 主 資 本		
備 品	(	180,000)	1. 資 本 金	(❶Ⓐ	925,000)
減 価 償 却 累 計 額	(❷Ⓐ△	117,375)	2. 資 本 剰 余 金		
土 地	(	900,000)	(1) 資 本 準 備 金	(	130,000)
2. 無 形 固 定 資 産			(2) そ の 他 資 本 剰 余 金	(	80,000)
ソ フ ト ウ ェ ア	(❷Ⓐ	18,750)	3. 利 益 剰 余 金		
3. 投 資 そ の 他 の 資 産			(1) 利 益 準 備 金	(	115,000)
投 資 有 価 証 券	(❷Ⓐ	10,750)	(2) そ の 他 利 益 剰 余 金		
関 係 会 社 株 式	(❶Ⓐ	1,000)	繰 越 利 益 剰 余 金	(❶Ⓒ	142,392)
長 期 貸 付 金	(	100,000)	4. （自 己 株 式）	(❶Ⓐ△	8,000)
貸 倒 引 当 金	(❶Ⓑ△	3,772)	II 評 価 ・ 換 算 差 額 等		
繰 延 税 金 資 産	(❷Ⓑ	8,730)	1. その他有価証券評価差額金	(	210)
			2. （繰 延 ヘ ッ ジ 損 益）	(❶Ⓑ	3,920)
			III 新 株 予 約 権	(	6,000)
			純 資 産 合 計	(	1,394,522)
資 産 合 計	(	1,588,327)	負 債 ・ 純 資 産 合 計	(	1,588,327)

（注）金額がマイナスの場合、△を付しなさい。

●数字は採点基準　合計25点

解答 目標20点

第1問

(1)	(2)	(3)
Ⓐ破産更生債権等	Ⓐ回収可能価額	Ⓐ減価償却

(4)	(5)	
Ⓐキャピタル・ゲイン	Ⓐ純資産の部	各❶

第2問

当期（20×7年3月期）に開示する遡及処理後の損益計算書（一部）

	前期（20×6年3月期）	当期（20×7年3月期）
売 上 原 価	❷Ⓐ 501,600 千円	❷Ⓐ 534,000 千円
備 品 減 価 償 却 費	❶Ⓑ 3,000 千円	❷Ⓑ 5,000 千円
機 械 減 価 償 却 費	❶Ⓑ 9,600 千円	❷Ⓑ 4,800 千円

第3問

問1

(d)	❶Ⓐ 144,000 千円
(e)	❶Ⓐ 432,000 千円

問2

(b) (d)	❶Ⓐ

問3

繰 延 税 金 資 産	❷Ⓐ 49,248 千円
繰 延 税 金 負 債	❷Ⓑ 132,048 千円
法 人 税 等 調 整 額	❷Ⓑ △55,728 千円

問4

課 税 所 得	❶Ⓐ

●数字は採点基準　合計25点

（以下、単位：千円）

1 為替予約（独立処理）

（1）借入金

長期借入金の返済期限が貸借対照表日の翌日から1年以内になった場合には、貸借対照表上は「1年以内返済長期借入金」として表示する。

| （為　替　差　損　益）(*1) | 6,000 | （長　期　借　入　金） | 6,000 |
| （為　替　予　約）(*2) | 4,200 | （為　替　差　損　益） | 4,200 |

(*1) 125円〈CR〉×600千ドル＝**75,000**〈B/S 1年以内返済長期借入金〉
　　 75,000－69,000＝6,000
(*2)（124円〈決算日のFR〉－117円〈予約日のFR〉）×600千ドル＝4,200

（2）予定取引をヘッジ対象とする場合

| （為　替　予　約）(*1) | 5,600 | （繰　延　税　金　負　債）(*2) | 1,680 |
| | | （繰　延　ヘ　ッ　ジ　損　益）(*3) | 3,920 |

(*1)（124円〈決算日のFR〉－117円〈予約日のFR〉）×800千ドル＝5,600
(*2) 5,600×30％＝1,680
(*3) 5,600－1,680＝3,920

∴　**B/S為替予約**：4,200＋5,600＝**9,800**

2 商品売買

（1）X商品

| （棚　卸　減　耗　損）(*1) | 500 | （繰　越　商　品） | 5,400 |
| （商　品　評　価　損）(*2) | 4,900 | | |

(*1) @100×（250個－245個）＝500
(*2)（@100円－@80円）×245個＝4,900

（2）Y商品

| （棚　卸　減　耗　損）(*1) | 600 | （繰　越　商　品） | 4,100 |
| （商　品　評　価　損）(*2) | 3,500 | | |

(*1) @600×（50個－49個）＝600
(*2)（@600円－@250円）×10個＝3,500

∴　**B/S商品**：105,000〈前T/B〉－5,400〈X商品〉－4,100〈Y商品〉＝**95,500**

3 貸倒引当金

（1）貸倒懸念債権（長期貸付金）〜 キャッシュ・フロー見積法

① 利息の受取

| （現　金　預　金）(*) | 2,000 | （受　取　利　息） | 2,000 |

(*) 100,000×2％＝2,000〈条件緩和後の利息〉

② キャッシュ・フロー見積法による貸倒引当金の設定

(a) 前期末（20×4年3月31日）

| （貸　倒　引　当　金　繰　入）(*) | 5,550 | （貸　倒　引　当　金） | 5,550 |

(*) $2,000÷1.04＋2,000÷1.04^2＋（100,000＋2,000）÷1.04^3≒94,450$〈将来CFの現在価値〉
　　 100,000－94,450＝5,550

(b) 当期末（20×5年3月31日）

（貸　倒　引　当　金）(*)	1,778	（受　取　利　息）	1,778

(*) $2,000 \div 1.04 + (100,000 + 2,000) \div 1.04^2 \fallingdotseq 96,228$〈将来ＣＦの現在価値〉
$100,000 - 96,228 = \mathbf{3,772}$〈B／S貸倒引当金（長期貸付金分）〉
$5,550 - 3,772 = 1,778$〈減少額〉

(2) 一般債権（売上債権）～ 貸倒実績率法

① 期首貸倒引当金の誤謬訂正

（繰　越　利　益　剰　余　金）(*)	240	（貸　倒　引　当　金）	240

(*) $8,190$〈前Ｔ／Ｂ〉$-5,550$〈長期貸付金分〉$=2,640$〈誤謬訂正前の期首貸倒引当金（一般債権）〉
$2,640 \div 2.2\% \times 2.4\% = 2,880$〈誤謬訂正後の期首貸倒引当金（一般債権）〉
$2,880 - 2,640 = 240$〈誤謬訂正額〉

② 貸倒損失の修正

（貸　倒　引　当　金）(*)	2,700	（貸　倒　損　失）	2,700

(*) $7,700 - 5,000$〈当期売掛金分〉$=2,700$

③ 貸倒引当金の設定

（貸　倒　引　当　金　繰　入）(*)	2,706	（貸　倒　引　当　金）	2,706

(*) $(36,000$〈受取手形〉$+75,000$〈売掛金〉$) \times 2.6\% = \mathbf{2,886}$〈B／S貸倒引当金（売上債権分）〉
$2,886 - (2,880 - 2,700) = 2,706$〈繰入額〉

4 固定資産

(1) 備品（セール・アンド・リースバック取引）

① 備品売却（20×4年4月1日・処理済）

備品売却益は、その後の利用期間に配分するため、長期前受収益とする。

（備品減価償却累計額）(*1)	23,125	（備　　　　　　　品）	40,000
（現　金　預　金）(*2)	20,000	（長　期　前　受　収　益）(*3)	3,125

(*1) $1 \div 8$年$\times 200\% = 0.25$〈8年の定率法償却率〉
$40,000 \times 0.25 = 10,000$〈20×1年度〉
$30,000 \times 0.25 = 7,500$〈20×2年度〉
$22,500 \times 0.25 = 5,625$〈20×3年度〉
$10,000 + 7,500 + 5,625 = 23,125$〈期首減価償却累計額〉
(*2) 売却価額
(*3) 貸借差額〈前Ｔ／Ｂ長期（前受収益）〉

② リース資産の計上（20×4年4月1日・処理済）

所有権移転ファイナンス・リース取引の場合、売却価額＝リース会社の購入価額であり、売却価額をリース資産（本問では、試算表上「リース資産」勘定がないため「備品」）として計上する。

（備　　　　　　　品）(*)	20,000	（リ　ー　ス　債　務）	20,000

(*) 売却価額

③ リース料の支払いおよびリース債務残高

（支　払　利　息）(*1)	1,000	（現　金　預　金）	4,620
（リ　ー　ス　債　務）(*2)	3,620		

返　済　日	返済前元本	リース料	利　息　分	元本返済分	返済後元本
20×5年3月31日	20,000	4,620	1,000 (*1)	3,620 (*2)	16,380 (*3)
20×6年3月31日	16,380	4,620	819 (*4)	3,801 (*5)	12,579 (*6)

(*1) $20,000 \times 5\% = 1,000$
(*2) $4,620 - 1,000 = 3,620$
(*3) $20,000 - 3,620 = 16,380$
(*4) $16,380 \times 5\% = 819$
(*5) $4,620 - 819 = \mathbf{3,801}$〈B／Sリース債務（流動負債）〉
(*6) $16,380 - 3,801 = \mathbf{12,579}$〈B／S長期リース債務（固定負債）〉

∴　B／S現金預金：80,850〈前T／B〉＋2,000〈受取利息〉−4,620＝**78,230**

④　減価償却費の計上

契約日以降の経済的耐用年数で減価償却を行う。

（減　価　償　却　費）(*)	8,000	（備品減価償却累計額）	8,000

　(*)　1÷5年×200％＝0.4〈5年の定率法償却率〉
　　　 20,000×0.4＝8,000

⑤　減価償却費と長期前受収益の相殺

契約時に生じた「長期前受収益」は、リース資産の減価償却の割合に応じて配分し、減価償却費と相殺する。

（長　期　前　受　収　益）(*)	1,250	（減　価　償　却　費）	1,250

　(*)　3,125〈前T／B〉×0.4＝1,250

∴　B／S長期前受収益：3,125−1,250＝**1,875**

ここ重要！

■セール・アンド・リースバック取引の会計処理

	リース物件売却時	決算時
リース物件売却益が発生した場合	「長期前受収益」として繰延処理	リース資産の減価償却費の割合に応じて、「長期前受収益」を減価償却費から減算
リース物件売却損が発生した場合	「長期前払費用」として繰延処理	リース資産の減価償却費の割合に応じて、「長期前払費用」を減価償却費に加算

(2)　建　物

（減　価　償　却　費）(*)	11,000	（建物減価償却累計額）	11,000

　(*)　330,000〈前T／B建物〉÷30年＝11,000

∴　B／S建物減価償却累計額：132,000〈前T／B〉＋11,000＝**143,000**

(3)　備品（セール・アンド・リースバック取引以外）

（減　価　償　却　費）(*)	16,875	（備品減価償却累計額）	16,875

　(*)　(180,000〈前T／B備品〉−20,000〈リース備品〉)＝160,000〈リース備品以外の備品取得原価〉
　　　 160,000×0.07909≒12,654〈償却保証額〉
　　　 (160,000−92,500)×0.25＝16,875
　　　 16,875　＞　12,654　　∴　16,875

∴　B／S備品減価償却累計額：92,500〈前T／B〉＋8,000＋16,875＝**117,375**

5 有価証券

(1)　A社株式（売買目的有価証券）

（有　価　証　券）(*)	150	（有価証券運用損益）	150

　(*)　78千ドル〈時価〉×125円〈CR〉＝**9,750**〈B／S有価証券〉
　　　 9,750−9,600〈帳簿価額〉＝150〈評価益〉

(2)　B社社債（満期保有目的債券）

外貨建満期保有目的債券について、償却原価法を適用していない場合には、外国通貨による取得原価を決算時の為替相場（CR）により換算した額を貸借対照表価額とし、この場合に生じる換算差額は、当期の「為替差損益」として処理する。

（投　資　有　価　証　券）		5,850	（有　　価　　証　　券）			5,850
（投　資　有　価　証　券）（*）		400	（為　替　差　損　益）			400

    （*）　50千ドル〈額面＝取得原価〉×125円〈ＣＲ〉＝6,250〈貸借対照表価額〉
         6,250－5,850〈帳簿価額〉＝400

(3)　C社株式（その他有価証券）～　全部純資産直入法

（投　資　有　価　証　券）		4,200	（有　　価　　証　　券）			4,200
（投　資　有　価　証　券）（*1）		300	（繰　延　税　金　負　債）（*2）			90
			（その他有価証券評価差額金）（*3）			210

    （*1）　4,500〈時価〉－4,200〈帳簿価額〉＝300〈評価差益〉
    （*2）　300×30％＝90
    （*3）　300－90＝210

   ∴　**B／S投資有価証券**：6,250〈B社社債〉＋4,500〈C社株式〉＝**10,750**

(4)　D社株式（関連会社株式）～　実価法

（関　係　会　社　株　式）		3,800	（有　　価　　証　　券）			3,800
（関係会社株式評価損）（*）		2,800	（関　係　会　社　株　式）			2,800

    （*）　5,000〈D社純資産〉×20％〈保有割合〉＝**1,000**〈B／S関係会社株式〉
         1,000－3,800〈帳簿価額〉＝△2,800〈評価損〉

6 退職給付引当金

(1)　期首退職給付引当金

    当期の退職給付費用が計上されておらず、また、掛金拠出額を仮払金で処理しているため、前Ｔ／Ｂの退職給付引当金は、期首残高となる。

    なお、期首退職給付債務120,000千円と期首年金資産100,000千円の差額20,000千円が、本来あるべき退職給付引当金となる。しかし、前Ｔ／Ｂの退職給付引当金（期首残高）が20,750千円であることから、期首において、未認識数理計算上の差異750千円〈超過額〉があることがわかる。

    また、数理計算上の差異のうち、20×2年度発生分の2,500千円は、運用収益額が期待運用収益額を上回ったために発生したものであるため、超過額であることがわかる。

   ∴　$2,500〈発生額〉 \times \dfrac{9年}{10年} = 2,250$〈20×2年度発生分の期首未認識数理計算上の差異〉

    さらに、期首における、未認識数理計算上の差異の総額が750千円〈超過額〉であるため、20×3年度発生分の期首未認識数理計算上の差異が1,500千円〈不足額〉であることがわかる。

(2)　掛金拠出額の修正

（退　職　給　付　引　当　金）		5,500	（仮　　　払　　　金）			5,500

(3)　退職給付費用の計上（差異の費用処理を含む）

（退　職　給　付　費　用）（*）		6,300	（退　職　給　付　引　当　金）			6,300

    （*）　120,000×2％＝2,400〈利息費用〉
         100,000×3％＝3,000〈期待運用収益〉
         2,250÷9年＝250〈20×2年度発生額の費用処理額（減額）〉
         1,500÷10年＝150〈20×3年度発生額の費用処理（増額）〉
         7,000〈勤務費用〉＋2,400－3,000－250＋150＝6,300

   ∴　**B／S退職給付引当金**：20,750〈前Ｔ／Ｂ〉－5,500＋6,300＝**21,550**

ここ重要！

■退職給付費用

退職給付費用＝勤務費用＋利息費用－期待運用収益±差異の費用処理額（償却額）

7 ソフトウェア

市場販売目的ソフトウェアの減価償却費は、見込有効期間にもとづく均等配分額を下回ってはならないため、各年度の減価償却費は、見込販売収益にもとづく配分額と見込有効期間（3年）にもとづく均等配分額とを比較して大きい方となる。

（ソフトウェア償却）(*)	11,250	（ソ フ ト ウ ェ ア）	11,250

(*) $30,000 \times \dfrac{45,000千円}{45,000千円 + 40,000千円 + 35,000千円} = 11,250$ 〈見込販売収益にもとづく配分額〉

$30,000 \div 3年 = 10,000$ 〈均等配分額〉

$11,250 > 10,000$ ∴ 11,250

∴ B／Sソフトウェア：$30,000$〈前 T／B〉$- 11,250 = $ **18,750**

8 新株の発行と自己株式の処分

（新 株 予 約 権）	20,000	（自 己 株 式）(*1)	24,000
（仮 受 金）	54,000	（資 本 金）(*2)	25,000
		（資 本 準 備 金）(*2)	25,000

(*1) 自己株式の帳簿価額

(*2) $(20,000 + 54,000) \times \dfrac{150株〈自己株式〉}{350株〈新株〉 + 150株〈自己株式〉} = 22,200$ 〈自己株式に対応する払込金額〉

$22,200 - 24,000$〈自己株式の帳簿価額〉$= \triangle 1,800$〈自己株式処分差損〉

$(20,000 + 54,000) \times \dfrac{350株〈新株〉}{350株〈新株〉 + 150株〈自己株式〉} = 51,800$ 〈新株に対応する払込金額〉

$(51,800$〈新株に対応する払込金額〉$- 1,800$〈自己株式処分差損〉$) \times \dfrac{1}{2} = 25,000$

∴ B／S資本金：$900,000$〈前 T／B〉$+ 25,000 = $ **925,000**

∴ B／S資本準備金：$105,000$〈前 T／B〉$+ 25,000 = $ **130,000**

∴ B／S自己株式：$32,000$〈前 T／B〉$- 24,000 = $ **8,000**（株主資本から控除する形式で表示）

∴ B／S新株予約権：$26,000$〈前 T／B〉$- 20,000 = $ **6,000**

9 経過勘定

（販 売 費）	800	（未 払 費 用）	800
（前 払 費 用）	950	（一 般 管 理 費）	950
（未 収 収 益）	900	（受 取 利 息）	900

10 法人税等

(1) 法人税、住民税及び事業税の計上

（法人税、住民税及び事業税）	43,200	（仮 払 法 人 税 等）	21,000
		（未 払 法 人 税 等）(*)	22,200

(*) $43,200 - 21,000 = 22,200$

(2) 税効果会計

（繰 延 税 金 資 産）(*)	1,500	（法 人 税 等 調 整 額）	1,500

(*) $10,500$〈回収可能性にもとづく繰延資産〉$- 9,000$〈前 T／B〉$= 1,500$〈繰延税金資産の増加額〉

∴ B／S繰延税金資産：$10,500 - 1,680$〈為替予約〉$- 90$〈その他有価証券〉$= $ **8,730**

11 繰越利益剰余金（貸借対照表の貸借差額で求める）

B／S繰越利益剰余金：$1,588,327$〈借方合計〉$- 1,445,935$〈繰越利益剰余金を除く貸方合計〉$= $ **142,392**

Link

出題内容	出題論点	合格テキスト 合格トレーニング	スッキリわかる	簿記の教科書 簿記の問題集
為 替 予 約	独立処理	Ⅱ－テーマ06	Ⅲ－第２章	3－CHAPTER11
	予定取引をヘッジ対象とする場合	Ⅱ－テーマ06	Ⅲ－第２章	3－CHAPTER11
商 品 売 買	期末商品の評価	Ⅰ－テーマ03	Ⅰ－第３章	1－CHAPTER05
貸 倒 引 当 金	誤謬の訂正	Ⅱ－テーマ03	Ⅱ－第３章	1－CHAPTER09
	一般債権（貸倒実績率法）	Ⅱ－テーマ03	Ⅱ－第３章	1－CHAPTER12
	貸倒懸念債権（キャッシュ・フロー見積法）	Ⅱ－テーマ03	Ⅱ－第３章	1－CHAPTER12
固 定 資 産	リース取引（セール・アンド・リースバック取引）	Ⅱ－テーマ08	Ⅱ－第８章	2－CHAPTER03
有 価 証 券	外貨建有価証券	Ⅱ－テーマ05	Ⅲ－第２章	3－CHAPTER07
	その他有価証券（全部純資産直入法）	Ⅱ－テーマ04	Ⅱ－第５章	1－CHAPTER13
	減損処理（実価法）	Ⅱ－テーマ04	Ⅱ－第５章	1－CHAPTER13
退 職 給 付 会 計	退職給付費用の計上	Ⅱ－テーマ12	Ⅱ－第13章	2－CHAPTER08
	未認識数理計算上の差異の処理	Ⅱ－テーマ12	Ⅱ－第13章	2－CHAPTER08
ソフトウェア	市場販売目的ソフトウェアの減価償却	Ⅱ－テーマ10	Ⅱ－第11章	2－CHAPTER06
純 資 産	新株予約権の行使	Ⅱ－テーマ14	Ⅱ－第16章	2－CHAPTER11
	新株の発行と自己株式の処分	Ⅱ－テーマ14	Ⅱ－第15章	2－CHAPTER10
税 効 果 会 計	将来減算一時差異	Ⅱ－テーマ01	Ⅲ－第３章	2－CHAPTER12
	将来加算一時差異	Ⅱ－テーマ01	Ⅲ－第３章	2－CHAPTER12
	繰延税金資産の回収可能性	Ⅱ－テーマ01	Ⅲ－第３章	2－CHAPTER12

❖ 会計学　解答への道

第1問　空欄記入問題

1 債権の区分
「金融商品に関する会計基準　27(3)」

経営破綻又は実質的に経営破綻に陥っている債務者に対する債権を**破産更生債権等**という。

2 減損損失の測定
「固定資産の減損に係る会計基準　二　3」

減損損失を認識すべきであると判定された資産又は資産グループについては、帳簿価額を**回収可能価額**まで減額し、当該減少額を減損損失として当期の損失とする。

3 資産除去債務に対応する除去費用の資産計上と費用配分
「資産除去債務に関する会計基準　7」

資産計上された資産除去債務に対応する除去費用は、**減価償却**を通じて、当該有形固定資産の残存耐用年数にわたり、各期に費用配分する。

4 賃貸等不動産
「賃貸等不動産の時価等の開示に関する会計基準　4(2)」

「賃貸等不動産」とは、棚卸資産に分類されている不動産以外のものであって、賃貸収益又は**キャピタル・ゲイン**の獲得を目的として保有されている不動産（ファイナンス・リース取引の貸手における不動産を除く）をいう。

5 ヘッジ取引に係る損益認識時点
「金融商品に関する会計基準　32」

ヘッジ会計は、原則として、時価評価されているヘッジ手段に係る損益又は評価差額を、ヘッジ対象に係る損益が認識されるまで**純資産の部**において繰り延べる方法による。

Link

出題内容	出題論点	合格テキスト 合格トレーニング	スッキリわかる	簿記の教科書 簿記の問題集
空　欄　記　入	債権の区分	Ⅱ－テーマ03	Ⅱ－第3章	1－CHAPTER12
	減損損失の測定	Ⅱ－テーマ07	Ⅱ－第9章	2－CHAPTER04
	資産除去債務に対応する除去費用の資産計上と費用配分	Ⅱ－テーマ07	Ⅱ－第7章	2－CHAPTER02
	賃貸等不動産	Ⅱ－テーマ07	－	－
	ヘッジ取引に係る損益認識時点	Ⅱ－テーマ06	Ⅲ－第1章	1－CHAPTER14

プラスワン予想

会計学

第2問　会計上の変更 （以下、単位：千円）

┌─【参考】会計上の変更および誤謬の訂正─────────────────────────────

1．用語の定義

(1) 「会計方針」とは、財務諸表の作成にあたって採用した会計処理の原則および手続きをいう。

(2) 「表示方法」とは、財務諸表の作成にあたって採用した表示の方法をいい、財務諸表の科目分類、科目配列および報告様式が含まれる。

(3) 「会計上の見積り」とは、資産および負債や収益および費用などの額に不確実性がある場合において、財務諸表作成時に入手可能な情報にもとづいて、その合理的な金額を算出することをいう。

(4) 「会計上の変更」とは、会計方針の変更、表示方法の変更および会計上の見積りの変更をいう。

(5) 「誤謬」とは、原因となる行為が意図的であるか否かにかかわらず、財務諸表作成時に入手可能な情報を使用しなかったことによる、またはこれを誤用したことによる誤りをいい、たとえば、財務諸表の基礎となるデータの収集または処理上の誤り、事実の見落としや誤解から生じる会計上の見積りの誤りなどをいう。

(6) 「誤謬の訂正」とは、誤りを正すことである。

2．原則的な会計上の取扱い

		原則的な会計上の取扱い	例　　　示
会計上の変更	会計方針の変更	遡及処理する（遡及適用）（注1、5）	商品の評価方法の変更 ⇒ **本問**
	表示方法の変更	遡及処理する（財務諸表の組替え）（注1）	科目の独立掲記
	会計上の見積りの変更	遡及処理しない（注3）	耐用年数の変更 ⇒ **本問** 減価償却方法の変更（注2） 　　　　　　　　⇒ **本問**
過去の誤謬の訂正		遡及処理する（修正再表示）（注1、4、5）	商品の過大計上（前期損益修正）

(注1) 遡及処理とは、①新たな会計方針や表示方法を過去の財務諸表に遡って適用していたかのように会計処理し、表示の方法を変更すること、または、②過去の財務諸表における誤謬の訂正を財務諸表に反映することをいう。なお、財務諸表の修正は、帳簿外（通常は精算表）で行われ、帳簿への反映は当期に行われることによって、財務諸表と会計帳簿との整合性は保たれると考えられる。

(注2) 減価償却方法の変更は、会計方針の変更に該当するが、その処理は会計上の見積りの変更と同様に取り扱い、遡及処理しない。

(注3) 会計上の見積りの変更をした場合には、原則として、当該変更が変更期間のみに影響するときは、当該変更期間に会計処理を行い、当該変更が将来の期間にも影響するときは、将来にわたり会計処理を行う。

(注4) 修正再表示とは、過去の財務諸表における誤謬の訂正を財務諸表に反映することをいう。

(注5) 遡及適用および修正再表示は次のように処理する。

①　表示期間より前の期間に関する遡及適用および修正再表示による累積的影響額は、表示する財務諸表のうち、最も古い期間の期首の資産、負債および純資産の額に反映する。

②　表示する過去の各期間の財務諸表には、当該各期間の影響額を反映する。

1 棚卸資産の評価方法の変更

棚卸資産の評価方法の変更は、会計方針の変更にあたるため、前期の財務諸表についても先入先出法を遡及適用する。

∴ **前期の売上原価**：36,000 (*1)〈変更後の期首商品＝前期の期末商品〉－33,600 (*2)〈変更前の期首商品＝前期の期末商品〉
＝2,400〈前期の期末商品の増加＝前期の売上原価の減少〉

(*1) @1,800×20個＝36,000
(*2) @1,680×20個＝33,600

504,000〈変更前の売上原価〉－2,400＝**501,600**

∴ **当期の売上原価**：**534,000**（変更後の先入先出法）

		変更後〜先入先出法		
期首商品棚卸高	@1,800	×20個	＝	36,000
当期商品仕入高				
第1回仕入	@1,800	×50個	＝	90,000
第2回仕入	@1,760	×40個	＝	70,400
第3回仕入	@1,840	×60個	＝	110,400
第4回仕入	@1,880	×80個	＝	150,400
第5回仕入	@1,920	×70個	＝	134,400
合　　　計		320個		591,600
期末商品棚卸高	@1,920(*4)×	30個(*3)	＝	57,600
売上原価（差引）				**534,000**

(*3) 320個〈数量合計〉－290個〈売上数量〉＝30個〈期末数量〉
(*4) 第5回仕入数量70個 ＞ 期末数量30個
∴ 期末商品は、すべて第5回仕入価格@1,920で計算する。

2 固定資産（備品）の耐用年数の変更

固定資産の耐用年数の変更は、会計上の見積りの変更にあたるため、遡及処理は行わず、当期および当期以後の財務諸表に反映させる。

∴ **前期の備品減価償却費**：24,000÷8年＝**3,000**

∴ **当期の備品減価償却費**：24,000÷8年×3年＝9,000〈前期末までの減価償却累計額〉
24,000－9,000＝15,000〈当期首の帳簿価額〉
15,000÷3年〈変更後の残存耐用年数〉＝**5,000**

3 固定資産（機械）の減価償却方法の変更

固定資産の減価償却方法の変更は、会計方針の変更に該当するが、その処理は会計上の見積りの変更と同様に取り扱い、遡及処理は行わず、当期および当期以後の財務諸表に反映させる。

∴ **前期の機械減価償却費**：1÷10年×2＝0.2〈変更前の定率法償却率〉
60,000×0.2＝12,000〈前々期の減価償却費〉
(60,000－12,000)×0.2＝**9,600**

∴ **当期の機械減価償却費**：60,000－12,000－9,600＝38,400〈当期首の帳簿価額〉
10年－2年＝8年〈変更後の残存耐用年数〉
38,400÷8年＝**4,800**

4 20×6年3月期と20×7年3月期に開示する損益計算書

20×6年3月期に開示する損益計算書（一部）

	前期（20×5年3月期）	当期（20×6年3月期）
売　上　原　価	×××　千円	504,000　千円
備品減価償却費	×××　千円	3,000　千円
機械減価償却費	×××　千円	9,600　千円

20×7年3月期に開示する遡及処理後の損益計算書（一部）

	前期（20×6年3月期）	当期（20×7年3月期）
売　上　原　価	501,600　千円	534,000　千円
備品減価償却費	3,000　千円	5,000　千円
機械減価償却費	9,600　千円	4,800　千円

Link

出題内容	出題論点	合格テキスト 合格トレーニング	スッキリわかる	簿記の教科書 簿記の問題集
会計上の変更	会計方針の変更	Ⅰ－テーマ01	Ⅱ－第3章	1－CHAPTER09
	会計上の見積りの変更	Ⅰ－テーマ01	Ⅱ－第3章	1－CHAPTER09

第3問　税効果会計（以下、単位：千円）

問1　(d)と(e)について、当期末における会計上と税務上の資産簿価の差異の金額

1 (d)備品

(1) 当期末における会計上の金額

1,152,000〈取得原価〉÷6年〈経済的耐用年数〉＝192,000〈会計上の減価償却費〉

1,152,000－192,000×3年〈当期末までの経過年数〉＝576,000〈会計上の資産簿価〉

(2) 当期末における税務上の金額

1,152,000〈取得原価〉÷8年〈法定耐用年数〉＝144,000〈税務上の減価償却費〉

1,152,000－144,000×3年〈当期末までの経過年数〉＝720,000〈税務上の資産簿価〉

(3) 当期末における会計上と税務上の差異の金額

720,000－576,000＝**144,000**〈将来減算一時差異〉

2 (e)機械

(1) 当期末における会計上の金額

1,440,000〈取得原価〉÷8年〈耐用年数〉＝180,000〈会計上の減価償却費〉

1,440,000－180,000×2年〈当期末までの経過年数〉＝1,080,000〈会計上の資産簿価〉

(2) 当期末における税務上の金額

(1,440,000〈取得原価〉－576,000〈圧縮相当額〉)÷8年〈耐用年数〉＝108,000〈税務上の減価償却費〉
　　　　　　864,000

864,000－108,000×2年〈当期末までの経過年数〉＝648,000〈税務上の資産簿価〉

(3) 当期末における会計上と税務上の差異の金額

1,080,000－648,000＝**432,000**〈将来加算一時差異〉

問2　将来減算一時差異の把握

- (a) 受取配当金の益金不算入　　　：永久差異
- (b) 貸倒引当金の損金不算入　　　**：将来減算一時差異**
- (c) 寄付金の損金不算入　　　　　：永久差異
- (d) 備品の減価償却限度超過額　　**：将来減算一時差異**
- (e) 機械の圧縮記帳（積立金方式）：将来加算一時差異
- (f) その他有価証券評価差額金（評価益）：将来加算一時差異
- (g) 繰延ヘッジ損益（評価益）　　：将来加算一時差異

問3　当期末における繰延税金資産、繰延税金負債および法人税等調整額の金額

1 (b)売掛金

(1)　前期末

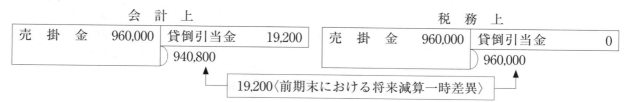

∴　19,200×35％＝6,720〈前期末における繰延税金資産〉

(2)　当期末

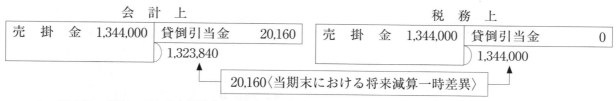

∴　20,160×30％＝6,048〈当期末における繰延税金資産〉

| （法人税等調整額）(*) | 672 | （繰延税金資産） | 672 |

（*）6,048〈当期末〉－6,720〈前期末〉＝△672〈繰延税金資産減少額〉

2 (d)備品

(1)　前期末

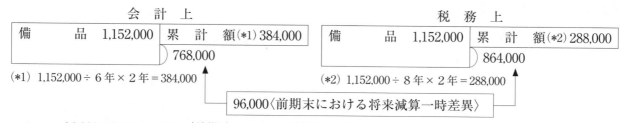

（*1）1,152,000÷6年×2年＝384,000　（*2）1,152,000÷8年×2年＝288,000

∴　96,000×35％＝33,600〈前期末における繰延税金資産〉

(2)　当期末

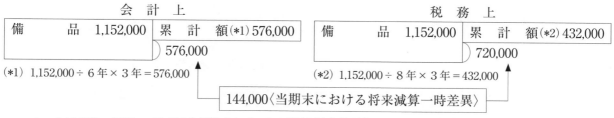

（*1）1,152,000÷6年×3年＝576,000　（*2）1,152,000÷8年×3年＝432,000

∴　144,000×30％＝43,200〈当期末における繰延税金資産〉

| （繰延税金資産）（*） | 9,600 | （法人税等調整額） | 9,600 |

(*) 43,200〈当期末〉－33,600〈前期末〉＝9,600〈繰延税金資産増加額〉

3 (e)機械

(1) 機械取得時 ～ 前期末

会 計 上
（現金預金等）	576,000	（国庫補助金収入）	576,000
（機　　械）	1,440,000	（現金預金等）	1,440,000
（減価償却費）（*1）	180,000	（減価償却累計額）	180,000

(*1) 1,440,000÷8年×1年＝180,000

税 務 上
（現金預金等）	576,000	（国庫補助金収入）	576,000
（機　　械）	1,440,000	（現金預金等）	1,440,000
（機械圧縮損）	576,000	（機　　械）	576,000
（減価償却費）（*2）	108,000	（減価償却累計額）	108,000

(*2) (1,440,000－576,000)÷8年×1年＝108,000
864,000〈圧縮後の簿価〉

会 計 上

| 機　　械 1,440,000 | 圧　縮　額　0 |
| | 累　計　額（*1）180,000 |

1,260,000

税 務 上

| 機　　械 1,440,000 | 圧　縮　額　576,000 |
| | 累　計　額（*2）108,000 |

756,000

504,000〈前期末における将来加算一時差異〉

∴ 504,000×35%＝176,400〈前期末における繰延税金負債〉

(2) 当期末

会 計 上

| 機　　械 1,440,000 | 圧　縮　額　0 |
| | 累　計　額（*1）360,000 |

1,080,000

(*1) 1,440,000÷8年×2年＝360,000

税 務 上

| 機　　械 1,440,000 | 圧　縮　額　576,000 |
| | 累　計　額（*2）216,000 |

648,000

(*2) 864,000÷8年×2年＝216,000

432,000〈当期末における将来加算一時差異〉

∴ 432,000×30%＝129,600〈当期末における繰延税金負債〉

| （繰延税金負債）（*） | 46,800 | （法人税等調整額） | 46,800 |

(*) 129,600〈当期末〉－176,400〈前期末〉＝△46,800〈繰延税金負債減少額〉

4 期間差異（まとめ）

(1) 将来減算一時差異

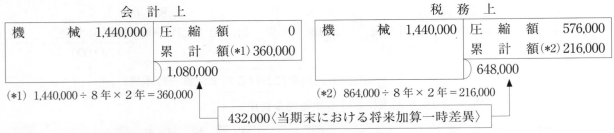

一時差異（期間差異）の原因	期　首	期　末
貸 倒 引 当 金	19,200	20,160
備　　　　品	96,000	144,000
合　　計	115,200	164,160
実 効 税 率	×35%	×30%
繰 延 税 金 資 産	40,320	**49,248**

＋8,928
〈繰延税金資産増加額〉

| （繰延税金資産）（*） | 8,928 | （法人税等調整額） | 8,928 |

(*) 1(b)売掛金と2(d)備品の仕訳をまとめたもの

(2) 将来加算一時差異

一時差異（期間差異）の原因	期　首	期　末
機　　　　　　　　械	504,000	432,000
小　　　　計	504,000	432,000
実　効　税　率	×35%	×30%
繰　延　税　金　負　債	176,400	129,600

△46,800
〈繰延税金負債減少額〉

（繰　延　税　金　負　債）(*)	46,800	（法　人　税　等　調　整　額）	46,800

　(*) **3**(e)機械の仕訳と同じ

∴　**法人税等調整額**：△8,928 + △46,800 = △**55,728**

5 その他有価証券

(1) 前期末（時価評価）

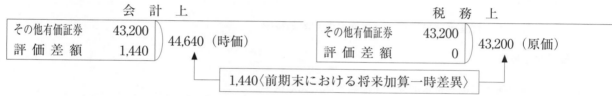

∴　1,440×35% = 504〈前期末における繰延税金負債〉

（そ　の　他　有　価　証　券）(*1)	1,440	（繰　延　税　金　負　債）(*2)	504
		（その他有価証券評価差額金）(*3)	936

　(*1) 44,640 − 43,200 = 1,440〈評価益〉
　(*2) 1,440×35% = 504
　(*3) 1,440 − 504 = 936

(2) 当　期

① 当期首（振戻処理）

（繰　延　税　金　負　債）	504	（そ　の　他　有　価　証　券）	1,440
（その他有価証券評価差額金）	936		

② 当期末（時価評価）

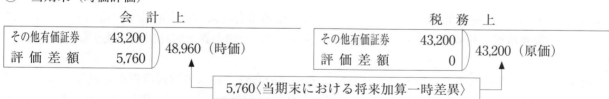

∴　5,760×30% = 1,728〈当期末における繰延税金負債〉

（そ　の　他　有　価　証　券）(*1)	5,760	（繰　延　税　金　負　債）(*2)	1,728
		（その他有価証券評価差額金）(*3)	4,032

　(*1) 48,960 − 43,200 = 5,760〈評価益〉
　(*2) 5,760×30% = 1,728
　(*3) 5,760 − 1,728 = 4,032

6 予定取引に対する為替予約（繰延ヘッジ）～ 当期末（時価評価）

会　計　上			税　務　上		
為 替 予 約	2,400	2,400	為 替 予 約	0	0

2,400〈当期末における将来加算一時差異〉

∴　2,400×30％＝720〈当期末における繰延税金負債〉

（為　　替　　予　　約）(*1)	2,400	（繰 延 税 金 負 債）(*2)	720
		（繰 延 ヘ ッ ジ 損 益）(*3)	1,680

(*1) 2,400－0＝2,400〈評価益〉
(*2) 2,400×30％＝720
(*3) 2,400－720＝1,680

∴　当期末における繰延税金負債：129,600〈圧縮記帳〉＋1,728〈評価差額〉＋720〈為替予約〉＝**132,048**

ここ重要！

■税効果会計の処理

① 繰延税金資産

> 繰延税金資産＝将来減算一時差異×法定実効税率

② 繰延税金負債

> 繰延税金負債＝将来加算一時差異×法定実効税率

■一時差異の分類

分類	意義	具体例
将来減算一時差異	将来減算一時差異とは将来において減算調整が行われ、法人税等が減少する一時差異	・商品評価損 ・引当金の損金不算入額 ・減価償却限度超過額 ・退職給付費用の損金不算入額
将来加算一時差異	将来加算一時差異とは将来において加算調整が行われ、法人税等が増加する一時差異	・固定資産圧縮積立金

問4　繰越欠損金

　繰越欠損金に対する税効果会計の適用については、「税効果会計に係る会計基準　第二・一・4」において、「将来の**課税所得**と相殺可能な繰越欠損金等については、一時差異と同様に取り扱うものとする。」と規定されている。

　繰越欠損金は、法人税法上、将来に繰り越すことが認められ、将来の**課税所得**から減算することができる。ただし、繰り越せる期間（現行10年）等が定められているため、その期間内にそれ以上の課税所得を獲得する見込みがなければ、将来の課税所得を減額する効果がないため、減算することができない。

　したがって、税効果会計の適用にあたっては、将来の**課税所得**と相殺可能な繰越欠損金のみを一時差異に準じるものとして取り扱う。

Link

出題内容	出題論点	合格テキスト 合格トレーニング	スッキリわかる	簿記の教科書 簿記の問題集
税 効 果 会 計	税効果会計の処理	Ⅱ－テーマ01	Ⅲ－第3章	2－CHAPTER12

問題──〈解答149ページ・解説151ページ〉──

◆重要な指示やキーワードには、印や下線を入れます。◆
⇒会計期間や端数処理は、計算する際に必要なので、チェックしておきましょう。

月商株式会社の20×4年度（自20×4年4月1日至20×5年3月31日）における〔Ⅰ〕決算整理前残高試算表および〔Ⅱ〕期末整理事項等にもとづいて、答案用紙の貸借対照表を完成しなさい。

[解答上の注意事項]
1. 計算の過程で端数が出る場合は、その都度千円未満を四捨五入すること。
2. 税効果会計を適用する場合の法定実効税率は30%である。また、ことわり書きのない限り、税効果会計は適用しない。
3. 決算日の直物為替相場は1ドル125円である。
4. ？については各自推定すること。

答えを要求されている貸借対照表項目の変動額を記入します。

〔Ⅰ〕決算整理前残高試算表

決算整理前残高試算表
20×5年3月31日 （単位：千円）

	借方科目	金額	貸方科目	金額	
△4,620 2,000	現金預金	80,850	支払手形	24,000	
	受取手形	36,000	買掛金	32,000	
	売掛金	75,000	仮受金	54,000	
	有価証券	？	貸倒引当金	8,190	
	商品	105,000	リース債務	20,000 ？	
	仮払金	5,500	長期（前受収益）3,125	？	△1,250
	仮払法人税等	21,000	長期借入金	69,000	6,000
	建物	330,000	退職給付引当金	20,750	△5,500 6,300
	備品	180,000	建物減価償却累計額	132,000	11,000
	土地	900,000	備品減価償却累計額	92,500	8,000 16,875
△11,250	ソフトウェア	30,000	資本金	900,000	25,000
	長期貸付金	100,000	資本準備金	105,000	25,000
	繰延税金資産	10,500 9,000	その他資本剰余金	80,000	
△24,000	自己株式	32,000	利益準備金	115,000	
	売上原価	820,000	繰越利益剰余金	55,435	
	販売費	100,000	新株予約権	26,000	△20,000
	一般管理費	110,000	売上	1,227,000	
	貸倒損失	7,700	受取配当金	2,000	
	支払利息	1,500	受取利息	1,000	
		？		？	

〔Ⅱ〕期末整理事項等
1. 20×5年1月1日に次の為替予約1,400千ドルを行っている。決済日はいずれも20×5年12月31日である。予約日の先物相場は117円であり、決算日の先物為替相場は124円である。なお、為替予約は独立処理による。
 (1) 長期借入金600千ドル（69,000千円）について、翌期に返済期限が迫っており、円安が進んでいるため、為替予約を行った。予約日の直物為替相場は1ドル118円であった。
 (2) ネット通販部門の立ち上げのため米国ソフト開発業者に発注していたソフトウェアが来期に納入予定となっており、この支払いに備えるため800千ドルの為替予約を行った。この為替予約は、ヘッジ会計の要件を満たしている。ヘッジ手段に係る評価差額については、税効果会計を適用する。
2. 期末商品のうち、以下のX商品とY商品以外の商品には棚卸減耗は生じておらず、正味売却価額は取得原価を上回っている。なお、Y商品の実地棚卸高のうち10個は品質低下のため、@250千円と評価した。

種類	帳簿棚卸数量	実地棚卸数量	取得原価	正味売却価額	
X商品	250個	245個	@100千円	@ 80千円	
Y商品	50個	49個	@600千円	@700千円	）95,500

3．貸倒引当金

貸引 2,700 ／ 貸損 2,700

(1) 期中に売掛金7,700千円が貸倒れたさい、全額貸倒損失として処理していたが、このうち当期の売掛金は5,000千円であった。なお、過去5年間の貸倒実績率の単純平均値を用いて貸倒引当金を設定しているが、前期末は、本来2.4%とするところを2.2%で設定していたことが判明しており、過去の誤謬の訂正を行う。当期は、売上債権の期末残高に対して2.6%の貸倒引当金を差額補充法で設定する。 2,640 → 2,880　貸引 2,886

(2) 長期貸付金は、20×2年4月1日に約定利子率4%（毎期3月末払い）、20×7年3月31日に一括返済の契約で貸し付けたものである。20×4年3月31日に相手先より条件緩和の申出があり、将来の利払いを年2%に免除することとした。そのさいに貸倒懸念債権に区分し、キャッシュ・フロー見積法によって貸倒引当金の設定をしていたが、決算にあたって条件緩和後の利息の当座預金口座への振込みが確認されたため、その処理を行うとともに、相当する貸倒引当金を取り崩す。なお、前期末の貸倒引当金設定対象は売上債権と長期貸付金の期末残高のみで、期中に貸倒引当金残高に増減はない。 2,000　2,000　102,000 → 99,450
→ 96,228　貸引 3,772

4．固定資産の減価償却

(1) 期首に所有する備品のセール・アンド・リースバック取引を行い、この処理はすでに完了しているが、期末日に銀行口座からリース料が引落済みとなっており、この処理が未処理となっている。リース資産の減価償却については、保有する同種の固定資産に準じて行うこととし、耐用年数については契約日以降の経済的耐用年数とする。 ビるい 23,125 ／ ビ 40,000
C 20,000 ／ 長前収 3,125

[対象資産] 取得日：20×1年4月1日、取得原価40,000千円

[セール・アンド・リースバック取引の内容]
売却価額20,000千円、解約不能のリース期間：5年、1回のリース料4,620千円　20,000　4,620　1,000　3,620
リース料の支払い：毎年3月31日（後払い方式）、貸手の計算利子率：年5%　16,380　〃　819　3,801
所有権：リース期間終了後当社に無償で移転　12,579

(2) その他の固定資産の減価償却方法
建物：定額法、耐用年数30年、残存価額ゼロ
備品：200%定率法、耐用年数8年、残存価額ゼロ、保証率0.07909、改定償却率0.334　DTL 90
そ差 210

5．試算表中の有価証券の内訳は、次のとおりである。

種類	分類	試算表の金額	期末市価	備考	
A社株式	売買目的有価証券	9,600千円（80千ドル）	78千ドル		9,750
B社社債（額面で取得）	満期保有目的債券	5,850千円（50千ドル）	52千ドル		6,250
C社株式（前期末に取得）	その他有価証券	4,200千円	4,500千円	注1	4,500
D社株式（議決権の20%を保有）	関連会社株式	3,800千円	—	注2	1,000

(注1) その他有価証券の評価に際しては、税効果会計を適用する。全部純資産直入法による。
(注2) D社の財政状態は著しく悪化しており、同社の20×5年3月末日の純資産は5,000千円となっている。

6．当社は、確定給付型の企業年金制度を採用している。試算表上の退職給付引当金は期首残高のままであり、期首退職給付債務は120,000千円、期首年金資産は100,000千円、数理計算上の差異は、20×2年度発生分が2,500千円（主として年金資産の運用収益額が期待運用収益額を上回ったため発生した）で、20×3年度発生分が？千円である（各自推定）。当期勤務費用は7,000千円、当期掛金拠出額は5,500千円（仮払金で処理）で、当期企業年金からの支給退職金は8,000千円であった。割引率は年2%、長期期待運用収益率は年3%である。数理計算上の差異は、発生年度の翌年度から10年で償却（費用処理）を行っている。 7,000　3,000
2,400　250
150　6,300

7．試算表中のソフトウェアは、当期中に販売目的のソフトウェアの開発に成功した際にその制作費を資産計上したものである。見込有効期間は3年である。販売開始時における見込販売収益は、それぞれ20×4年度45,000千円、20×5年度40,000千円、20×6年度35,000千円である。当社では、このソフトウェア制作費を見込販売収益にもとづいて償却することとした。また、当期の販売収益は見込みどおりであった。 30,000 × 45 / 120 = 11,250

8．新株予約権のうち帳簿価額20,000千円について権利行使されたため、新株350株の発行と所有する自己株式のうち150株（帳簿価額24,000千円）の処分を行っていたが、権利行使に伴う払込金54,000千円を仮受金として処理しただけで、未処理となっている。なお、会社法の定める最低額を資本金とすることとする。

9．販売費の経過分800千円、一般管理費の未経過分950千円、受取利息の経過分900千円を経過勘定として計上する。

10．当期の法人税、住民税及び事業税43,200千円を計上する。仮払法人税等は、前年度の申告額にもとづいて支払った中間納付額である。また、税効果会計を適用する。当期末において、繰延税金資産の回収可能性を評価した結果、貸借対照表に計上すべき繰延税金資産（繰延税金負債との相殺前）は10,500千円と判断された。 未法 22,200

貸引：貸倒引当金、貸損：貸倒損失、びるい：備品減価償却累計額、ビ：備品、C：現金預金、
長前収：長期前受収益、DTL：繰延税金負債、そ差：その他有価証券評価差額金、未法：未払法人税等

166

為替 6,000 | 長借 6,000
為予 4,200 | 為替 4,200

為予 5,600 | DTL 1,680
        | 繰ヘ 3,920

為替予約は慎重に解く必要が
あるため仕訳しましょう。

為替：為替差損益、長借：長期借入金、為予：為替予約、DTL：繰延税金負債、繰ヘ：繰延ヘッジ損益

プラス
ワン予想

合格る下書用紙

合格る下書用紙
プラスワン予想〈会計学〉はこうやって書こう！

第2問 ─〈解答150ページ・解説158ページ〉─

◆重要な指示やキーワードには、印や下線を入れます。◆
⇒会計期間や端数処理は、計算する際に必要なので、チェックしておきましょう。

　当社の下記資料にもとづいて、答案用紙の当期（20×7年3月期）に開示する遡及処理後の損益計算書（一部）を完成しなさい。なお、決算日は毎年3月31日（会計期間は1年）であり、当社は、2期分の財務諸表を開示している。

（資　料）
1．当期より、通常の販売目的で保有する商品の評価方法を総平均法から先入先出法に変更した。この変更は会計方針の変更に該当するため遡及適用する。なお、総平均法で評価した前期の売上原価は504,000千円であった。

△ 2,400

	個　数	単　価	
期首商品棚卸高			
総平均法	20個	1,680千円	33,600
先入先出法	20個	1,800千円	36,000 ↓2,400
当期商品仕入高（日付順）			
第1回仕入	50個	1,800千円	90,000
第2回仕入	40個	1,760千円	70,400
第3回仕入	60個	1,840千円	110,400
第4回仕入	80個	1,880千円	150,400
第5回仕入	70個	1,920千円	134,400
当期商品売上数量	290個		末 30 @1920 57,600　　売原 534,000

遡及適用の影響額をメモします。

2．20×3年4月1日に取得した備品24,000千円を耐用年数8年、残存価額ゼロ、定額法により前期末まで3年間減価償却してきたが、当期首に当期首からの残存耐用年数を3年に変更した。　15,000 ÷ 3年 = 5,000

3．20×4年4月1日に取得した機械60,000千円を耐用年数10年、残存価額ゼロ、200％定率法により前期末まで2年間減価償却してきたが、当期から減価償却方法を定額法に変更した。
0.2
38,400 ÷ 8年 = 4,800

会計方針変更後の金額を計算してメモします。

末：期末商品棚卸高、売原：売上原価

第3問 〈解答150ページ・解説160ページ〉

◆重要な指示やキーワードには、印や下線を入れます。◆
⇒会計期間や端数処理は、計算する際に必要なので、チェックしておきましょう。

次の［**資料**］(a)～(g)は、W株式会社における20×6年度（20×6年4月1日から20×7年3月31日まで）の決算に際して確認された、会計上の資産・負債と税務上の資産・負債との関係について説明した文章である。なお、将来の予定実効税率は、前期末において35%、当期末において30%と見積もられた。

［**資料**］

永 (a) 当期において受取配当金のうち、益金に算入されない金額が48,000千円あった。

減 (b) 前期末に売掛金960,000千円に対して19,200千円の貸倒引当金を設定したが、税務上は損金不算入であった。また、当期末に売掛金1,344,000千円に対して20,160千円の貸倒引当金を設定したが、税務上は損金不算入であった。

永 (c) 当期において寄付金のうち、損金に算入されない金額が72,000千円あった。

減 (d) 取得原価1,152,000千円の備品（20×4年4月1日に取得）について、残存価額はゼロ、耐用年数6年（税法上の耐用年数は8年である）とする定額法により、減価償却を行っている。 会576,000 税720,000

加 (e) 取得原価1,440,000千円（うち国庫補助金の受入れによる分が576,000千円ある）の機械（20×5年4月1日に取得）について、残存価額はゼロ、耐用年数8年（税法上も同じ）とする定額法により、減価償却を行っている。なお、当該機械は積立金方式により圧縮記帳を行っている。 会1,080,000 税648,000

加 (f) 20×5年3月1日に取得したその他有価証券（甲社株式）の取得原価は43,200千円、前期末の時価は44,640千円、当期末の時価は48,960千円であった。なお、その他有価証券の評価差額は全部純資産直入法により処理している。

加 (g) 20×7年6月に予定されている機械装置のドル建て輸入代金の支払いをヘッジするため、当期にドル買・円売の為替予約を行った。為替予約締結時点で、当該輸入取引は、実行される可能性が高く、ヘッジ会計の要件を満たしているものとする。当該為替予約の当期末時価は総額で2,400千円（借方）である。

以上の資料から、以下の**問**に答えなさい。

問1 上記の(d)と(e)について、当期末における会計上と税務上の資産簿価の差異の金額を求めなさい。

問2 上記のうち、将来減算一時差異について説明した文章はどれですか。当てはまるものを全て選び、その記号を答案用紙に記入しなさい。

問3 当期末における繰延税金資産、繰延税金負債および法人税等調整額の金額を求めなさい。なお、繰延税金資産および繰延税金負債は相殺せずに解答し、法人税等調整額が貸方残高になる場合には金額の前に△印を付すこと。

問4 繰越欠損金について、税効果会計を適用しようとする場合、とくに留意すべき事項はどのようなものであるか。以下の文章に入る適切な4文字を答えなさい。

繰越欠損金について、税効果会計を適用しようとする場合、将来の［課税所得］と相殺可能か否か留意する。

永久差異、将来減算一時差異、将来加算一時差異のどれに当てはまるかをメモします。

会計上の資産負債の金額と、税務上の資産負債の金額をメモします。

永：永久差異、減：将来減算一時差異、加：将来加算一時差異、会：会計上の資産・負債、税：税務上の資産・負債

2024年度

日商簿記検定試験対策

第168回試験をあてる
TAC直前予想模試

解答・解答への道

1 級 ― II

工業簿記・原価計算

プラスワン予想

目標得点

第1目標　41点
第2目標　50点

答に示した A B C マークを活用し、
絶対に落としてはいけない A のすべてと、
できれば落としたくない B のうち半分は得点し、
目標得点に到達できるまで繰り返し解きましょう。

TAC 簿記検定講座

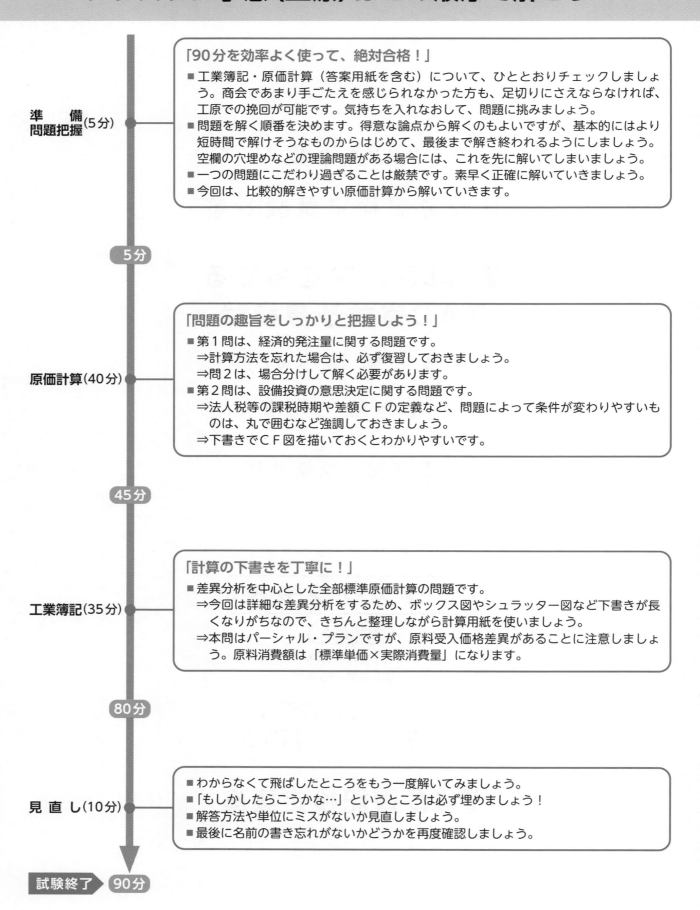

合格るタイムライン
プラスワン予想（工原）はこの順序で解こう！

準備問題把握(5分)

「90分を効率よく使って、絶対合格！」
- 工業簿記・原価計算（答案用紙を含む）について、ひととおりチェックしましょう。商会であまり手ごたえを感じられなかった方も、足切りにさえならなければ、工原での挽回が可能です。気持ちを入れなおして、問題に挑みましょう。
- 問題を解く順番を決めます。得意な論点から解くのもよいですが、基本的にはより短時間で解けそうなものからはじめて、最後まで解き終われるようにしましょう。空欄の穴埋めなどの理論問題がある場合には、これを先に解いてしまいましょう。
- 一つの問題にこだわり過ぎることは厳禁です。素早く正確に解いていきましょう。
- 今回は、比較的解きやすい原価計算から解いていきます。

5分

原価計算(40分)

「問題の趣旨をしっかりと把握しよう！」
- 第1問は、経済的発注量に関する問題です。
  ⇒計算方法を忘れた場合は、必ず復習しておきましょう。
  ⇒問2は、場合分けして解く必要があります。
- 第2問は、設備投資の意思決定に関する問題です。
  ⇒法人税等の課税時期や差額ＣＦの定義など、問題によって条件が変わりやすいものは、丸で囲むなど強調しておきましょう。
  ⇒下書きでＣＦ図を描いておくとわかりやすいです。

45分

工業簿記(35分)

「計算の下書きを丁寧に！」
- 差異分析を中心とした全部標準原価計算の問題です。
  ⇒今回は詳細な差異分析をするため、ボックス図やシュラッター図など下書きが長くなりがちなので、きちんと整理しながら計算用紙を使いましょう。
  ⇒本問はパーシャル・プランですが、原料受入価格差異があることに注意しましょう。原料消費額は「標準単価×実際消費量」になります。

80分

- わからなくて飛ばしたところをもう一度解いてみましょう。
- 「もしかしたらこうかな…」というところは必ず埋めましょう！
- 解答方法や単位にミスがないか見直しましょう。
- 最後に名前の書き忘れがないかどうかを再度確認しましょう。

見直し(10分)

試験終了 ▶ 90分

解答 目標21点

〔問1〕（注）各差異分析表の（　　）内には、「借」または「貸」を記入する。ただし、金額が0の場合は
（　　）内に「－」と記入のこと（〔問2〕も同様）。

原　　料				（単位：円）
月 初 有 高	（ 974,000 ）	当 月 消 費	（❶Ⓐ 3,017,000 ）	
当 月 購 入	（ 3,001,000 ）	月 末 有 高	（ 958,000 ）	
	（ 3,975,000 ）		（ 3,975,000 ）	

仕 掛 品				（単位：円）
直 接 材 料 費	（ 3,017,000 ）	完 成 品	（❷Ⓐ 9,000,000 ）	
直 接 労 務 費	（ 1,932,700 ）	総 差 異	（ 139,700 ）	
製 造 間 接 費	（ 4,190,000 ）			
	（ 9,139,700 ）		（ 9,139,700 ）	

原料受入価格差異一覧表

原　料	原料受入価格差異		
X	40,000	円 （ 借 ）
Y	6,650	円 （ 借 ）
Z	❷Ⓐ 12,150	円 （ 貸 ）
合　計	34,500	円 （ 借 ）

原料消費量差異分析表

原　料	原料消費量差異			原料配合差異			原料歩留差異		
X	60,000	円 （ 借 ）		30,000	円 （ 借 ）		❷Ⓐ 30,000	円 （ 借 ）
Y	108,000	円 （ 貸 ）		❷Ⓐ 168,000	円 （ 貸 ）		60,000	円 （ 借 ）
Z	65,000	円 （ 借 ）		55,000	円 （ 借 ）		❷Ⓐ 10,000	円 （ 借 ）
合　計	17,000	円 （ 借 ）		83,000	円 （ 貸 ）		100,000	円 （ 借 ）

直接労務費差異分析表

Ⓐ 労働賃率差異			労働時間差異			Ⓐ 労働能率差異			労働歩留差異		
❷ 75,300	円 （ 貸 ）		88,000	円 （ 借 ）		❷ 24,000	円 （ 借 ）		64,000	円 （ 借 ）

製造間接費差異分析表

消　費　差　異			製造間接費能率差異			Ⓐ 不働能力差異		
127,000	円 （ 貸 ）		187,000	円 （ 借 ）		❷ 50,000	円 （ 借 ）

純粋な製造間接費能率差異			製造間接費歩留差異		
51,000	円 （ 借 ）		❷Ⓑ 136,000	円 （ 借 ）

〔問2〕

原料消費量差異分析表

原　料	原料配合差異			原料歩留差異		
X	❷Ⓑ 0	円 （ － ）		60,000	円 （ 借 ）
Y	18,000	円 （ 貸 ）		❷Ⓑ 90,000	円 （ 貸 ）
Z	❷Ⓑ 65,000	円 （ 貸 ）		130,000	円 （ 借 ）
合　計	83,000	円 （ 貸 ）		100,000	円 （ 借 ）

●数字は採点基準　合計25点

プラスワン予想

工業簿記

解答 目標20点

第1問

問1

経 済 的 発 注 量	❷ Ⓐ	2,250 kg

問2

発　　注　　量	❷ Ⓐ	2,000 kg
年 間 発 注 費	❶ Ⓐ	860,625 円
年 間 保 管 費	❷ Ⓐ	780,000 円

第2問

問1

(単位：個)

	20×5年度	20×6年度	20×7年度	20×8年度	20×9年度
製 造 ・ 販 売 量	50,000	47,500	45,000	❷ Ⓐ 42,500	40,000

問2

(単位：万円)

	20×5年度末	20×6年度末	20×7年度末	20×8年度末	20×9年度末
差額キャッシュ・フロー	❷ Ⓐ △350	△175	0	❷ Ⓐ 175	700

正 味 現 在 価 値	❷ Ⓐ	210.385 万円

問3

年々の差額キャッシュ・フロー1年分	❸ Ⓑ	1,065 万円
プロジェクト終了にともなう差額キャッシュ・フロー	❷ Ⓑ	175 万円
正 味 現 在 価 値	❷ Ⓑ	920.356 万円

問4

正 味 現 在 価 値	❸ Ⓑ	573.016 万円

●数字は採点基準　合計25点

〔問1〕原料勘定および仕掛品勘定（パーシャル・プラン）の作成と各種差異分析

1 原料受入価格差異の計算と原料Zの標準単価の推定

各原料の実際購入原価を計算すると以下のとおりになる。

	購入代価（送状価額）	引 取 運 賃(*)	実際購入原価
原 料 X	1,015,000円	@25円×1,000kg＝25,000円	1,040,000円
原 料 Y	1,569,400円	@25円×1,330kg＝33,250円	1,602,650円
原 料 Z	372,600円	@25円×810kg＝20,250円	392,850円
合 　 計	2,957,000円	78,500円	3,035,500円

(*) 引取運賃は購入量にもとづき実際配賦する。
　　実際配賦率：78,500円÷（1,000kg＋1,330kg＋810kg）＝@25円

本問では、原料価格差異を受入時に把握していることから、各原料について原料受入価格差異を把握する。そこで、答案用紙に記載済みの原料受入価格差異の合計34,500円〔借〕を用いて、原料Zの標準単価を逆算する。

原料Zの標準単価をP（円）とおくと、各原料の原料受入価格差異は次のとおりになる。

原料X：@1,000円×1,000kg－1,040,000円＝ **（－）40,000円**〔借〕
原料Y：@1,200円×1,330kg－1,602,650円＝ **（－）6,650円**〔借〕
原料Z：@　P　円× 810kg－ 392,850円＝ <u>810P－392,850円</u>

合　　計　　<u>（－）34,500円〔借〕</u> ← 答案用紙の差異分析表より

∴ （－）40,000円＋（－）6,650円＋（810P－392,850）円＝（－）34,500円

上記の式を解くことで、P＝500（円）と求められる。

したがって、原料Zの原料受入価格差異を改めて計算すると、次のとおりとなる。

原料Z：@500円×810kg－392,850円＝ **（＋）12,150円**〔貸〕

2 正常減損率の把握

原 料 X	3kg	（標準配合割合30％）
原 料 Y	5kg	（標準配合割合50％）
原 料 Z	2kg(*)	（標準配合割合20％）　(*) $\underbrace{10kg}_{投入量合計}-\underbrace{3kg}_{原料X}-\underbrace{5kg}_{原料Y}=2kg$
投入量合計	10kg	
減　　損	2kg	← ┐
産 出 量	8kg	┘ 正常減損率25％（＝2kg÷8kg）

3 原価標準の設定 （製品Ａ１kgあたり・第２法）

正常減損率25%をもとに、正常減損費を含まない正味標準製造原価に正常減損費を特別費として加算する方法（いわゆる第２法）により原価標準を設定すると以下のようになる。

直接材料費：原料Ｘ；@1,000円	× 0.3kg(*1)	=	300円	
原料Ｙ；@1,200円	× 0.5kg(*1)	=	600円	
原料Ｚ；@ 500円	× 0.2kg(*1)	=	100円	
計 1.0kg			1,000円	← 加重平均標準単価
直接労務費： @1,600円	× 0.4時間(*2)	=	640円	
製造間接費：変動費；@1,400円(*3)	× 0.4時間(*2)	=	560円	
固定費；@2,000円(*4)	× 0.4時間(*2)	=	800円	
製品Ａ１kgあたりの正味標準製造原価			3,000円	
正常減損費： @3,000円	× 25%	=	750円	
製品Ａ１kgあたりの総標準製造原価			3,750円	

(*1) 正味原料消費量：原料Ｘ；3kg÷10kg=0.3kg
　　　　　　　　　　　原料Ｙ；5kg÷10kg=0.5kg
　　　　　　　　　　　原料Ｚ；2kg÷10kg=0.2kg
(*2) 正味直接作業時間：4時間÷10kg=0.4時間
(*3) 製造間接費変動費率：21,504,000円÷15,360時間=@1,400円
(*4) 製造間接費固定費率：30,720,000円÷15,360時間=@2,000円

4 原料勘定の記入

仕掛品勘定はパーシャル・プランで記帳するが、原料受入価格差異を把握しているため、原料消費額（＝仕掛品勘定への振替額）は「標準単価×実際消費量」で計算される。

原料Ｘ	
月　初 220kg	消　費 960kg
購　入 1,000kg	月　末 260kg

原料Ｙ	
月　初 470kg	消　費 1,410kg
購　入 1,330kg	月　末 390kg

原料Ｚ	
月　初 380kg	消　費 730kg
購　入 810kg	月　末 460kg

	原料Ｘ		原料Ｙ		原料Ｚ		
月初有高：	1,000円/kg× 220kg	+	1,200円/kg× 470kg	+	500円/kg×380kg	=	974,000円
当月購入：	1,000円/kg×1,000kg	+	1,200円/kg×1,330kg	+	500円/kg×810kg	=	3,001,000円
当月消費：	1,000円/kg× 960kg	+	1,200円/kg×1,410kg	+	500円/kg×730kg	=	3,017,000円
月末有高：	1,000円/kg× 260kg	+	1,200円/kg× 390kg	+	500円/kg×460kg	=	958,000円

5 **生産データの整理**（（　　）内の数値は、直接労務費・製造間接費の完成品換算量を示す）

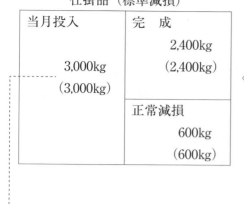

仕掛品（標準減損）

当月投入	完　成
3,000kg （3,000kg）	2,400kg （2,400kg）
	正常減損 600kg （600kg）

←異常を除外

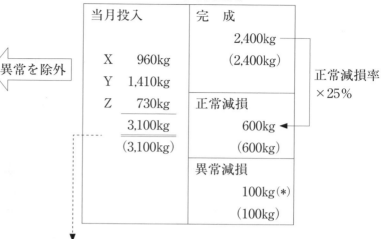

仕掛品（実際減損）

当月投入	完　成
X　　960kg Y　1,410kg Z　　730kg 3,100kg （3,100kg）	2,400kg （2,400kg）
	正常減損 600kg （600kg）
	異常減損 100kg（*） （100kg）

正常減損率
×25％

標準投入量にもとづく標準消費量：
- 原　料　X：3,000kg×0.3kg　＝　900kg
- 原　料　Y：3,000kg×0.5kg　＝1,500kg
- 原　料　Z：3,000kg×0.2kg　＝　600kg
- 直接作業時間；3,000kg×0.4時間＝1,200時間

実際投入量にもとづく標準消費量：
- 原　料　X：3,100kg×0.3kg　＝　930kg
- 原　料　Y：3,100kg×0.5kg　＝1,550kg
- 原　料　Z：3,100kg×0.2kg　＝　620kg
- 直接作業時間；3,100kg×0.4時間＝1,240時間

（＊）異常減損量：実際投入量3,100kg－完成品量2,400kg－正常減損量600kg＝100kg

6 **仕掛品勘定の記入**

パーシャル・プランであるため、当月消費額（直接労務費・製造間接費）は実際発生額を記入する。
- 直接材料費：**3,017,000円**（解説**4**より）
- 直接労務費：**1,932,700円**
- 製造間接費：1,590,000円＋2,600,000円＝**4,190,000円**
- 完　成　品：3,750円/kg×2,400kg＝**9,000,000円**　もしくは　3,000円/kg×（2,400kg＋600kg）＝**9,000,000円**
- 総　差　異：**139,700円**（仕掛品勘定の貸借差額）

ここ重要！

■標準原価計算の勘定記入方法（仕掛品勘定への振替額）

	直接材料費	直接労務費*	製造間接費*
シングル・プラン	標準原価	標準原価	標準原価
パーシャル・プラン	実際発生額	実際発生額	実際発生額
修正パーシャル・プラン	標準価格×実際消費量	標準賃率×実際時間	実際発生額

＊　直接労務費と製造間接費をあわせて加工費とすることもあります。

7 原料消費量差異分析（原料別の標準単価を用いての原料配合差異・原料歩留差異の分析）

(1) 原料X

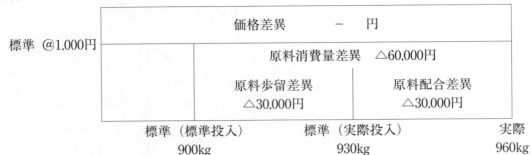

原料消費量差異：@1,000円 × (900kg − 960kg) = (−)**60,000円** 〔借〕

原料配合差異：@1,000円 × (930kg − 960kg) = (−)**30,000円** 〔借〕

原料歩留差異：@1,000円 × (900kg − 930kg) = (−)**30,000円** 〔借〕

(2) 原料Y

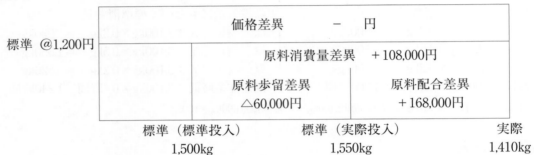

原料消費量差異：@1,200円 × (1,500kg − 1,410kg) = (＋)**108,000円** 〔貸〕

原料配合差異：@1,200円 × (1,550kg − 1,410kg) = (＋)**168,000円** 〔貸〕

原料歩留差異：@1,200円 × (1,500kg − 1,550kg) = (−)**60,000円** 〔借〕

(3) 原料Z

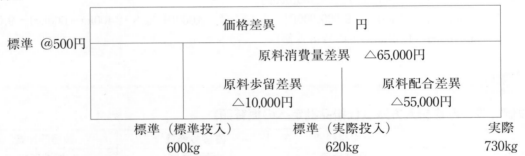

原料消費量差異：@500円 × (600kg − 730kg) = (−)**65,000円** 〔借〕

原料配合差異：@500円 × (620kg − 730kg) = (−)**55,000円** 〔借〕

原料歩留差異：@500円 × (600kg − 620kg) = (−)**10,000円** 〔借〕

8 直接労務費差異分析

標準 @1,600円

労働賃率差異　＋75,300円	
労働時間差異　△88,000円	
労働歩留差異 △64,000円	労働能率差異 △24,000円

標準（標準投入） 1,200時間	標準（実際投入） 1,240時間	実際 1,255時間

（＊）実際賃率：1,932,700円 ÷ 1,255時間 ＝ @1,540円

労 働 賃 率 差 異：（@1,600円 － @1,540円）× 1,255時間 ＝（＋）**75,300円**〔貸〕
労 働 時 間 差 異：@1,600円 ×（1,200時間 － 1,255時間）＝（－）**88,000円**〔借〕
労 働 能 率 差 異：@1,600円 ×（1,240時間 － 1,255時間）＝（－）**24,000円**〔借〕
労 働 歩 留 差 異：@1,600円 ×（1,200時間 － 1,240時間）＝（－）**64,000円**〔借〕

9 製造間接費差異分析

本問における製造間接費差異分析では、予算差異を消費差異、操業度差異を不働能力差異としています。

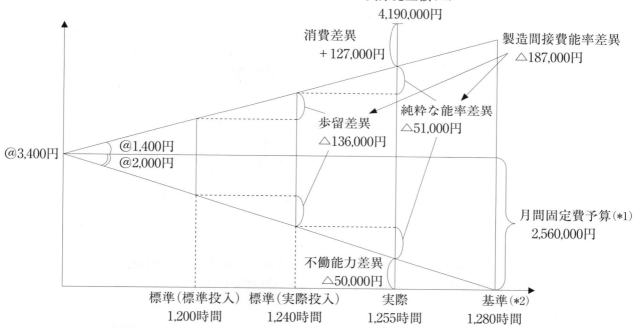

（＊1）月間固定製造間接費予算額：30,720,000円 ÷ 12か月 ＝ 2,560,000円
（＊2）月間基準操業度：15,360時間 ÷ 12か月 ＝ 1,280時間
（＊3）製造間接費実際発生額：1,590,000円 ＋ 2,600,000円 ＝ 4,190,000円

消　　　費　　　差　　　異：@1,400円 × 1,255時間 ＋ 2,560,000円 － 4,190,000円 ＝（＋）**127,000円**〔貸〕
不　働　能　力　差　異：@2,000円 ×（1,255時間 － 1,280時間）＝（－）**50,000円**〔借〕
製 造 間 接 費 能 率 差 異：@3,400円 ×（1,200時間 － 1,255時間）＝（－）**187,000円**〔借〕
純粋な製造間接費能率差異：@3,400円 ×（1,240時間 － 1,255時間）＝（－）**51,000円**〔借〕
製 造 間 接 費 歩 留 差 異：@3,400円 ×（1,200時間 － 1,240時間）＝（－）**136,000円**〔借〕

〔問2〕加重平均標準単価を用いての原料配合差異・原料歩留差異の分析

(1) 原料X

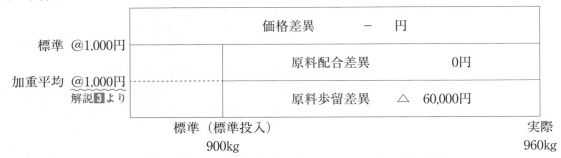

原料配合差異：(@1,000円 − @1,000円) × (900kg − 960kg) = **0円**〔ー〕

原料歩留差異：@1,000円 × (900kg − 960kg) = **(ー)60,000円**〔借〕

(2) 原料Y

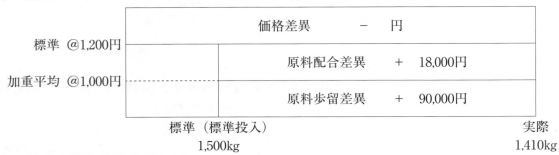

原料配合差異：(@1,200円 − @1,000円) × (1,500kg − 1,410kg) = **(＋)18,000円**〔貸〕

原料歩留差異：@1,000円 × (1,500kg − 1,410kg) = **(＋)90,000円**〔貸〕

(3) 原料Z

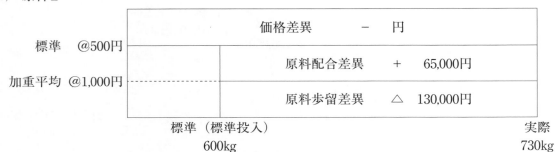

原料配合差異：(@500円 − @1,000円) × (600kg − 730kg) = **(＋)65,000円**〔貸〕

原料歩留差異：@1,000円 × (600kg − 730kg) = **(ー)130,000円**〔借〕

Link

出題内容	出題論点	合格テキスト 合格トレーニング	スッキリわかる	簿記の教科書 簿記の問題集
標準原価計算 (配合・歩留分析)	仕掛品勘定の記入（パーシャル・プラン）	Ⅱ−テーマ06 〜08	Ⅱ−第6〜10章	2−CHAPTER06 〜09
	原料別の標準単価を用いる分析	Ⅱ−テーマ06 〜08	Ⅱ−第6〜10章	2−CHAPTER06 〜09
	加重平均標準単価を用いる分析	Ⅱ−テーマ06 〜08	Ⅱ−第6〜10章	2−CHAPTER06 〜09
	直接労務費と製造間接費の差異分析	Ⅱ−テーマ06 〜08	Ⅱ−第6〜10章	2−CHAPTER06 〜09

第1問　経済的発注量の計算

問1　材料の経済的発注量

発注1回あたりの発注量をQ（kg）とすると、

年間発注費：$\dfrac{4,590,000}{Q} \times 375$

年間保管費：$\dfrac{Q}{2} \times 680$(*)

（＊）材料1kg当たりの年間保管費560円＋資本コスト120円（＝2,000円×6％）＝680円

経済的発注量は「年間発注費＝年間保管費」を解いて算定する。

$$\dfrac{4,590,000}{Q} \times 375 = \dfrac{Q}{2} \times 680$$

$$340\,Q^2 = 1,721,250,000$$

$$Q^2 = 5,062,500$$

$$Q = \mathbf{2,250}\ \textbf{(kg)}$$

ここ重要！

■経済的発注量の計算方法

経済的発注量：発注費＝保管費

	意義	計算方法（一回あたりの発注量をQとおく）
発注費	材料の発注1回あたりに要する費用 （例）郵便料金、事務用消耗品費、外部業者に支払う作業賃金など	発注費/回×発注回数 ＝発注費/回×$\dfrac{材料必要量}{Q}$
保管費	材料の保管1個あたりに要する費用 （例）火災保険料、在庫品に対する資本コストなど	保管費/kg×平均在庫量 ＝保管費/kg×$\dfrac{Q}{2}$

問2　最も有利な発注量の計算

1 比較する代替案の決定

　まず、倉庫の保管能力の制約を考慮しない場合には、**問1**の結果から在庫品関係費用（年間発注費と年間保管費）の合計を最小にする発注量は2,250kgである。この2,250kgを境に発注量が大きくなっても小さくなっても在庫品関係費用の合計は逓増することから、発注量が2,250kg未満になる場合は、大きい発注量ほど有利であり、逆に発注量が2,250kg超になる場合は、小さい発注量ほど有利になる（次の図参照）。

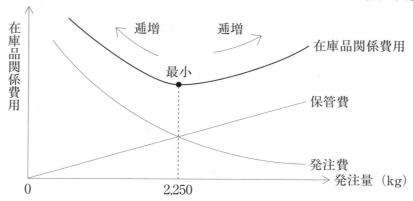

したがって、倉庫の保管能力を考慮する場合には、賃借料が不要となる1,500kgまでの発注案と、賃借料が必要となる1,500kg超での発注案とを比較する必要があり、後者の場合には、賃借料を差額原価として考慮しなければならない。

したがって、賃借料の有無、またその程度を考慮すれば、次の3つの発注量について年間発注費と年間保管費（賃借料を含む）の合計を比較すればよい。

賃借料を支払わない場合 → 1,500kgまで　∴　最も大きい1,500kgでの発注が最も有利

賃借料を500kg分支払う場合 → 1,500kg超2,000kgまで　∴　最も大きい2,000kgでの発注が最も有利

賃借料を1,000kg分支払う場合 → 2,000kg超2,500kgまで　∴　問1の経済的発注量2,250kgでの発注が最も有利

2 最も有利な代替案の選択

1,500kgずつ発注する場合：

年間発注費；4,590,000kg ÷ 1,500kg × 375円/回 ＝ 1,147,500円

年間保管費；1,500kg ÷ 2 × 680円/kg 　　　　＝ 510,000円

　合　計　　　　　　　　　　　　　　　　　1,657,500円

2,000kgずつ発注する場合：

年間発注費；4,590,000kg ÷ 2,000kg × 375円/回 ＝ **860,625円**

年間保管費；2,000kg ÷ 2 × 680円/kg ＋ 100,000円 ＝ **780,000円**

　合　計　　　　　　　　　　年間賃借料　　1,640,625円　… 最小

2,250kgずつ発注する場合：

年間発注費；4,590,000kg ÷ 2,250kg × 375円/回 ＝ 765,000円

年間保管費；2,250kg ÷ 2 × 680円/kg ＋ 100,000円 × 2 ＝ 965,000円

　合　計　　　　　　　　年間賃借料　　　　1,730,000円

上記の比較から、**2,000kg**ずつ発注する場合が最も有利な発注となる。

第2問　設備投資の意思決定

問1　現有設備のみをそのまま使い続けるという現状維持案での各年度の製造・販売量

現有設備をそのまま使い続ける場合には、次年度（20×6年度）から年間2,500個ずつ製造・販売量が減少していく。

20×6年度：50,000個 － 2,500個 ＝ **47,500個**

20×7年度：47,500個 － 2,500個 ＝ **45,000個**

20×8年度：45,000個 － 2,500個 ＝ **42,500個**

20×9年度：42,500個 － 2,500個 ＝ **40,000個**

問2　案1を採用した場合における各年度の差額キャッシュ・フローと正味現在価値

1 各年度の差額キャッシュ・フロー

案1を採用した場合、毎年度末に500万円のメンテナンス費用（現金支出費用）をかけることで、次の1年間は生産能力を維持することができる。したがって、当年度末（20×5年度末）から4年間繰り返してメンテナンスを行えば年間の製造量は50,000個を維持できる。

なお、問題文に『差額キャッシュ・フローとは「現有設備のみをそのまま使い続けるという現状維持案」を基準にして、各代替案を採用した場合に異なってくるキャッシュ・フローのことをいう』との指示があることから、本問にて計上すべきキャッシュ・フローは、現状維持案に比べて追加的に生じるキャッシュ・フローである。つまりメンテナンス費用のほか、問1と比べて増加する製造・販売量にともなうキャッシュ・フローだけを考慮し、現状維持案での製造・販売量分と耐用年数経過後の現有設備の売却から生じるキャッシュ・フローは考慮する必要がない（問3も同じ）。

(1) 税引後メンテナンス費用（キャッシュ・フロー図の①）

メンテナンス費用は20×5年度末から支出が開始するので注意すること。

20×5年度末：500万円×（1－0.3）＝（－）350万円

20×6年度末：500万円×（1－0.3）＝（－）350万円

20×7年度末：500万円×（1－0.3）＝（－）350万円

20×8年度末：500万円×（1－0.3）＝（－）350万円

(2) 現状維持案と比べて増加する製造・販売量にともなうキャッシュ・フロー（キャッシュ・フロー図の②）

20×6年度：（3,000円/個－2,000円/個）×（50,000個－47,500個）×（1－0.3）＝（＋）175万円

20×7年度：（3,000円/個－2,000円/個）×（50,000個－45,000個）×（1－0.3）＝（＋）350万円

20×8年度：（3,000円/個－2,000円/個）×（50,000個－42,500個）×（1－0.3）＝（＋）525万円

20×9年度：（3,000円/個－2,000円/個）×（50,000個－40,000個）×（1－0.3）＝（＋）700万円

(3) 合計（各年度の差額キャッシュ・フロー）

20×5年度末：**（－）350万円**

20×6年度末：（－）350万円＋（＋）175万円＝**（－）175万円**

20×7年度末：（－）350万円＋（＋）350万円＝**0万円**

20×8年度末：（－）350万円＋（＋）525万円＝**（＋）175万円**

20×9年度末：**（＋）700万円**

2 正味現在価値の計算

正味現在価値：（－）350万円＋（－）175万円×0.9524＋（＋）175万円×0.8638＋（＋）700万円×0.8227

　　　　　　＝ **（＋）210.385万円**

〈キャッシュ・フロー図〉

（単位：万円）

問3 案2を採用した場合（○数字はキャッシュ・フロー図での番号を示す）

1 20×6年度末から20×9年度末までの年々の差額キャッシュ・フロー1年分

(1) 製造・販売にともなうキャッシュ・フロー

〈現有設備をそのまま使い続けた場合の各年度の残存販売可能量〉

20×6年度：60,000個－47,500個＝12,500個

20×7年度：60,000個－45,000個＝15,000個

20×8年度：60,000個－42,500個＝17,500個

20×9年度：60,000個－40,000個＝20,000個

したがって、いずれの年度においても新設備の生産能力10,000個を上回っているため、新設備による製造・販売量は、10,000個となる。

(3,000円/個 − 1,800円/個) × 10,000個 × (1 − 0.3) = (+)840万円 （①）

(2) 新設備の減価償却にともなう法人税節約額

3,000万円 ÷ 4 年 × 0.3 = (+)225万円 （②）

(3) 合計（年々の差額キャッシュ・フロー 1 年分）

(+)840万円 + (+)225万円 = **(+)1,065万円**

2 20×9年度末のプロジェクト終了にともなう差額キャッシュ・フロー

250万円〈見積売却価額 （③）〉 − 250万円 × 0.3〈売却益にともなう法人税増加額 （④）〉 = **(+)175万円**

3 正味現在価値

(−)3,000万円 + (+)1,065万円 × (0.9524 + 0.9070 + 0.8638 + 0.8227) + (+)175万円 × 0.8227

= **(+)920.356万円**

〈キャッシュ・フロー図〉

（単位：万円）

	20×5年度末	20×6年度末	20×7年度末	20×8年度末	20×9年度末
					③ 250
		② 225	② 225	② 225	② 225
CIF		① 840	① 840	① 840	① 840
COF	3,000				④ 75
NET	△3,000	+1,065	+1,065	+1,065	+1,065
					+175

+1,014.306 ← ×0.9524

+965.955 ← ×0.9070

+919.947 ← ×0.8638

+1,020.148 ← ×0.8227

正味現在価値 　+920.356

問 4 　案 1 と案 2 を組み合わせて採用する場合の正味現在価値の計算

1 製造・販売量の組み合わせとメンテナンスの要否の決定

	現有設備	新 設 備
販売価格	3,000円/個	3,000円/個
変 動 費	2,000円/個	1,800円/個
貢献利益	1,000円/個 ＜	1,200円/個

上記のように、新設備のほうが 1 個当たりの貢献利益が大きいことから、両設備をともに稼働させなければ年間販売可能量を満たせない条件下では、新設備で10,000個製造することを優先する。

したがって、現有設備で年間45,000個（＝販売可能量55,000個 − 新設備での製造量10,000個）を製造すればよい。

次に、現有設備の年間生産能力が45,000個を下回らないようにメンテナンスの要否を決定する。年度末にメンテナンスを行わない場合は次年度の生産能力が2,500個減少するため、どこかで 2 回のメンテナンスが必要になる（回避される減少量は2,500個 × 2 回 = 5,000個）。また、割引計算を行ううえでメンテナンス費用の

184

支出は実施年度が遅ければ遅いほど利益（正味現在価値）に有利に働くことから、メンテナンスは20×7年度末と20×8年度末に行う。

	20×6年度	20×7年度	20×8年度	20×9年度
〈現有設備分〉				
必要な生産能力	45,000個	45,000個	45,000個	45,000個
			▲ メンテナンス	▲ メンテナンス
現 状 維 持 案	47,500個	45,000個	42,500個	40,000個
現状維持案との差	△2,500個	0個	＋2,500個	＋5,000個
〈新設備分〉	10,000個	10,000個	10,000個	10,000個

② 現有設備分の差額キャッシュ・フローとその正味現在価値

(1) 税引後メンテナンス費用（キャッシュ・フロー図の①）

　　20×5年度末：　－

　　20×6年度末：　－

　　20×7年度末：500万円×（1－0.3）＝（－）350万円

　　20×8年度末：500万円×（1－0.3）＝（－）350万円

(2) 現状維持案と比べて増減する製造・販売量にともなうキャッシュ・フロー（キャッシュ・フロー図の②）

　　20×6年度：（3,000円/個－2,000円/個）×（45,000個－47,500個）×（1－0.3）＝（－）175万円

　　20×7年度：　－

　　20×8年度：（3,000円/個－2,000円/個）×（45,000個－42,500個）×（1－0.3）＝（＋）175万円

　　20×9年度：（3,000円/個－2,000円/個）×（45,000個－40,000個）×（1－0.3）＝（＋）350万円

(3) 合計（各年度の差額キャッシュ・フロー）

　　20×5年度：　－

　　20×6年度末：（－）175万円

　　20×7年度末：（－）350万円

　　20×8年度末：（－）350万円＋（＋）175万円＝（－）175万円

　　20×9年度末：（＋）350万円

(4) 現有設備分の正味現在価値

　　（－）175万円×0.9524＋（－）350万円×0.9070＋（－）175万円×0.8638＋（＋）350万円×0.8227

　　＝（－）347.34万円

〈キャッシュ・フロー図〉

(単位：万円)

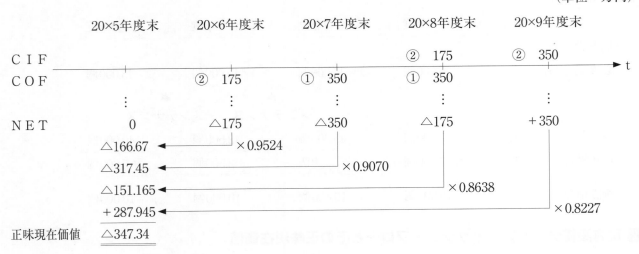

3 新設備分の正味現在価値

正味現在価値：（＋）920.356万円 … **問3**で計算済み

4 案1と案2を組み合わせた場合の正味現在価値

正味現在価値：（−）347.34万円＋（＋）920.356万円＝（＋）**573.016万円**

Link

出題内容	出題論点	合格テキスト 合格トレーニング	スッキリわかる	簿記の教科書 簿記の問題集
業務的意思決定	経済的発注量の計算	Ⅲ−テーマ10	Ⅳ−第1章	3−CHAPTER08
	段階的に発生する差額原価の認識と代替案の比較	Ⅲ−テーマ09	Ⅳ−第1章	3−CHAPTER08
設備投資の意思決定	差額キャッシュ・フローの把握	Ⅲ−テーマ11	Ⅳ−第2章	3−CHAPTER09
	税引後キャッシュ・フローの計算	Ⅲ−テーマ11	Ⅳ−第2章	3−CHAPTER09
	正味現在価値法	Ⅲ−テーマ11	Ⅳ−第2章	3−CHAPTER09
	設備の最適利用に基づく意思決定	Ⅲ−テーマ11	Ⅳ−第2章	3−CHAPTER09

問題 ──〈解答173ページ・解説175ページ〉──

◆重要な指示やキーワードには、印や下線を入れます。◆
工業簿記は、細かい指示が多いので慎重に問題文を読みます。
⇒問われている原価計算の種類や処理方法を確認します。

　当工場では原料X、YおよびZを配合して製品Aを量産しており、パーシャル・プランによる全部標準原価計算制度を採用している。当工場の原価計算制度では、原料価格差異と原料消費量差異が算出され、原料消費量差異はさらに原料配合差異と原料歩留差異に分析されている。同様に、労働賃率差異と労働時間差異が算出され、労働時間差異はさらに労働能率差異と労働歩留差異に分析され、また、消費差異と製造間接費能率差異（変動費および固定費の合計）と不働能力差異が算出され、製造間接費能率差異はさらに純粋な製造間接費能率差異と製造間接費歩留差異に分析されている。以下の〔資料1〕と〔資料2〕にもとづいて、以下の問に答えなさい。

〔資料1〕製品Aの標準原価に関するデータ
1．原料の配合割合と歩留

　製品Aは3種類の原料X、YおよびZを工程始点で配合して製造されており、その標準配合割合が定められている。製品Aを8kg製造するために要する原料X、YおよびZの標準配合による標準消費量の合計は10kgであり、そのうち原料Xと原料Yの標準消費量はそれぞれ3kg、5kgである。なお、減損は工程の終点で発生する。

> 配合割合を算定してメモします。また、材料消費量と製造できた製品量の差額から減損量を算定してメモします。

$X:Y:Z = 3:5:2$　　$10kg \begin{cases} 8kg \\ 2kg(減) \end{cases}$

2．原料費

　各原料の標準単価は、原料Xが1,000円/kg、原料Yが1,200円/kg、原料Zが500円/kgである。当社の経理規程は、原料価格差異を受入時に把握することとしている。

3．直接労務費　　$X \triangle 40,000$　$Y \triangle 6,650$　$Z 12,150$

　直接工の標準賃率は1,600円/時間である。当工場における標準直接作業時間は、配合投入される原料10kgに対して4時間である。

4．製造間接費

　当工場では、製造間接費を公式法変動予算にもとづいて設定しており、直接作業時間を配賦基準としている。当工場の年間基準操業度は15,360時間として算定されている。また、基準操業度における年間固定費予算額は30,720,000円、年間変動費予算額は21,504,000円である。なお、月間操業度および月間固定費予算額は年間の12分の1として計算している。

$F@2,000$　　$V@1,400$

〔資料2〕製品Aに関する11月の実績データ
1．11月の生産関連データ

　当月の製品Aの実際生産量は2,400kgであった。当工場では、月末に仕掛品が残らないように生産していることから、月初仕掛品および月末仕掛品はない。

2．原料費の実際発生状況

　原料の購入原価は、購入代価に引取費用（引取運賃）を加えて計算されている。当月購入量についての送状価額は、原料Xが1,015,000円、原料Yが1,569,400円、原料Zが372,600円であった。引取運賃は78,500円であり、購入量にもとづいて実際配賦する。なお、各原料の月初在庫量、当月購入量、月末在庫量および当月消費量は次のとおりであった。

$25,000$　　$33,250$　　$20,250$

原料種類	月初在庫量	当月購入量	月末在庫量	当月消費量
X	220kg	1,000kg	260kg	960kg
Y	470kg	1,330kg	390kg	1,410kg
Z	380kg	810kg	460kg	730kg

（右欄メモ）
$X \, 930$
$Y \, 1,550$
$Z \, 620$
$3,100 \leftarrow$
$労 1,240$

$完 2,400$
$正 \, 600$
$異 \, 100$
$3,000$

$X \, 900$
$Y \, 1,500$
$Z \, 600$
$労 1,200$

3．直接労務費の実際発生状況

$3,140$

　直接労務費の実際発生額は1,932,700円であった（実際直接作業時間は1,255時間）。@1,540

4．製造間接費の実際発生状況

　製造間接費の実際発生額は変動費が1,590,000円、固定費が2,600,000円であった。

> 実際消費量における標準配合割合の各原料の消費量をメモします。また、完成品から正常減損を求めて、差額を異常減損とし、標準投入量における標準配合割合の各原料の消費量をメモします。

〔問1〕答案用紙の原料勘定、仕掛品勘定および各差異分析表を完成させなさい。

〔問2〕問1の差異分析では、原料Zの配合差異は実際配合割合が標準配合割合を上回ったため不利差異となった。
だが、相対的に割安の原料Zを標準よりも多く消費しているのだから、逆に割高の他の原料の消費を抑えることとなり、結果として当工場全体の原料費はむしろ節減されているという見方もできる。そこで、加重平均標準単価を用いて、原料消費量差異を原料配合差異と原料歩留差異に分析しなさい。
@1,000

〈下書用紙〉

原価標準を算定します。正常減損を
忘れないようにしましょう。

同じボックス図を使って、問1と問2の差異分析を行います。
→問2の原料消費量差異では加重平均標準単価を用いて分析します。

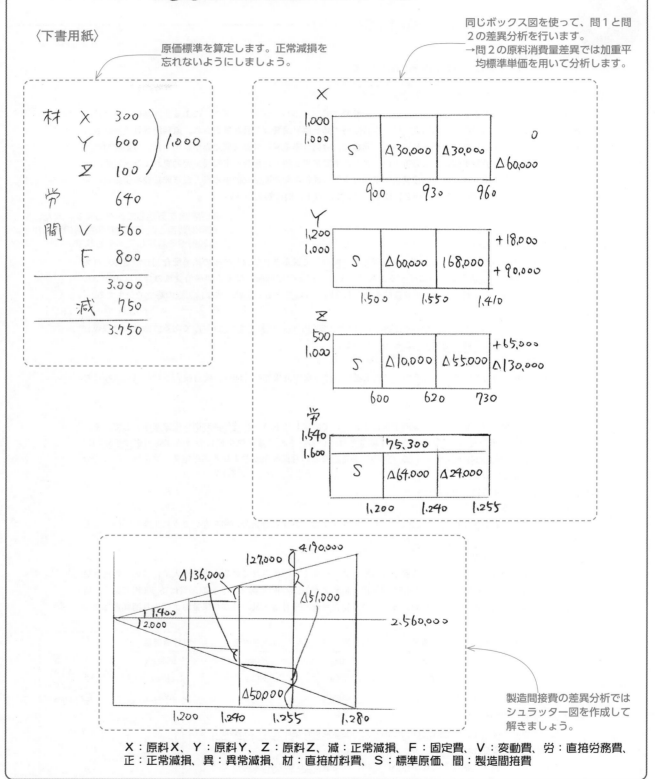

製造間接費の差異分析では
シュラッター図を作成して
解きましょう。

X：原料X、 Y：原料Y、 Z：原料Z、 減：正常減損、 F：固定費、 V：変動費、 労：直接労務費、
正：正常減損、 異：異常減損、 材：直接材料費、 S：標準原価、 間：製造間接費

188

第1問 —〈解答174ページ・解説181ページ〉—

◆重要な指示やキーワードには、印や下線を入れます。◆
原価計算は、細かい指示が多いので慎重に問題文を読みます。
⇒問われている処理方法などを確認します。

Q

　当社では、次期の在庫管理のために材料の経済的発注量を知る必要が生じた。そこで下記の資料にもとづき、以下の問に答えなさい。ただし、発注費は発注回数に比例して発生し、1kg当たりの年間保管費は平均在庫量に比例して発生するものとする。また、安全在庫量や在庫切れによる機会損失は考慮外とする。

[資　料]
(1) 材料の年間予想総消費量　4,590,000kg
(2) 材料1kg当たりの購入原価　2,000円
(3) 発注1回に要する発注費　375円
(4) 材料1kg当たりの年間保管費　560円（下記(5)は含まれていない）
(5) 材料1kg当たりの年間保管費には、購入原価の6％を資本コストとして含める。
120

$$\frac{4,590,000}{Q} \times 375 = \frac{Q}{2} \times (560+120)$$
$$Q^2 = 5,062,500$$
$$Q = 2,250$$

1回あたりの発注量をQとして、経済的発注量は年間発注費と年間保管費が同額になるQを算定します。

問1　材料の経済的発注量を計算しなさい。
問2　当社保有の材料倉庫の保管能力は1,500kgしかなかったとする。1回当たりの発注量が保管能力を超える場合には、近隣にある貸倉庫を利用する。その年間賃借料が材料500kgごとに100,000円である場合、何kg単位で発注するのが最も有利になるか。また、そのときの年間発注費と年間保管費（賃借料が生じる場合は、それを含める）はいくらか。

〈下書用紙〉

以下の場合における年間発注量と年間保管費の合計金額を計算します。
①貸倉庫を利用しない最大量であるQ＝1,500kg、
②年間貸借料100,000円で収まる最大量Q＝2,000kg、
③問1で求めた経済的発注量Q＝2,250kg

① Q＝1,500　4,590,000÷1,500×375＋1,500÷2×680＝1,657,500
② Q＝2,000　4,590,000÷2,000×375＋2,000÷2×680＋100,000＝1,640,625
③ Q＝2,250　4,590,000÷2,250×375＋2,250÷2×680＋200,000＝1,730,000

Q：経済的発注量

189

◆重要な指示やキーワードには、印や下線を入れます。◆
原価計算は、細かい指示が多いので慎重に問題文を読みます。
⇒問われている処理方法などを確認します。

　　　当社では1種類の製品を現在1台の設備で製造して、販売している。この設備の生産能力は年間50,000個である。20×5年度末までの4年間は生産能力どおり製造ができていたが、今後は性能が低下していくと予想され、何もせずそのまま使用し続けた場合、次年度から1年ごとに2,500個ずつ生産能力が減少していくと見込まれる。

　　　この製品は、1個当たり3,000円で販売している。また、生産能力が許せば、現在の販売価格のまま年間60,000個までは販売が可能であると予想される。現在の設備を使用した場合、製品1個当たりの変動費（現金支出費用）は2,000円である。この設備は20×1年度末に10,000万円にて取得したものであり、残り4年間利用可能である。残りの耐用年数4年経過後には100万円にて売却可能と予想される。今後の製造・販売量の減少について、現在、次の対応策を検討している。

> （案1）年度末に500万円のメンテナンス費用（現金支出費用）をかけると、次の1年間は生産能力の減少を防ぐことができる。
> 　　　　したがって、毎年度末にメンテナンスを実施すれば翌年度は年間50,000個の生産能力が維持されることになる。
> （案2）20×5年度末に10,000個の生産能力をもつ新しい設備を導入する。新設備では、製品1個当たりの変動費（現金支出費用）は1,800円となる。新設備の取得原価は3,000万円、耐用年数4年、4年後には250万円にて売却可能と予想される。新設備に関する追加的な現金支出費用は不要である。

> 案1と案2の条件を波線で強調します。

　　　現有設備も新設備も減価償却の方法は定額法、残存価額は0（ゼロ）として計算する。キャッシュ・フローは年度末にまとめて生じると仮定する。法人税等は、その法人税等を負担すべき年度の末に支払われるものと仮定する。法人税等の税率は30%で、当社は順調に利益をあげている。なお、各年度末に在庫の保有はないものとする。

　　　加重平均資本コスト率は、5%である。5%の割引率の現価係数は以下のとおりとする。

5%の現価係数：			
1年　0.9524	2年　0.9070	3年　0.8638	4年　0.8227

　　　なお、この問題で、差額キャッシュ・フローとは「現有設備のみをそのまま使い続けるという現状維持案」を基準にして、各代替案を採用した場合に異なってくるキャッシュ・フローのことをいう。正味の差額キャッシュ・フローがキャッシュ・アウトフローになる場合には、数字の前に△をつけること。また、「現有設備のみを使い続けるという現状維持案」を基準にして、代替案のほうが不利となる場合には、正味現在価値に△をつけること。キャッシュ・フローは税引き後で考えること。

問1　現有設備のみをそのまま使い続けるという現状維持案での各年度の製造・販売量を答えなさい。
問2　案1を採用する場合に、各年度の差額キャッシュ・フローと正味現在価値はいくらになるか。
問3　案2を採用する場合に、20×6年度末から20×9年度末までの年々の差額キャッシュ・フロー1年分（20×9年度末のプロジェクト終了にともなう差額キャッシュ・フローは除く）、20×9年度末のプロジェクト終了にともなう差額キャッシュ・フロー、正味現在価値はいくらになるか。
問4　案1と案2を組み合わせて採用する場合、差額キャッシュ・フローの正味現在価値はいくらになるか。ただし、この問では年間販売可能量は55,000個であったとする。また、設備の利用は利益が最大になるように行うものとする。

> 各問のキャッシュフローをメモして正味現在価値を求めます。

〈下書用紙〉

```
                       20×6年    20×7年    20×8年    20×9年
 問2  CIF               175       350       525       700
 ─────────────────────────────────────────────────────
      COF   350  350    350       350
       +  210.385
                                                          250
 問3  CIF               1,065     1,065     1,065     1,065
 ─────────────────────────────────────────────────────
      COF  3,000                                       75
       +  920.356
 問4
      CIF                                   175       350
 ─────────────────────────────────────────────────────
      COF   0    175    350       350
         △347.34
```

CIF：キャッシュ・イン・フロー、COF：キャッシュ・アウト・フロー

第168回試験をあてるＴＡＣ直前予想模試

日商簿記１級

2024年９月１日　初　版　第１刷発行

編 著 者	Ｔ Ａ Ｃ 株 式 会 社	
	（簿記検定講座）	
発 行 者	多　田　敏　男	
発 行 所	ＴＡＣ株式会社　出版事業部	
	（TAC出版）	

〒101-8383
東京都千代田区神田三崎町3-2-18
電 話 03（5276）9492（営業）
FAX 03（5276）9674
https://shuppan.tac-school.co.jp

組 　 版	朝日メディアインターナショナル株式会社	
印 　 刷	株 式 会 社 ワ 　 コ 　 ー	
製 　 本	東 京 美 術 紙 工 協 業 組 合	

©TAC 2024　　Printed in Japan　　　　　　ISBN 978-4-300-10847-5
N.D.C. 336

簿記検定講座のご案内

資格の学校 TAC

会計業界への就職・転職支援サービス

TPB

TACの100%出資子会社であるTACプロフェッションバンク（TPB）は、会計・税務分野に特化した転職エージェントです。
勉強された知識とご希望に合ったお仕事を一緒に探しませんか？ 相談だけでも大歓迎です！ どうぞお気軽にご利用ください。

人材コンサルタントが無料でサポート

Step1 相談受付
完全予約制です。HPからご登録いただくか、各オフィスまでお電話ください。

Step2 面談
ご経験やご希望をお聞かせください。あなたの将来について一緒に考えましょう。

Step3 情報提供
ご希望に適うお仕事があれば、その場でご紹介します。強制はいたしませんのでご安心ください。

正社員で働く

- 安定した収入を得たい
- キャリアプランについて相談したい
- 面接日程や入社時期などの調整をしてほしい
- 今就職すべきか、勉強を優先すべきか迷っている
- 職場の雰囲気など、求人票でわからない情報がほしい

TACキャリアエージェント

https://tacnavi.com/

派遣で働く（関東のみ）

- 勉強を優先して働きたい
- 将来のために実務経験を積んでおきたい
- まずは色々な職場や職種を経験したい
- 家庭との両立を第一に考えたい
- 就業環境を確認してから正社員で働きたい

TACの経理・会計派遣

https://tacnavi.com/haken/

※ご経験やご希望内容によってはご支援が難しい場合がございます。予めご了承ください。　※面談時間は原則お一人様30分とさせていただきます。

自分のペースでじっくりチョイス

正社員・アルバイトで働く

- 自分の好きなタイミングで就職活動をしたい
- どんな求人案件があるのか見たい
- 企業からのスカウトを待ちたい
- WEB上で応募管理をしたい

Webで

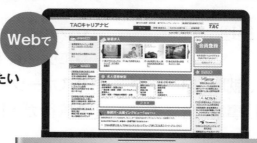

TACキャリアナビ

https://tacnavi.com/kyujin/

 TACプロフェッションバンク

東京オフィス
〒101-0051
東京都千代田区神田神保町 1-103
東京パークタワー 2F
TEL.03-3518-6775

大阪オフィス
〒530-0013
大阪府大阪市北区茶屋町 6-20
吉田茶屋町ビル 5F
TEL.06-6371-5851

名古屋 登録会場
〒453-0014
愛知県名古屋市中村区則武 1-1-7
NEWNO 名古屋駅西 8F
TEL.0120-757-655

10860572

■ 有料職業紹介事業 許可番号13-ユ-010678　■ 一般労働者派遣事業 許可番号（派）13-010932
■ 特定募集情報等提供事業 届出受理番号51-募-000541

TAC出版 書籍のご案内

TAC出版では、資格の学校TAC各講座の定評ある執筆陣による資格試験の参考書をはじめ、資格取得者の開業法や仕事術、実務書、ビジネス書、一般書などを発行しています!

TAC出版の書籍

*一部書籍は、早稲田経営出版のブランドにて刊行しております。

資格・検定試験の受験対策書籍

- ◎日商簿記検定
- ◎建設業経理士
- ◎全経簿記上級
- ◎税 理 士
- ◎公認会計士
- ◎社会保険労務士
- ◎中小企業診断士
- ◎証券アナリスト

- ◎ファイナンシャルプランナー(FP)
- ◎証券外務員
- ◎貸金業務取扱主任者
- ◎不動産鑑定士
- ◎宅地建物取引士
- ◎賃貸不動産経営管理士
- ◎マンション管理士
- ◎管理業務主任者

- ◎司法書士
- ◎行政書士
- ◎司法試験
- ◎弁理士
- ◎公務員試験(大卒程度・高卒者)
- ◎情報処理試験
- ◎介護福祉士
- ◎ケアマネジャー
- ◎電験三種　ほか

実務書・ビジネス書

- ◎会計実務、税法、税務、経理
- ◎総務、労務、人事
- ◎ビジネススキル、マナー、就職、自己啓発
- ◎資格取得者の開業法、仕事術、営業術

一般書・エンタメ書

- ◎ファッション
- ◎エッセイ、レシピ
- ◎スポーツ
- ◎旅行ガイド (おとな旅プレミアム/旅コン)

書籍のご購入は

日商簿記検定試験対策書籍のご案内

TAC出版の日商簿記検定試験対策書籍は、学習の各段階に対応していますので、あなたの
ステップに応じて、合格に向けてご活用ください！

3タイプのインプット教材

①

簿記を専門的な知識に
していきたい方向け

● 満点合格を目指し
次の級への土台を築く

「合格テキスト」

「合格トレーニング」

● 大判のB5判、3級〜1級累計300万部超の、信頼の定番テキスト＆トレーニング！
TACの教室でも使用している公式テキストです。3級のみオールカラー。
● 出題論点はすべて網羅しているので、簿記をきちんと学んでいきたい方にぴったりです！
◆3級　□2級 商簿、2級 工簿　■1級 商・会 各3点、1級 工・原 各3点

②

スタンダードにメリハリ
つけて学びたい方向け

● 教室講義のような
わかりやすさでしっかり学べる

「簿記の教科書」

「簿記の問題集」

滝澤 ななみ 著

● A5判、4色オールカラーのテキスト（2級・3級のみ）＆模擬試験つき問題集！
● 豊富な図解と実例つきのわかりやすい説明で、もうモヤモヤしない！！
◆3級　□2級 商簿、2級 工簿　■1級 商・会 各3点、1級 工・原 各3点

③

気軽に始めて、早く全体像を
つかみたい方向け

● 初学者でも楽しく続けられる！

「スッキリわかる」

【テキスト／問題集一体型】

滝澤 ななみ 著（1級は商・会のみ）

● 小型のA5判（4色オールカラー）によるテキスト
／問題集一体型。これ一冊でOKの、圧倒的に
人気の教材です。
● 豊富なイラストとわかりやすいレイアウト！か
わいいキャラの「ゴエモン」と一緒に楽しく学
べます。
◆3級　□2級 商簿、2級 工簿
■1級 商・会 4点、1級 工・原 4点

「スッキリうかる本試験予想問題集」

滝澤 ななみ 監修　TAC出版開発グループ 編著

● 本試験タイプの予想問題9回分を掲載
◆3級　□2級

コンセプト問題集

● **得点力をつける!**
『みんなが欲しかった! やさしすぎる解き方の本』

B5判　滝澤 ななみ 著

● 授業で解き方を教わっているような 新感覚問題集。再受験にも有効。
◆3級　□2級

本試験対策問題集

● **本試験タイプの問題集**

『合格するための
本試験問題集』
(1級は過去問題集)

B5判

● 12回分(1級は14回分)の問題を収載。
ていねいな「解答への道」、各問対策が充実

● 年2回刊行。
◆3級　□2級　■1級

● **知識のヌケをなくす!**

『まるっと
完全予想問題集』
(1級は網羅型完全予想問題集)

A4判

● オリジナル予想問題(3級10回分、2級12回分、
1級8回分)で本試験の重要出題パターンを網羅。

● 実力養成にも直前の本試験対策にも有効。
◆3級　□2級　■1級

直前予想

● **『○年度試験をあてる
TAC予想模試
＋解き方テキスト
○～○月試験対応』**
(1級は第○回試験をあてるTAC直前予想模試)

A4判

● TAC講師陣による4回分の予想問題で最終仕上げ。

● 2級・3級は、第1部解き方テキスト編、第2部予想模試編
の2部構成。

● 年3回(1級は年2回)、各試験に向けて発行します。
◆3級　□2級　■1級

あなたに合った合格メソッドをもう一冊!

仕訳 『究極の仕訳集』
B6変型判
● 悩む仕訳をスッキリ整理。ハンディサイズ、
一問一答式で基本の仕訳を一気に覚える。
◆3級　□2級

仕訳 『究極の計算と仕訳集』
B6変型判　境 浩一朗 著
● 1級商会で覚えるべき計算と仕訳がすべて
つまった1冊!
■1級 商・会

理論 『究極の会計学理論集』
B6変型判
● 会計学の理論問題を論点別に整理、手軽
なサイズが便利です。
■1級 商・会、全経上級

電卓 『カンタン電卓操作術』
A5変型判　TAC電卓研究会 編
● 実践的な電卓の操作方法について、丁寧
に説明します!

:ネット試験の演習ができる模擬試験プログラムつき(2級・3級)

:スマホで使える仕訳Webアプリつき(2級・3級)

・2024年2月現在　・刊行内容、表紙等は変更することがあります　・とくに記述がある商品以外は、TAC簿記検定講座編です

書籍の正誤に関するご確認とお問合せについて

書籍の記載内容に誤りではないかと思われる箇所がございましたら、以下の手順にてご確認とお問合せをしてくださいますよう、お願い申し上げます。

なお、正誤のお問合せ以外の**書籍内容に関する解説および受験指導などは、一切行っておりません。**そのようなお問合せにつきましては、お答えいたしかねますので、あらかじめご了承ください。

1 「Cyber Book Store」にて正誤表を確認する

TAC出版書籍販売サイト「Cyber Book Store」のトップページ内「正誤表」コーナーにて、正誤表をご確認ください。

CYBER TAC出版書籍販売サイト
BOOK STORE

URL：https://bookstore.tac-school.co.jp/

2 ①の正誤表がない、あるいは正誤表に該当箇所の記載がない ⇒ 下記①、②のどちらかの方法で文書にて問合せをする

★ご注意ください★

お電話でのお問合せは、お受けいたしません。

①、②のどちらの方法でも、お問合せの際には、「お名前」とともに、

「対象の書籍名（○級・第○回対策も含む）およびその版数（第○版・○○年度版など）」
「お問合せ該当箇所の頁数と行数」
「誤りと思われる記載」
「正しいとお考えになる記載とその根拠」
を明記してください。

なお、回答までに１週間前後を要する場合もございます。あらかじめご了承ください。

① ウェブページ「Cyber Book Store」内の「お問合せフォーム」より問合せをする

【お問合せフォームアドレス】

https://bookstore.tac-school.co.jp/inquiry/

② メールにより問合せをする

【メール宛先　TAC出版】

syuppan-h@tac-school.co.jp

※土日祝日はお問合せ対応をおこなっておりません。
※正誤のお問合せ対応は、該当書籍の改訂版刊行月末日までといたします。

乱丁・落丁による交換は、該当書籍の改訂版刊行月末日までといたします。なお、書籍の在庫状況等により、お受けできない場合もございます。
また、各種本試験の実施の延期、中止を理由とした本書の返品はお受けいたしません。返金もいたしかねますので、あらかじめご了承くださいますようお願い申し上げます。

（2022年7月現在）

TAC直前予想模試

別冊

問題用紙
答案用紙
計算用紙

※ 使い方は中面をご覧ください

TAC出版

問題・答案用紙の使い方

この冊子には、問題用紙・答案用紙と計算用紙がとじ込まれています。下記を参考に、第1予想からプラスワン予想の問題用紙・答案用紙と計算用紙に分けてご利用ください。

STEP1

一番外側の色紙を残して、問題用紙・答案用紙と計算用紙の冊子を取り外してください。

冊子を取り外す

STEP2

取り外した冊子を開いて真ん中にあるホチキスの針を、定規やホチキスの針外し（ステープルリムーバーなど）を利用して取り外してください。

ホチキスの針を引き起こして

ホチキスの針を2つとも外す

STEP3

第1予想からプラスワン予想に分ければ準備完了です。計算用紙は真ん中にまとめて入っています。

第1予想
問題・答案用紙

第2予想
問題・答案用紙

第3予想
問題・答案用紙

計算用紙

プラスワン予想
問題・答案用紙

- 問題・答案用紙の取り外し動画公開中！
  アクセス方法は4ページを参照してください。
- 作業中のケガには十分お気をつけください。
- 取り外しの際の損傷についてのお取り替えはご遠慮願います。

答案用紙はダウンロードもご利用いただけます。
TAC出版書籍販売サイト、サイバーブックストアにアクセスしてください。

| TAC出版 | 検索 ▶ |

2024年度

日商簿記検定試験対策

第168回試験をあてる
TAC直前予想模試

問題用紙

| 1　級 | ―Ⅰ |

商業簿記・会計学

（制限時間　1時間30分）

第1予想

TAC 簿記検定講座

商　業　簿　記

問題（25点）

　W株式会社の20×6年度（自20×6年4月1日から20×7年3月31日まで）における［Ⅰ］決算整理前残高試算表および［Ⅱ］期末整理事項等にもとづいて、以下の**問**に答えなさい。

［解答上の注意事項］

1　計算の過程で端数が出る場合は、その都度千円未満を四捨五入すること。ただし、棚卸資産の単価については、円未満を四捨五入すること。

2　税効果会計は考慮外とする。

［Ⅰ］決算整理前残高試算表

決算整理前残高試算表
20×7年3月31日
（単位：千円）

借　方　科　目	金　額	貸　方　科　目	金　額
現　金　預　金	14,469	支　払　手　形	？
受　取　手　形	46,800	買　掛　金	④
売　掛　金	①	仮　受　金	432,000
繰　越　商　品	②	短　期　借　入　金	2,400
仮　払　金	21,600	貸　倒　引　当　金	1,152
仮　払　法　人　税　等	15,940	資　産　除　去　債　務	？
建　　　　　物	240,000	退　職　給　付　引　当　金	59,760
構　　築　　物	③	建物減価償却累計額	？
備　　　　　品	10,000	構築物減価償却累計額	？
土　　　　　地	306,000	備品減価償却累計額	？
長　期　貸　付　金	84,000	資　　本　　金	288,000
自　己　株　式	96,000	資　本　準　備　金	2,478
株　式　交　付　費	2,160	その他資本剰余金	1,489
仕　　　　　入	？	利　益　準　備　金	2,569
販　　売　　費	140,093	任　意　積　立　金	26,400
一　般　管　理　費	107,520	繰　越　利　益　剰　余　金	32,098
支　払　手　数　料	1,320	一　　般　　売　　上	？
支　払　利　息	144	海　外　輸　出　売　上	⑤
減　損　損　失	2,268	受　取　利　息	346
		為　替　差　損　益	1,739
		固　定　資　産　売　却　益	4,200
	？		？

［Ⅱ］期末整理事項等

1．当社は商品甲の仕入・販売を行っているが、当期より商品乙を仕入れ、米国向けに輸出を始めている。商品甲と商品乙の原価配分の方法はともに総平均法で、棚卸減耗損と商品評価損は売上原価の内訳科目とする。

　(1)　商品甲の仕入・販売に関する資料

　　a　期首商品棚卸高：1,000個、第1回目の仕入高：7,000個、第2回目の仕入高：12,000個である。第1回目の仕入単価は期首商品と同じで、第2回目の仕入単価は第1回目の仕入単価を1.5千円下回っている。

　　b　商品甲の仕入と販売はすべて掛けと手形で行っている。商品甲の期末商品棚卸高は、帳簿棚卸数量：2,000個、実地棚卸数量：1,900個、期末商品の正味売却価額は@35千円である。

　　c　商品甲は原価に50％の利益を上乗せして販売している。

　(2)　商品乙の仕入・輸出に関する資料

　　a　第1回目の仕入高：4,800個、第2回目の仕入高：3,200個で、第2回目の仕入単価は第1回目の仕入単価を0.5千円下回っている。

b　商品乙の仕入と販売はすべて掛けで行っている。当期中、12月に4,900個を総額3,398千ドルで販売し（販売時の為替相場は1ドルあたり105円）、2月に2,400個を総額1,680千ドルで販売している（販売時の為替相場は1ドルあたり107円）。12月に販売した掛代金はすべて回収済みであるが、2月に販売した掛代金の決済は5月末日である。商品乙の期末商品棚卸高は、帳簿棚卸数量：700個、実地棚卸数量：700個、期末商品の正味売却価額は@60千円である。

c　商品乙は原価に円ベースで25％の利益を上乗せして販売している。

2．売上債権については次のとおりである。
(1)　受取手形：前期繰越高50,400千円、商品甲の売上による増加高　各自推定、売掛金の回収による増加高43,200千円、取立による減少高540,600千円
(2)　売　掛　金：前期繰越高35,760千円、商品甲の売上による増加高　各自推定、商品乙の売上による増加高　各自推定、手形による回収高43,200千円、現金預金による回収高921,750千円

3．仕入債務については次のとおりである。
(1)　支払手形：前期繰越高42,000千円、商品甲の仕入による増加高612,000千円、買掛金の支払いによる増加高33,600千円、現金預金による決済高638,400千円
(2)　買　掛　金：前期繰越高64,800千円、商品甲の仕入による増加高　各自推定、商品乙の仕入による増加高　各自推定、手形による支払高33,600千円、現金預金による支払高616,160千円

4．12月に販売したさいの売掛金3,398千ドルについては、為替相場が安定していたため為替予約を行わなかった。しかし、2月に輸出した商品の売掛金1,680千ドルについてはリスクをヘッジする目的で、20×7年3月15日に同年5月末日を決済期日とする為替予約を行ったが、未処理である。なお、為替予約日の1ドル当たりの直物為替相場は106円、先物為替相場は110円で、決算日の1ドル当たりの直物為替相場は108円である。振当処理によることとし、為替予約差額の処理は月割で行う。

5．貸倒引当金については、売上債権について2％の貸倒実績率にもとづき差額補充法で設定する。

6．固定資産の減価償却については次のとおり行う。
備　品：20×3年4月1日取得、200％定率法、耐用年数5年、残存価額ゼロ、保証率0.10800、改定償却率0.500
建　物：20×1年4月1日取得、定額法、耐用年数25年、残存価額ゼロ
構築物：20×2年4月1日取得、購入価額72,000千円、減価償却方法：定額法、耐用年数20年、残存価額ゼロ
　　　　　構築物は、20×2年4月1日から20年契約で賃借した土地に設置した立体駐車場の取得費用72,000千円を計上したものである。なお、土地については、賃借期間終了時点で原状回復したうえで貸主に返還する義務がある。この使用後に原状回復のための構築物を除去する法的義務については、取得時に除去費用を6,000千円と見積もり、資産除去債務を計上した。資産除去債務の計上にあたって用いた割引率は年2.5％である（利率年2.5％、20年の現価係数は0.610とする）。決算において必要な処理を行う。

7．自己株式は、当期に60,000株を取得したもので、期末に調査したところ、証券会社への手数料6,000千円が自己株式の取得原価に含められていることが判明した。また、2月1日に240,000株を公募により発行し、192,000株は新株を発行し、48,000株は先に取得した自己株式を処分した。1株当たりの払込金額は1,800円ですでに全額払い込まれているが、払込金は仮受金として処理しただけである。資本金等の増加限度額の2分の1を資本金とする。なお、このさいに支出した株式交付費2,160千円については繰延資産とすることとし、株式交付後3年で定額法により月割償却で処理する。

8．当社は、確定給付年金制度を採用している。数理計算上の差異は、発生年度の翌年度から10年間で定額法により償却する。期首現在の退職給付債務は345,600千円、年金資産は288,000千円、未認識数理計算上の差異は2,160千円（20×4年度末における割引率の引き上げによる。）であった。当期の勤務費用は20,160千円、割引率は年2％、長期期待運用収益率は年2.5％とする。当期中に支払った掛金21,600千円は試算表の仮払金勘定に計上しており、年金支給額22,800千円は年金資産から支払われている。なお、当期末における新たな数値により計算した退職給付債務の額は370,000千円、年金資産の時価は301,000千円であった。

9．費用の前払分：販売費1,068千円、費用の未払分：一般管理費384千円、利息の未収分：179千円

10．法人税、住民税及び事業税50,700千円を計上する。

問1　決算整理前残高試算表における①～⑤の金額を求めなさい。
問2　20×6年度の損益計算書を完成しなさい。
問3　答案用紙の20×6年度末の貸借対照表における各項目の金額を求めなさい。

会　計　学

問題（25点）

第1問

我が国の会計基準にしたがって、次の文章の空欄に当てはまる最も適当な語句を答案用紙に記入しなさい。

1．財務諸表の表示方法を変更した場合には、原則として表示する過去の財務諸表について、新たな表示方法に従い財務諸表の（　1　）を行う。

2．顧客から受け取った又は受け取る対価の一部あるいは全部を顧客に返金すると見込む場合、受け取った又は受け取る対価の額のうち、企業が権利を得ると見込まない額について、（　2　）を認識する。

3．無形固定資産として計上したソフトウェアの取得原価は、当該ソフトウェアの性格に応じて、見込販売数量にもとづく償却方法その他合理的な方法により償却しなければならない。ただし、毎期の償却額は、残存有効期間にもとづく（　3　）を下回ってはならない。

4．自己株式を消却した場合には、消却手続が完了したときに、消却の対象となった自己株式の帳簿価額を（　4　）から減額する。

5．ある企業の特定期間の財務諸表において認識された純資産の変動額のうち、当該企業の純資産に対する持分所有者との直接的な取引によらない部分を（　5　）という。

第2問

次の**資料**にもとづき、答案用紙にある20×3年度の連結損益計算書を完成しなさい。なお、連結上生じる修正については、実効税率を30％として税効果会計を適用する。また、のれんは、発生の翌年度から20年間にわたって毎期均等額を償却する。

〔**資料1**〕20×3年度における個別損益計算書

損　益　計　算　書　　　　　　　　　　（単位：千円）

借　方　科　目	P　社	S　社	貸　方　科　目	P　社	S　社
売　上　原　価	187,000	80,800	売　　上　　高	264,000	106,000
広　告　宣　伝　費	13,750	7,600	受　取　配　当　金	6,600	——
減　価　償　却　費	13,000	4,200	受　取　利　息	2,200	——
その他の営業費用	16,000	6,500	固　定　資　産　売　却　益	6,000	4,000
支　払　利　息	8,700	1,800	法　人　税　等　調　整　額	1,500	450
法　人　税　等	14,100	3,300			
当　期　純　利　益	27,750	6,250			
	280,300	110,450		280,300	110,450

〔**資料2**〕S社に関する事項

(1) P社は、20×1年度末にS社の発行済株式総数の80％に相当する株式を取得し、支配を獲得した。なお、S社の土地および建物には、それぞれ10,000千円および5,000千円の評価益があり、建物は、残存耐用年数は10年の定額法により減価償却を行う。また、支配獲得時にのれん（親会社株主に帰属する部分のみ）が7,000千円計上された。

(2) P社およびS社が当期中に利益剰余金から支払った配当金は8,000千円および6,000千円であった。

(3) P社は、20×3年度においてS社へ40,000千円の商品を販売し、このうち3,600千円の商品はS社が広告宣伝用に消費した。なお、20×2年度末および20×3年度末において、S社の商品棚卸高のうちP社から仕入れた商品がそれぞれ2,400千円および3,000千円含まれていた。P社の利益率は、各年度通じて25％であった。

(4) P社は、S社に対して40,000千円を貸し付けており、20×3年度において1,200千円の受取利息を計上している。

(5) S社は、20×3年度の期首に備品（帳簿価額7,500千円）をP社に9,000千円で売却した。当該備品は、残存耐用年数5年にわたり定額法によって減価償却する。

答案用紙

受験番号 _____

2024年度

日商簿記検定試験対策

第168回試験をあてる
TAC直前予想模試

| 1　級 | －Ⅰ |

商業簿記・会計学

（制限時間　1時間30分）

第1予想

TAC 簿記検定講座

受験番号 ＿＿＿＿＿＿＿＿

氏　名 ＿＿＿＿＿＿＿＿

総 合 点	採 点 欄
	商 簿

1 級 ①

商 業 簿 記

問1

①	②	③	④	⑤
千円	千円	千円	千円	千円

問2

損 益 計 算 書
自20×6年4月1日　至20×7年3月31日　　　　（単位：千円）

Ⅰ　売　　　上　　　高		1,616,550
Ⅱ　売　　上　　原　　価		
1.　期 首 商 品 棚 卸 高	(　　　　　)	
2.　当 期 商 品 仕 入 高	(　　　　　)	
合　　　　　　計	(　　　　　)	
3.　期 末 商 品 棚 卸 高	(　　　　　)	
差　　　　　引	(　　　　　)	
4.　棚 卸 減 耗 損	(　　　　　)	
5.　商 品 評 価 損	(　　　　　)	(　　　　　)
売 上 総 利 益		(　　　　　)
Ⅲ　販 売 費 及 び 一 般 管 理 費		
1.　販　　　売　　　費	(　　　　　)	
2.　一 般 管 理 費	(　　　　　)	
3.　貸 倒 引 当 金 繰 入	(　　　　　)	
4.　減 価 償 却 費	(　　　　　)	
5.　資 産 除 去 債 務 利 息 費 用	(　　　　　)	
6.　支 払 手 数 料	(　　　　　)	
7.　退 職 給 付 費 用	(　　　　　)	(　　　　　)
営　　業　　利　　益		(　　　　　)
Ⅳ　営　業　外　収　益		
1.　為　替　差　益	(　　　　　)	
2.　受　取　利　息	(　　　　　)	(　　　　　)
Ⅴ　営　業　外　費　用		
1.　株 式 交 付 費 償 却	(　　　　　)	
2.　支　払　利　息	(　　　　　)	(　　　　　)
経　常　利　益		(　　　　　)
Ⅵ　特　別　利　益		
1.　固 定 資 産 売 却 益		4,200
Ⅶ　特　別　損　失		
1.　減　損　損　失		2,268
税 引 前 当 期 純 利 益		(　　　　　)
法人税、住民税及び事業税		(　　　　　)
当　期　純　利　益		(　　　　　)

問3

商　　品	退職給付引当金	その他資本剰余金	繰越利益剰余金	自己株式
千円	千円	千円	千円	千円

2024年度

日商簿記検定試験対策

第168回試験をあてる
TAC直前予想模試

問題用紙

1 級 ─ II

工業簿記・原価計算
（制限時間　1時間30分）

第1予想

TAC 簿記検定講座

工 業 簿 記

問題（25点）

第1問

　当社は修正パーシャル・プランの標準原価計算制度を採用している。直接材料費と直接労務費を標準単価と標準賃率でそれぞれ仕掛品勘定に振り替えている。次の〔**資料**〕にもとづいて、以下の**問**に答えなさい。差異分析については、有利差異の場合は「Ｆ」を、不利差異の場合は「Ｕ」を答案用紙の〔　　〕内に記入すること。

〔**資料**〕

1．製品Ｔの原価標準

	標準消費量	標準単価	金　額
直接材料費			
材料Ｐ	1個	2,400円/個	2,400円
材料Ｑ	1.5kg	1,200円/kg	1,800円
直接労務費	0.7時間	2,000円/時間	1,400円
製造間接費	0.7時間	6,000円/時間	4,200円
合　　計			9,800円

（注）上記の原価標準には正常仕損費は含まれていない。

2．原価標準工程別標準消費量内訳

		第1工程	第2工程
直 接 材 料	材 料 Ｐ	1個	―
	材 料 Ｑ	1kg	0.5kg
直接作業時間		0.5時間	0.2時間

（注）材料はすべて各工程の始点で投入している。

3．当月の生産データ

　　月初仕掛品

　　　第1工程完成品　　　　　160個

　　　第2工程仕掛品　　　　　130個（0.2）

　　製品Ｔ完成量　　　　　4,000個

　　月末仕掛品

　　　第1工程完成品　　　　　 90個

　　　第2工程仕掛品　　　　　160個（0.8）

（注）（　）内の数値は加工費進捗度を示す。

4．当月の消費実績

	第1工程	第2工程	合　計
材 料 Ｐ	4,450個	―	4,450個
材 料 Ｑ	4,320kg	2,131kg	6,451kg
直接作業時間	2,220時間	870時間	3,090時間

5．正常直接作業時間および製造間接費予算（変動予算）

　　　1か月あたりの正常直接作業時間　　　3,100時間

　　　1か月あたりの製造間接費予算　　　18,600,000円（うち、8,680,000円が変動費）

6．当月の製造間接費実際発生額　　　18,661,500円

〔問1〕 仕掛品勘定を完成しなさい。なお、**問1**から**問3**では仕損は原価標準に含めず、すべて原価差異に含めること。

〔問2〕 第1工程における①材料消費量差異、②直接労務費の直接作業時間差異および③製造間接費の能率差異を計算しなさい。ただし、能率差異は標準配賦率を用いて計算すること（以下同様）。

〔問3〕 第2工程における第1工程完成品の当月消費実績は4,250個であった（以下の**問**も同様）。これをもとに、第1工程の材料消費量差異、作業時間差異および能率差異の合計額を計算しなさい。なお、第1工程の標準消費量は、第2工程における「第1工程完成品」の消費実績をふまえて逆算した第1工程の完成量をもとに計算すること。この計算によれば、材料Q第1工程消費量差異は、168,000円の不利差異となる。

〔問4〕 製品Tの製造工程において、第1工程の終点および第2工程の70％の点に仕損検査点を設けることとする。正常な状態で作業が行われる場合、各工程において検査点を通過する良品の5％の仕損品が発生するものとする。仕損品に売却価値はない。そこで、正常仕損費を考慮した製品T1個あたりの原価標準を答えなさい。なお、正常仕損費を原価標準に組み込む際には、正常仕損費を含まない正味標準製造原価に、正常仕損費を特別費として加える方法によること（以下の**問**も同様）。

〔問5〕 問4の条件を加味した場合の仕掛品勘定を完成しなさい。なお、実際仕損量は第1工程が209個、第2工程が220個であった。また、正常仕損費は異常仕損品に負担させないこと。

〔問6〕 問5の原価差異のうち、第2工程の①材料消費量差異、②直接労務費の直接作業時間差異と両工程の③製造間接費差異総額を分析し、さらにその製造間接費差異総額を④予算差異、⑤能率差異、⑥操業度差異に分析しなさい。

第2問

下記の文章は『原価計算基準』からの抜粋である。次の語群の中から（　）内に入る適切な用語を選択し、答案用紙に記入しなさい。

〈語群〉

| 品質種類 | 材料種類 | 作業種類 | 製品 | 標準価格 | 実際価格 | 標準原価 | 受入価格 |
| 標準額 | 工程 | 部門 | 会計期間 | 原価計算期間 | 一定期間 | 消費量 | 単価 | 仕掛品 |

1. 材料（　①　）差異とは、材料の（　①　）を（　②　）をもって計算することによって生ずる原価差異をいい、標準（　①　）と実際（　①　）との差異に、実際受入数量を乗じて算定する。

2. 直接材料費差異とは、（　③　）による直接材料費と直接材料費の実際発生額との差額をいい、これを（　④　）別に価格差異と数量差異とに分析する。

3. 直接労務費差異とは、（　③　）による直接労務費と直接労務費の実際発生額との差額をいい、これを（　⑤　）別又は（　⑥　）別に賃率差異と作業時間差異とに分析する。

4. 製造間接費差異とは、製造間接費の（　⑦　）と実際発生額との差額をいい、原則として（　⑧　）における（　⑤　）間接費差異として算定し、これを能率差異、操業度差異等に適当に分析する。

問題（25点）

　当社は、コピー機を製造・販売している大手メーカーである。当社は、コピー機を構成する部品の１つである部品Ｚを、現在内製している。この部品Ｚについては、様々な意思決定の場面に直面しており、当社の経営者は決断を迫られている。そこで、次の〔資料〕にもとづいて、下記の**問**に答えなさい。なお、製品、仕掛品の在庫はない。

〔資料〕

１．部品Ｚを１個製造するためには、原料Ｔを標準的に８kg投入する必要があり、予定単価は以下のとおりである。ただし、毎月、一括購入することが条件である。なお、原料Ｔの購入単価については、一括購入量に応じて変動することとなる。

原料Ｔ月間購入量	原料Ｔ購入単価
32,000kgまで	250円/kg
32,000kg超　38,000kgまで	購入量すべてに対して 上記単価の２％引き
38,000kg超	購入量すべてに対して 上記単価の４％引き

２．原料Ｔは、保管に注意を要する原料であるため、自社倉庫の保管能力では一定量までしかその品質を保てない。そこで、一定量を超える原料Ｔの保管には他社から原料Ｔ保管用の設備と倉庫をリースしなければならなくなる。なお、設備と倉庫をリースする場合、一括して同一の会社からリースすることになる。よって、月額リース料総額は以下のとおりとなる。

原料Ｔ月間購入量	設備・倉庫リース料
35,000kgまで	0円
35,000kg超　40,000kgまで	600,000円
40,000kg超	1,400,000円

３．直接労務費については、標準賃率は750円/時間であり、部品Ｚを１個製造するためには直接作業時間が標準的に1.2時間かかる。

４．製造間接費の７月から12月の月額の内訳は以下のとおりである。以下の６か月間の資料はすべて正常値である。当該資料にもとづいて、高低点法により製造間接費の固変分解を行っており、これを次月の分析に用いている。なお、以下の資料には、設備・倉庫リース料は含まれていないものとする。

	製造間接費	機械稼働時間
7月	14,470,000円	4,550時間
8月	13,740,000円	4,100時間
9月	13,739,500円	4,110時間
10月	14,240,000円	4,400時間
11月	14,720,000円	4,800時間
12月	14,725,500円	4,790時間
合　計	85,635,000円	26,750時間

５．部品Ｚの専用製造用機械の最大月間稼働時間は6,000時間であり、部品Ｚを１個製造するためには当該機械を標準的に１時間稼働させなければならない。設備・倉庫リース料以外の製造間接費は、機械稼働時間を配賦基準としている。

問１　部品Ｚの月間生産量が4,000個の場合の(1)部品Ｚの１個あたり変動製造原価、(2)月間の固定製造間接費（設備・

受験番号 _____

2024年度

日商簿記検定試験対策

第168回試験をあてる TAC直前予想模試

1　級 －Ⅱ

工業簿記・原価計算

（制限時間　1時間30分）

第1予想

TAC 簿記検定講座

受験番号 _____

氏　名 _____

総　合　点	採　点　欄
	工
	簿

1 級 ③

工 業 簿 記

第1問

問1

仕　掛　品　　　　　　　　　　（単位：円）

月初仕掛品	（　　　　　）	製　　　品	（　　　　　）
直接材料費	（　　　　　）	月末仕掛品	（　　　　　）
直接労務費	（　　　　　）	原価差異	（　　　　　）
製造間接費	18,661,500		
	（　　　　　）		（　　　　　）

問2

①	②	③
円〔　　〕	円〔　　〕	円〔　　〕

問3

円〔　　〕

問4

円

問5

仕　掛　品　　　　　　　　　　（単位：円）

月初仕掛品	（　　　　　）	製　　　品	（　　　　　）
直接材料費	（　　　　　）	異常仕損費	（　　　　　）
直接労務費	（　　　　　）	月末仕掛品	（　　　　　）
製造間接費	18,661,500	原価差異	（　　　　　）
	（　　　　　）		（　　　　　）

問6

①	②	③
円〔　　〕	円〔　　〕	円〔　　〕
④	⑤	⑥
円〔　　〕	円〔　　〕	円〔　　〕

第2問

①		②		③		④	
⑤		⑥		⑦		⑧	

2024年度

日商簿記検定試験対策

第168回試験をあてる
TAC直前予想模試

問題用紙

| 1 級 | －Ⅰ |

商業簿記・会計学

（制限時間　1時間30分）

第2予想

TAC 簿記検定講座

商 業 簿 記

問題（25点）

　東京商事株式会社の当期（20×3年3月31日を決算日とする1年）に関する次の資料にもとづいて、答案用紙の本支店合併損益計算書および貸借対照表を作成しなさい。なお、当期の1ドルあたりの直物為替相場は、前期首128円、前期中平均122円、当期首120円、当期中平均116円、当期末110円とする。また、税金は考慮しないものとする。計算上、千円未満の端数が生じた場合には、千円未満を四捨五入すること。

（資料1）本店の決算整理前残高試算表（単位：千円）

決算整理前残高試算表
20×3年3月31日

借 方 科 目	金 額	貸 方 科 目	金 額
現 金 預 金	61,154	支 払 手 形	51,200
受 取 手 形	64,000	買 掛 金	76,700
売 掛 金	96,000	契 約 負 債	20,000
繰 越 商 品	17,000	リ ー ス 債 務	40,145
短 期 貸 付 金	20,000	長 期 借 入 金	154,000
建 物	90,000	社 債	57,600
備 品	52,000	退 職 給 付 引 当 金	各自推定
リ ー ス 資 産	40,145	貸 倒 引 当 金	1,100
土 地	140,000	建物減価償却累計額	36,000
投 資 有 価 証 券	236,000	備品減価償却累計額	18,720
支 店	188,000	繰 延 内 部 利 益	各自推定
仕 入	302,000	資 本 金	140,000
販 売 費 ・ 管 理 費	103,941	資 本 準 備 金	18,000
退 職 給 付	34,800	利 益 準 備 金	9,000
支 払 利 息	3,760	繰 越 利 益 剰 余 金	115,615
社 債 利 息	400	新 株 予 約 権	3,000
為 替 差 損 益	800	売 上	510,000
		支 店 へ 売 上	81,200
		受 取 利 息 配 当 金	1,850
		有 価 証 券 利 息	3,850
	1,450,000		1,450,000

（資料2）本店の決算整理事項等

1. カスタマー・ロイヤルティ・プログラム
   (1) 本店では、当期首より顧客が当社の商品を購入した際に、一定のポイントを顧客に付与するカスタマー・ロイヤルティ・プログラムを提供している。顧客は、ポイントを使用して、将来、当社の商品購入時に1ポイント当たり1円の値引きを受けることができる。
   　決算整理前残高試算表に計上されている「契約負債」は、すべてカスタマー・ロイヤルティ・プログラムによって付与したポイントに配分された額である。
   (2) 決算日現在において、当期に使用されたポイントが2,200ポイントあったが、未処理であることが判明したため、これを適正に処理する。
   　なお、使用されると見込むポイント総数は22,000ポイントであり、変更はなかった。
2. 期末商品棚卸高は、26,400千円である。なお、上記1.の未処理であった売上取引は反映済みである。
3. 受取手形と売掛金の期末残高に2％の貸倒引当金を差額補充法により設定する。

4．投資有価証券は、すべて当期首に取得したものであり、その内訳は次のとおりである。

銘　柄	分　類	取得原価	市場価格	備　考
Ａ 社 株 式	その他有価証券	20,000千円	なし	（注1）
Ｂ 社 社 債	満期保有目的債券	1,800千ドル	1,840千ドル	（注2）

　（注1）Ａ社の発行済株式総数の10％を保有しているが、Ａ社の財政状態は著しく悪化し、その純資産額は80,000千円となっている。

　（注2）Ｂ社社債（クーポン利子率：年1.75％、利払日：3月末日、満期日：20×7年3月31日）の額面総額2,000千ドルと取得原価との差額は、すべて金利調整差額と認められるため、利息法（実効利子率：4％）により償却する。なお、クーポン利息の処理は適正に行われている。

5．固定資産に関する事項

　(1)　建物については定額法（耐用年数：20年、残存価額ゼロ）、備品については定率法（償却率：20％）により減価償却を行う。

　(2)　試算表上のリース資産は、車両のファイナンス・リース取引に係るものである。当該ファイナンス・リース取引は、所有権移転ファイナンス・リース取引に該当するものであり、20×2年10月1日より期間4年、毎期9月30日に10,800千円ずつ後払いの条件による。なお、リース物件の貸手の購入価額は40,145千円であり、貸手の計算利子率は年3％である。当該車両については定額法（経済的耐用年数：5年、残存価額ゼロ）により減価償却（月割計算）を行う。また、リース料の期末までの期間にかかる利息については未払利息（月割計算）を計上すること。

6．社債および新株予約権は、20×1年4月1日に額面金額60,000千円、期間5年の転換社債型新株予約権付社債を払込金額60,000千円（社債の対価：57,000千円、新株予約権の対価：3,000千円）で発行し、区分法により処理している。このうち額面金額40,000千円について20×2年9月30日に新株予約権の行使請求を受けたため、新株式を発行して交付したが、金利調整差額の償却（定額法）とともに未処理である。なお、会社法に定める最低額を資本金とする。

7．前期末現在、退職給付引当金勘定には、退職給付債務354,000千円、年金資産200,000千円、未認識数理計算上の差異43,200千円（前々期末における割引率の引下げによって生じたものであり、前期から10年間にわたり定額法によって費用処理を行っている）が含まれていた。なお、当期末に支払われた年金拠出額と退職一時金は、退職給付勘定で暫定的に処理している。また、当期の勤務費用は22,000千円、割引率は年2％、長期期待運用収益率は年3％である。

8．その他の決算整理事項

　販売費・管理費の未払額600千円、受取利息配当金の未収額300千円を経過勘定として計上する。

（資料3）ニューヨーク支店の外貨による損益計算書および貸借対照表（単位：千ドル）

損 益 計 算 書
自20×2年4月1日　至20×3年3月31日

期首商品棚卸高	150	売　上　高	2,250
当期仕入高	1,520	期末商品棚卸高	230
販売費・管理費	585	受取利息	20
貸倒引当金繰入	10		
減価償却費	60		
支払利息	15		
当期純利益	160		
	2,500		2,500

貸 借 対 照 表
20×3年3月31日現在

現金預金	1,575	買掛金	1,020
売掛金	750	長期借入金	240
貸倒引当金	△ 15	本　店	1,600
商　品	230	当期純利益	160
備　品	600		
減価償却累計額	△ 120		
	3,020		3,020

（資料4）ニューヨーク支店のその他の資料

1．本店による支店への売上総利益率は、前期も当期も20％である。

2．期首商品のうち50千ドル、当期仕入高のうち700千ドル、期末商品のうち80千ドルは本店より仕入れたものである。なお、売上原価の計算は先入先出法によっており、前期末、当期末ともに正味売却価額は下落していない。

3．備品はすべて前期首に取得したものである。

4．諸収益および諸費用（減価償却費を除く）ならびに商品は、期中平均相場により換算する。

問題（25点）

第1問

次の文章の空欄（ ア ）～（ オ ）に当てはまる適切な語句を答案用紙に記入しなさい。

1. 株式募集のための広告費、金融機関の取扱手数料、証券会社の取扱手数料、目論見書・株券等の印刷費、変更登記の登録免許税、その他株式の交付等のために直接支出した費用を、（ ア ）といい、原則として、支出時に費用として処理する。ただし、企業規模の拡大のためにする資金調達などの財務活動に係る（ ア ）については、（ イ ）資産に計上することができる。この場合には、株式交付のときから3年以内のその効果の及ぶ期間にわたって、（ ウ ）法により償却をしなければならない。

2. 将来の特定の費用又は損失であって、その発生が当期以前の事象に起因し、発生の可能性が高く、かつ、その金額を合理的に見積ることができる場合には、当期の負担に属する金額を当期の費用又は損失として（ エ ）に繰入れ、当該（ エ ）の残高を貸借対照表の負債の部又は資産の部に記載するものとする。

3. 退職給付見込額のうち期末までに発生したと認められる額は、（ オ ）基準または給付算定式基準のいずれかの方法を選択適用して計算する。この場合、いったん採用した方法は、原則として、継続して適用しなければならない。

第2問

当社（会計期間1年、3月末決算）の次の**資料**にもとづいて、資産除去債務に係る以下の**問**に答えなさい。

〔資料〕

1. 20×1年4月1日に機械を200,000千円で取得し、同日より使用を開始した。

2. 当該機械は耐用年数経過後に除去する法的義務があり、各時点における当該機械の除去費用の見積額と割引率は次のとおりである。なお、20×3年3月31日における見積の変更による減少分については、適用する割引率が特定できないため加重平均した割引率を使用すること。

	除去費用の見積額	割引率
20×1年4月1日	9,600千円	2.8%
20×2年3月31日	12,000千円	3.1%
20×3年3月31日	10,000千円	3.3%
20×4年3月31日	10,000千円	3.3%

3. 機械の減価償却は、耐用年数4年、残存価額0とし、定額法により償却する。

4. 計算上端数が生ずる場合には、その都度千円未満を四捨五入すること。

問1 20×1年4月1日時点の資産除去債務計上額を求めなさい。

問2 20×1年4月1日～20×2年3月31日の期間の減価償却費（利息費用を含む）を求めなさい。

問3 20×2年3月31日における機械の帳簿価額を求めなさい。

問4 20×3年3月31日における資産除去債務の金額を求めなさい。

問5 20×3年4月1日～20×4年3月31日の期間の資産除去債務の増加額を求めなさい。

（無断転載を禁ず）

受験番号 _____

答案用紙

2024年度

日商簿記検定試験対策

第168回試験をあてる
TAC直前予想模試

1 級 － Ⅰ

商業簿記・会計学
（制限時間　1時間30分）

第2予想

TAC 簿記検定講座

受験番号 ＿＿＿＿＿＿

氏　名 ＿＿＿＿＿＿

1 級　①

商 業 簿 記

総 合 点		採 点 欄	
		商	
		簿	

本支店合併損益計算書
自20×2年4月1日　至20×3年3月31日　　　　　（単位：千円）

Ⅰ	売　　　上　　　高		（　　　　　）
Ⅱ	売　　上　　原　　価		
	1．期 首 商 品 棚 卸 高	（　　　　　）	
	2．当 期 商 品 仕 入 高	（　　　　　）	
	合　　　　計	（　　　　　）	
	3．期 末 商 品 棚 卸 高	（　　　　　）	（　　　　　）
	売 上 総 利 益		（　　　　　）
Ⅲ	販売費及び一般管理費		
	1．販 売 費・管 理 費	（　　　　　）	
	2．貸 倒 引 当 金 繰 入	（　　　　　）	
	3．減 価 償 却 費	（　　　　　）	
	4．退 職 給 付 費 用	（　　　　　）	（　　　　　）
	営　　業　　利　　益		（　　　　　）
Ⅳ	営　業　外　収　益		
	1．受 取 利 息 配 当 金	（　　　　　）	
	2．有 価 証 券 利 息	（　　　　　）	（　　　　　）
Ⅴ	営　業　外　費　用		
	1．支　払　利　息	（　　　　　）	
	2．社　債　利　息	（　　　　　）	
	3．（　　　　　　）	（　　　　　）	（　　　　　）
	経　常　利　益		（　　　　　）
Ⅵ	特　別　損　失		
	1．（　　　　　　）		（　　　　　）
	当　期　純　利　益		（　　　　　）

本支店合併貸借対照表
20×3年3月31日現在　　　　　（単位：千円）

現　金　預　金	（　　　　　）	支　払　手　形	（　　　　　）
受　取　手　形	（　　　　　）	買　　掛　　金	（　　　　　）
売　　掛　　金	（　　　　　）	契　約　負　債	（　　　　　）
貸 倒 引 当 金	（△　　　　）	リ ー ス 債 務	（　　　　　）
商　　　　品	（　　　　　）	未　払　費　用	（　　　　　）
未　収　収　益	（　　　　　）	長 期 借 入 金	（　　　　　）
短 期 貸 付 金	（　　　　　）	長 期 リ ー ス 債 務	（　　　　　）
建　　　　物	（　　　　　）	社　　　　債	（　　　　　）
減 価 償 却 累 計 額	（△　　　　）	退 職 給 付 引 当 金	（　　　　　）
備　　　　品	（　　　　　）	資　　本　　金	（　　　　　）
減 価 償 却 累 計 額	（△　　　　）	資 本 準 備 金	（　　　　　）
リ ー ス 資 産	（　　　　　）	利 益 準 備 金	（　　　　　）
減 価 償 却 累 計 額	（△　　　　）	繰 越 利 益 剰 余 金	（　　　　　）
土　　　　地	（　　　　　）	新 株 予 約 権	（　　　　　）
投 資 有 価 証 券	（　　　　　）		
合　　　　計	（　　　　　）	合　　　　計	（　　　　　）

2024年度

日商簿記検定試験対策

第168回試験をあてる
TAC直前予想模試

問題用紙

| 1　級 | －Ⅱ |

工業簿記・原価計算

（制限時間　1時間30分）

第2予想

TAC簿記検定講座

工 業 簿 記

問題（25点）

　ＨＲ社（以下、当社という）では飲料・食品の製造販売を行っており、全部実際部門別個別原価計算を採用している。当社には２つの製造部門（第１製造部と第２製造部）と２つの補助部門（Ａ補助部とＢ補助部）がある。従来から採用している計算方法に関して、当社内で以下のような会話が行われた。そこで、下記の会話文および資料にもとづき、以下の**問**に答えなさい。なお、計算するうえで端数が生じる場合には、計算途中ではその端数を処理せずに、解答する段階で千円未満を四捨五入しなさい。

（当社内の会話）

　経 理 部 長「さて、製品原価の算定の過程において、第１製造部にどれほど原価が集計されているのだろうか。補助部門の具体的な計算方法について確認したい。」

　原価計算課長「補助部門の原価の取り扱いについて従来通りの方法で集計したところ、補助部門費は第１製造部に約8,204千円配賦されています。」

　経 理 部 長「補助部門費の配賦方法にはいくつかあるようだが、どれを採用しているのかね。」

　原価計算課長「はい、当社では従来より（　ア　）を計算に用いています。補助部門間のサービス提供の実態からすると、計算の精度という観点では不十分ですが、他の計算方法に比べると手間が少ないという利点があります。」

　経 理 部 長「では、他にはどのような方法があるのかね。」

　原価計算課長「もっとも精度の高い方法として（　イ　）があります。補助部門の配賦方法には、そのほかに（　ウ　）があります。」

　経 理 部 長「なるほど。（　ウ　）というのは、補助部門間のサービスの授受を部分的に認める方法だね。では、①試しにその（　ウ　）による計算も行ってみようではないか。」

　原価計算課長「わかりました。」

　経 理 部 長「ところで、従来からの方法では（　エ　）だったね。この方法では、固定費も変動費と同様にみなすことになるが、もしかして、当社での変動費の占める割合が多いからなのかな。しかし、固定費がサービス提供能力を維持するために要するコストであると考えれば、変動費とは異なった配賦基準を用いる（　オ　）のほうがより望ましいのではないかな。」

　原価計算課長「そうですね。それでは、②ここまでに出てきた配賦方法の中で理論上もっとも望ましい方法である（　イ　）と（　オ　）の組み合わせに変更したものであらためて計算を行っておきましょう。」

　経 理 部 長「お願いするよ。それはさておき、補助部門の実際額を配賦する前提でここまで話を進めてきたが、製造部門の業績を適正に評価するのに、より良い方法はないものだろうか。」

　原価計算課長「そうであれば、なにも補助部門費の実際額のすべてを配賦する必要もないと思います。それについても検討してみましょう。」

（資　料）

1. 当月の各製造部門および各補助部門の実際部門個別費

	第１製造部	第２製造部	Ａ補助部	Ｂ補助部	合　計
変 動 費	5,002千円	5,134千円	6,500千円	3,184千円	19,820千円
固 定 費	2,424千円	1,866千円	3,509千円	770千円	8,569千円
合 計	7,426千円	7,000千円	10,009千円	3,954千円	28,389千円

2. 当月の実際部門共通費

　部門共通費として、建物減価償却費1,430千円および機械保険料1,320千円がある。建物減価償却費は各製造部門へ30％ずつ、各補助部門へ20％ずつ配賦する。機械保険料はすべての部門に均等に配賦する。なお、部門共通

費はすべて固定費である。

3．当月の各補助部門サービスの実際消費量割合

	第1製造部	第2製造部	A補助部	B補助部
A補助部サービス	48％	36％	―	16％
B補助部サービス	35％	40％	25％	―

4．当月の各補助部門サービスの消費能力割合

	第1製造部	第2製造部	A補助部	B補助部
A補助部サービス	44％	38％	―	18％
B補助部サービス	34％	36％	30％	―

問1 上記の会話文中の（ ア ）～（ オ ）に該当する語句を、以下の語群より選び、答案用紙に記入しなさい。
（語群） 直接配賦法　階梯式配賦法　相互配賦法（連立方程式法）　単一基準配賦法　複数基準配賦法

問2 各製造部門および各補助部門の第1次集計費の実際額（部門個別費および部門共通費の合計）を計算しなさい。

問3 経理部長の会話にある①の波線部の方法にもとづき配賦を行い、補助部門費の第1製造部および第2製造部への配賦額を計算しなさい。

問4 原価計算課長の会話にある②の波線部の方法にもとづき配賦を行い、補助部門費の第1製造部および第2製造部への配賦額を計算しなさい。

問5 会話文の最後において、製造部門の業績を適正に評価するうえで、検討すべき課題があることが示されている。そこで、（ オ ）において実際額の配賦から予定額の配賦に切り替えて、各部門の業績評価に適した体系にシフトするものとして、以下の資料より必要な項目を用いてA補助部で把握される差異について計算し解答しなさい。

A補助部	実 際 額	予算額（月間）	予定配賦額
変 動 費	（**問2**より）	7,000千円	6,720千円
固 定 費	（**問2**より）	4,000千円	3,840千円

（注）上記の予定配賦額は公式法変動予算を前提としており、予定配賦率にサービスの実際消費量を掛け合わせた金額である。

原　価　計　算

問題（25点）

　　当社では、製品Aと製品Bを製造・販売しているが、責任を明確にするため、各製品に責任ある経営管理者を割り当て、それぞれ利益センターとして管理している。原価計算制度は、直接原価計算制度が採用されている。

　　20×2年度における当社の予算および実績は、以下のとおりであった。

① 予算財務諸表および実際財務諸表（単位：千円）

	予算損益計算書	実際損益計算書		予　算	実　際
売上高	850,000	?	年次貸借対照表		
標準変動費			流動資産	80,000	78,000
製造原価	515,000	?	固定資産	320,000	342,000
販売費	60,000	?	資産合計	400,000	420,000
計	575,000	?	流動負債	50,000	53,000
標準貢献利益	275,000	?	固定負債	110,000	115,000
標準変動費差異	—	750（有利差異）	負債合計	160,000	168,000
実際貢献利益	275,000	?	資　本	240,000	252,000
固定費			負債・資本合計	400,000	420,000
製造原価	150,000	138,300			
販売費・一般管理費	82,500	?			
計	232,500	?			
営業利益	42,500	43,210			

② 売上高および製品単位あたり変動費に関するデータ

	予算 （製品A）	予算 （製品B）	実際 （製品A）	実際 （製品B）
販売単価	10,000円	5,000円	9,500円	5,000円
生産・販売数量	50,000個	70,000個	56,000個	62,000個
需要上限	60,000個	80,000個	60,000個	70,000個
直接材料費	2,500円/個	500円/個	?	?
直接労務費	3,000円/個	750円/個	?	?
変動製造間接費	2,000円/個	750円/個	?	?
変動販売費	500円/個	500円/個	550円/個	500円/個

③ 予算固定製造原価のうち、125,000,000円は個別固定費（製品Aが45,000,000円、製品Bが80,000,000円）、残りは共通固定費である。個別固定費のうち、10%が自由裁量固定費である。個別固定費の残り90%と共通固定費は、すべて拘束固定費（コミッティド固定費）である。

④ 予算固定販売費・一般管理費は、すべて共通費である。その40%が自由裁量固定費、60%が拘束固定費である。

⑤ 予算総投資額のうち40%は製品Aに対する投資額、残りは製品Bに対する投資額である。

⑥ 実際固定製造原価または実際固定販売費・一般管理費における個別固定費と共通固定費、自由裁量固定費と拘束固定費の割合および製品別の発生割合、総投資額における製品別の割合は、予算と同一であった。

受験番号　＿＿＿＿＿＿＿＿＿＿

答案用紙

2024年度

日商簿記検定試験対策

第168回試験をあてる
TAC直前予想模試

1　級　－Ⅱ

工業簿記・原価計算
（制限時間　1時間30分）

第2予想

TAC簿記検定講座

受験番号

氏　名

総 合 点	採 点 欄
	工 簿

1 級　③

工　業　簿　記

問1

(ア)	
(イ)	
(ウ)	

(エ)	
(オ)	

問2

第 1 製造部	千円
第 2 製造部	千円

Ａ 補 助 部	千円
Ｂ 補 助 部	千円

問3

第 1 製造部への配賦額	千円
第 2 製造部への配賦額	千円

問4

第 1 製造部への配賦額	千円
第 2 製造部への配賦額	千円

問5

変動費予算差異	千円 〔　　　〕
固定費予算差異	千円 〔　　　〕
変動費能率差異	千円 〔　　　〕
固定費能率差異	千円 〔　　　〕
操 業 度 差 異	千円 〔　　　〕

（注）本問で把握される差異のみを解答欄に記入すること。

〔　　〕内には、「借方」もしくは「貸方」を記入すること。

把握されない差異に関しては、金額欄に「—」を記入するとともに、〔　　〕内は、無記入でよい。

2024年度

日商簿記検定試験対策

第168回試験をあてる
TAC直前予想模試

問題用紙

$$\boxed{1 \ \ 級} - Ⅰ$$

商業簿記・会計学

（制限時間　1時間30分）

$$\boxed{第3予想}$$

TAC 簿記検定講座

商 業 簿 記

問題（25点）

　P社およびS社の〔**資料Ⅰ**〕個別財務諸表および〔**資料Ⅱ**〕連結に関する諸事項にもとづいて、答案用紙の当期（20×3年4月1日から20×4年3月31日まで）の連結貸借対照表、連結損益計算書、連結包括利益計算書および連結株主資本等変動計算書を完成しなさい。のれんは計上年度の翌年度より20年にわたり定額法で償却する。また、連結会計上、新たに生ずる一時差異については、法人税等の実効税率30％として税効果会計を適用し、繰延税金資産と繰延税金負債は相殺表示する。ただし、納税主体の異なるものは相殺表示しないこと。なお、P社、S社ともに、20×1年3月31日以降その他有価証券の売買は行っていない。

〔**資料Ⅰ**〕個別財務諸表

貸 借 対 照 表
20×4年3月31日現在
（単位：千円）

資　　産	P　社	S　社	負債・純資産	P　社	S　社
現 金 預 金	360,000	186,000	買　　掛　　金	220,000	126,000
売　　掛　　金	353,600	147,000	未 払 法 人 税 等	48,600	28,000
商　　　　　品	148,000	52,600	退職給付に係る負債	25,600	―
備　　　　　品	520,000	280,000	そ の 他 の 負 債	483,600	237,400
減 価 償 却 累 計 額	△ 188,000	△ 135,500	資　　本　　金	1,000,000	300,000
土　　　　　地	600,000	300,000	資 本 剰 余 金	350,000	85,800
S 社 株 式	362,000	―	利 益 剰 余 金	564,500	220,000
A 社 株 式	120,000	―	その他有価証券評価差額金	7,700	2,800
繰 延 税 金 資 産	15,000	4,200			
そ の 他 の 資 産	409,400	165,700			
	2,700,000	1,000,000		2,700,000	1,000,000

損 益 計 算 書
自20×3年4月1日　至20×4年3月31日
（単位：千円）

借　　方	P　社	S　社	貸　　方	P　社	S　社
売 上 原 価	1,573,000	761,000	売　　上　　高	2,413,000	1,170,000
減 価 償 却 費	68,000	35,000	受 取 利 息 配 当 金	36,000	6,000
そ の 他 の 費 用	543,000	241,000	固 定 資 産 売 却 益	8,000	5,500
法 人 税 等	96,000	48,000	そ の 他 の 収 益	40,000	17,000
当 期 純 利 益	220,000	115,000	法 人 税 等 調 整 額	3,000	1,500
	2,500,000	1,200,000		2,500,000	1,200,000

株 主 資 本 等 変 動 計 算 書
自20×3年4月1日　至20×4年3月31日
（単位：千円）

	株　　　主　　　資　　　本						その他の包括利益累計額	
	資　本　金		資 本 剰 余 金		利 益 剰 余 金		その他有価証券評価差額金	
	P　社	S　社	P　社	S　社	P　社	S　社	P　社	S　社
当 期 首 残 高	1,000,000	300,000	350,000	85,800	404,500	145,500	6,510	1,400
剰余金の配当					△ 60,000	△ 40,500		
当 期 純 利 益					220,000	115,000		
株主資本以外の項目の当期変動額（純額）							1,190	1,400
当 期 末 残 高	1,000,000	300,000	350,000	85,800	564,500	220,000	7,700	2,800

〔資料Ⅱ〕連結に関する諸事項

1. P社の退職給付に係る負債（退職給付引当金）について、未認識数理計算上の差異（いずれも引当不足）が生じている。未認識数理計算上の差異の推移は次のとおりである。

20×1年3月31日	20×2年3月31日	20×3年3月31日	20×4年3月31日
1,800千円	2,100千円	2,300千円	2,700千円

2. S社に関する事項
   (1) P社は20×1年3月31日にS社の発行済議決権株式の70％を362,000千円（取得関連費用10,000千円を含む）で取得し、S社を連結子会社とした。
   (2) S社の20×1年3月31日現在の資本金は300,000千円、資本剰余金は85,800千円、利益剰余金は79,500千円、その他有価証券評価差額金は700千円（貸方）であった。
   (3) S社の20×1年3月31日現在の土地の簿価は300,000千円、時価は320,000千円であり、土地以外の資産および諸負債については、簿価と時価とに相違はなかった。
   (4) S社のP社への当期売上高は380,000千円であったが、そのうち売価で6,000千円が決算日現在P社へ未達であった。なお、前期末には未達商品はなかった。
   (5) P社の期首商品棚卸高のうち28,000千円、期末商品棚卸高のうち25,000千円（未達分を含まない）はS社から仕入れたものであった。なお、S社のP社に対する売上総利益率は毎期20％で一定であった。
   (6) S社の当期末における売掛金のうち30,000千円はP社に対するものであった。
   (7) S社は当期首にP社に対して簿価36,500千円の備品を40,000千円で売却している。なお、P社はこの備品について残存価額をゼロ、耐用年数を5年とする定額法により減価償却している。

3. A社に関する事項
   (1) P社は20×2年3月31日にA社の発行済議決権株式の20％を120,000千円で取得し、A社を持分法適用関連会社とした。
   (2) A社の資本勘定の推移は次のとおりであった。なお、A社はその他の包括利益累計額を計上していない。

	20×2年3月31日	20×3年3月31日	20×4年3月31日
資 本 金	350,000千円	350,000千円	350,000千円
資 本 剰 余 金	50,000千円	50,000千円	50,000千円
利 益 剰 余 金	119,000千円	140,000千円	180,000千円

   (3) A社の20×2年3月31日現在の土地の簿価は320,000千円、時価は350,000千円であり、その他の資産および負債については、簿価と時価とに相違はなかった。
   (4) A社が当期中に行った利益剰余金の配当と処分の内訳は次のとおりであった。

利益準備金 1,000千円　　　配 当 金 10,000千円　　　別途積立金 2,500千円

   (5) P社は、当期においてA社に対して260,000千円の商品を売上げている。なお、A社の期首商品棚卸高のうち20,000千円、期末商品棚卸高のうち24,000千円はP社から仕入れたものであった。また、P社のA社に対する売上総利益率は毎期30％で一定であった。

第1問

我が国の会計基準にしたがって、次の文章の空欄に当てはまる最も適当な語句を答案用紙に記入しなさい。

1. 子会社株式を一部売却した場合（親会社と子会社の支配関係が継続している場合に限る。）には、売却した株式に対応する持分を親会社の持分から減額し、非支配株主持分を増額する。売却による親会社の持分の減少額と売却価額との間に生じた差額は、（　1　）とする。

2. 資産除去債務の計算にあたって、割引前の将来キャッシュ・フローに重要な見積りの変更が生じ、当該キャッシュ・フローが増加する場合、その時点の割引率を適用する。これに対し、当該キャッシュ・フローが減少する場合には、（　2　）の割引率を適用する。なお、過去に割引前の将来キャッシュ・フローの見積りが増加した場合で、減少部分に適用すべき割引率を特定できないときは、加重平均した割引率を適用する。

3. 一時差異とは、貸借対照表に計上されている資産および負債の金額と（　3　）計算上の資産および負債の金額との差額をいう。将来の（　3　）と相殺可能な繰越欠損金等については、一時差異と同様に取り扱うものとする。

4. 分離先企業の株式のみを受取対価とする事業分離により分離先企業が新たに分離元企業の子会社となる場合、個別財務諸表上、移転した事業に係る（　4　）相当額に基づいて、当該分離元企業が受け取った分離先企業の株式（子会社株式）の取得原価を算定し、移転損益を認識しない。

5. 連結キャッシュ・フロー計算書が対象とする資金の範囲は、現金及び（　5　）とする。現金とは、手許現金及び要求払預金をいい、（　5　）とは、容易に換金可能であり、かつ、価値の変動について僅少なリスクしか負わない短期投資をいう。

第2問

次の文章の空欄（　a　）～（　e　）に当てはまる適切な金額を答案用紙に記入しなさい。

P社は、20×1年3月31日に6,000千円を出資し、子会社S社（P社の持分割合80％）を設立した。20×1年3月31日におけるS社の財政状態は、諸資産7,500千円、資本金7,500千円であった。また、S社の20×1年度（20×1年4月1日～20×2年3月31日）の当期純利益は8,000千円であった。20×1年度末のP社およびS社の個別貸借対照表は次のとおりである。

P社	貸借対照表	（単位：千円）	
諸　資　産	30,000	諸　負　債	16,000
S　社　株　式	6,000	資　本　金	10,000
		利益剰余金	10,000
	36,000		36,000

S社	貸借対照表	（単位：千円）	
諸　資　産	25,000	諸　負　債	9,500
		資　本　金	7,500
		利益剰余金	8,000
	25,000		25,000

P社は、20×2年4月1日に株式交換（P社を取得企業とする）によりS社を完全子会社化した。株式の交換比率は1：1であり、P社はS社の非支配株主に200株（株式交換日のP社株式の時価は1株当たり20千円）を発行した。また、P社は新株発行に伴う増加資本の全額をその他資本剰余金とした。

このとき、P社が20×1年度末の連結財務諸表において計上する資本金は（　a　）千円、利益剰余金は（　b　）千円、非支配株主持分は（　c　）千円となる。また、20×2年4月1日の株式交換に際して、P社の個別財務諸表において計上するS社株式の金額は、（　d　）千円となり、P社が株式交換後に作成する連結財務諸表において計上する資本剰余金の金額は（　e　）千円となる。

受験番号 _____

答案用紙

2024年度

日商簿記検定試験対策

第168回試験をあてる
TAC直前予想模試

1　級　－Ⅰ

商業簿記・会計学

（制限時間　1時間30分）

第3予想

TAC 簿記検定講座

受験番号 _____

氏　名 _____

総合点		採 点 欄	
		商	
		簿	

1 級 ①

商 業 簿 記

連 結 貸 借 対 照 表
20×4年３月31日現在　　　　　　　　（単位：千円）

資　　産	金　額	負債・純資産	金　額
現 金 預 金		買　掛　金	
売　掛　金		未 払 法 人 税 等	
商　　　品		退職給付に係る負債	
備　　　品		そ の 他 の 負 債	
減 価 償 却 累 計 額	△	資　　本　　金	
土　　　地		資 本 剰 余 金	
の　れ　ん		利 益 剰 余 金	
Ａ 社 株 式		その他有価証券評価差額金	
繰 延 税 金 資 産		退職給付に係る調整累計額	△
そ の 他 の 資 産		非 支 配 株 主 持 分	

連 結 損 益 計 算 書
自20×3年４月１日 至20×4年３月31日（単位：千円）

売　　上　　高	
売　上　原　価	△
減 価 償 却 費	△
の れ ん 償 却 額	△
受 取 利 息 配 当 金	
持 分 法 に よ る 投 資 利 益	
固 定 資 産 売 却 益	
そ の 他 の 収 益	
そ の 他 の 費 用	△
税 金 等 調 整 前 当 期 純 利 益	
法　人　税　等	△
法 人 税 等 調 整 額	
当　期　純　利　益	
非支配株主に帰属する当期純利益	△
親会社株主に帰属する当期純利益	

連 結 包 括 利 益 計 算 書
自20×3年４月１日 至20×4年３月31日（単位：千円）

当 期 純 利 益	
そ の 他 の 包 括 利 益	
その他有価証券評価差額金	
退職給付に係る調整額	△
包括利益	
（内　訳）	
親会社株主に係る包括利益	
非支配株主に係る包括利益	

連 結 株 主 資 本 等 変 動 計 算 書
自20×3年４月１日　至20×4年３月31日　　　　　　（単位：千円）

	株　主　資　本			その他の包括利益累計額		非 支 配株 主 持 分
	資 本 金	資本剰余金	利益剰余金	その他有価証券評価差額金	退職給付に係る調整累計額	
当 期 首 残 高					△	
剰 余 金 の 配 当			△			
親会社株主に帰属する当 期 純 利 益						
株主資本以外の項目の当期変動額（純額）					△	
当 期 末 残 高					△	

2024年度

日商簿記検定試験対策

第168回試験をあてる
TAC直前予想模試

問題用紙

1　級　—Ⅱ

工業簿記・原価計算

（制限時間　1時間30分）

第3予想

TAC 簿記検定講座

工 業 簿 記

問題（25点）

第1問

　ＨＳＴ工業の名古屋工場では主力製品である製品ＭＪを連続生産し、累加法による実際工程別単純総合原価計算を採用している。同工場における、ある月の原価計算関係資料を参照して、以下の**問**に答えなさい。

[資　料]

　製品ＭＪの製造過程は、まず第1工程始点において材料Ａを、工程の始点から加工費進捗度80％の段階まで平均的に材料Ｂを投入し、第1工程の作業が終了した生産物のすべてを第2工程に振り替える。

　第2工程では、受け入れた第1工程完成品4kgを1個として生産を行うが、工程を通じて平均的に材料Ｃを追加投入し、製品ＭＪを生産している。

第1工程の生産データ：

第1工程	数　量	備　　　考
月初仕掛品	6,000kg	加工費進捗度は75％
完　成　品	36,000kg	当月完成品の全量を第2工程へ振替えた
月末仕掛品	3,000kg	加工費進捗度は60％
異常減損	3,000kg	加工費進捗度90％の段階で発生した

第2工程の生産データ：

第2工程	数　量	備　　　考
月初仕掛品	1,000個	加工費進捗度は50％
完　成　品	8,500個	―
月末仕掛品	800個	加工費進捗度は75％
正常仕損	500個	加工費進捗度60％の段階で発生した
異常減損	200個	加工費進捗度50％の段階で発生した

　[注] 第2工程正常仕損品には274円/個の評価額があり、第2工程前工程費から控除する。

各工程の月初仕掛品原価：

	第1工程	第2工程
Ａ　材　料　費	4,206,000円	2,944,000円
Ｂ　材　料　費	697,500円	523,000円
Ｃ　材　料　費	―　　円	366,750円
加工費（第1工程）	3,429,000円	3,216,000円
加工費（第2工程）	―　　円	2,195,460円

当月原価発生データ：

(1) 直接材料費

　払出額について材料Ａと材料Ｂは平均法、材料Ｃは先入先出法を適用している。いずれの材料も、棚卸減耗はない。

	材料 Ａ		材料 Ｂ		材料 Ｃ	
月初在庫量	800単位	@13,250円	3,000単位	@802.5円	7,000単位	@190円
当月購入量	?単位	@14,800円	6,750単位	@796円	23,000単位	@176.5円
月末在庫量	1,100単位	@?円	3,500単位	@?円	3,000単位	@?円

受験番号 _____

2024年度

日商簿記検定試験対策

第168回試験をあてる TAC直前予想模試

1 級 － II

工業簿記・原価計算

（制限時間　1時間30分）

第3予想

TAC 簿記検定講座

受験番号 _____

氏　名 _____

1 級 ③

工　業　簿　記

採点欄：工　簿

第１問

[問1]

仕　掛　品　－　第　１　工　程　　　　　　（単位：円）

月初仕掛品原価		完成品原価	
材　料　A	(　　　　　)	材　料　A	(　　　　　)
材　料　B	(　　　　　)	材　料　B	(　　　　　)
加　工　費	(　　　　　)	加　工　費	(　　　　　)
計	(　　　　　)	計	60,588,000
当月製造費用		異常減損費	(　　　　　)
材　料　A	(　　　　　)	月末仕掛品原価	
材　料　B	(　　　　　)	材　料　A	(　　　　　)
加　工　費	(　　　　　)	材　料　B	(　　　　　)
計	(　　　　　)	加　工　費	(　　　　　)
		計	(　　　　　)
	(　　　　　)		(　　　　　)

仕　掛　品　－　第　２　工　程　　　　　　（単位：円）

月初仕掛品原価		完成品原価	
前　工　程　費	(　　　　　)	前　工　程　費	(　　　　　)
材　料　C	(　　　　　)	材　料　C	(　　　　　)
加　工　費	(　　　　　)	加　工　費	(　　　　　)
計	(　　　　　)	正　常　仕　損　費	(　　　　　)
当月製造費用		計	(　　　　　)
前　工　程　費	(　　　　　)	仕　損　品	(　　　　　)
材　料　C	(　　　　　)	異常減損費	(　　　　　)
加　工　費	(　　　　　)	月末仕掛品原価	
計	(　　　　　)	前　工　程　費	(　　　　　)
		材　料　C	(　　　　　)
		加　工　費	(　　　　　)
		正　常　仕　損　費	(　　　　　)
		計	(　　　　　)
	(　　　　　)		(　　　　　)

[問2]

第２工程異常減損費　＝　[　　　　　]　円

第２工程月末仕掛品原価　＝　[　　　　　]　円

完成品総合原価　＝　[　　　　　]　円

第２問

①		②		③		④	
⑤		⑥		⑦			

2024年度

日商簿記検定試験対策

第168回試験をあてる
TAC直前予想模試

問題用紙

| 1　級 | ー I |

商業簿記・会計学

（制限時間　1時間30分）

プラスワン予想

TAC 簿記検定講座

商 業 簿 記

問題（25点）

月商株式会社の20×4年度（自20×4年4月1日至20×5年3月31日）における［Ⅰ］決算整理前残高試算表および［Ⅱ］期末整理事項等にもとづいて、答案用紙の貸借対照表を完成しなさい。

［解答上の注意事項］
1. 計算の過程で端数が出る場合は、その都度千円未満を四捨五入すること。
2. 税効果会計を適用する場合の法定実効税率は30％である。また、ことわり書きのない限り、税効果会計は適用しない。
3. 決算日の直物為替相場は1ドル125円である。
4. ？については各自推定すること。

［Ⅰ］決算整理前残高試算表

決算整理前残高試算表
20×5年3月31日
（単位：千円）

借　方　科　目	金　額	貸　方　科　目	金　額
現　金　預　金	80,850	支　払　手　形	24,000
受　取　手　形	36,000	買　掛　金	32,000
売　掛　金	75,000	仮　受　金	54,000
有　価　証　券	？	貸　倒　引　当　金	8,190
商　　　品	105,000	リ　ー　ス　債　務	？
仮　払　金	5,500	長　期（　　　　　）	？
仮払法人税等	21,000	長　期　借　入　金	69,000
建　　　物	330,000	退職給付引当金	20,750
備　　　品	180,000	建物減価償却累計額	132,000
土　　　地	900,000	備品減価償却累計額	92,500
ソ　フ　ト　ウ　ェ　ア	30,000	資　本　金	900,000
長　期　貸　付　金	100,000	資　本　準　備　金	105,000
繰　延　税　金　資　産	9,000	その他資本剰余金	80,000
自　己　株　式	32,000	利　益　準　備　金	115,000
売　上　原　価	820,000	繰越利益剰余金	55,435
販　売　費	100,000	新　株　予　約　権	26,000
一　般　管　理　費	110,000	売　上	1,227,000
貸　倒　損　失	7,700	受　取　配　当　金	2,000
支　払　利　息	1,500	受　取　利　息	1,000
	？		？

［Ⅱ］期末整理事項等

1. 20×5年1月1日に次の為替予約1,400千ドルを行っている。決済日はいずれも20×5年12月31日である。予約日の先物相場は117円であり、決算日の先物為替相場は124円である。なお、為替予約は独立処理による。
   (1) 長期借入金600千ドル（69,000千円）について、翌期に返済期限が迫っており、円安が進んでいるため、為替予約を行った。予約日の直物為替相場は1ドル118円であった。
   (2) ネット通販部門の立ち上げのため米国ソフト開発業者に発注していたソフトウェアが来期に納入予定となっており、この支払いに備えるため800千ドルの為替予約を行った。この為替予約は、ヘッジ会計の要件を満たしている。ヘッジ手段に係る評価差額については、税効果会計を適用する。
2. 期末商品のうち、以下のX商品とY商品以外の商品には棚卸減耗は生じておらず、正味売却価額は取得原価を上回っている。なお、Y商品の実地棚卸高のうち10個は品質低下のため、@250千円と評価した。

種　類	帳簿棚卸数量	実地棚卸数量	取　得　原　価	正味売却価額
X商品	250個	245個	@100千円	@ 80千円
Y商品	50個	49個	@600千円	@700千円

3．貸倒引当金

（1）　期中に売掛金7,700千円が貸倒れたさい、全額貸倒損失として処理していたが、このうち当期の売掛金は5,000千円であった。なお、過去5年間の貸倒実績率の単純平均値を用いて貸倒引当金を設定しているが、前期末は、本来2.4％とするところを2.2％で設定していたことが判明しており、過去の誤謬の訂正を行う。当期は、売上債権の期末残高に対して2.6％の貸倒引当金を差額補充法で設定する。

（2）　長期貸付金は、20×2年4月1日に約定利子率4％（毎期3月末払い）、20×7年3月31日に一括返済の契約で貸し付けたものである。20×4年3月31日に相手先より条件緩和の申出があり、将来の利払いを年2％に免除することとした。そのさいに貸倒懸念債権に区分し、キャッシュ・フロー見積法によって貸倒引当金の設定をしていたが、決算にあたって条件緩和後の利息の当座預金口座への振込みが確認されたため、その処理を行うとともに、相当する貸倒引当金を取り崩す。なお、前期末の貸倒引当金設定対象は売上債権と長期貸付金の期末残高のみで、期中に貸倒引当金残高に増減はない。

4．固定資産の減価償却

（1）　期首に所有する備品のセール・アンド・リースバック取引を行い、この処理はすでに完了しているが、期末日に銀行口座からリース料が引落済みとなっており、この処理が未処理となっている。リース資産の減価償却については、保有する同種の固定資産に準じて行うこととし、耐用年数については契約日以降の経済的耐用年数とする。

　［対象資産］取得日：20×1年4月1日、取得原価40,000千円

　［セール・アンド・リースバック取引の内容］

　　売却価額：20,000千円、解約不能のリース期間：5年、1回のリース料：4,620千円、

　　リース料の支払い：毎年3月31日（後払い方式）、貸手の計算利子率：年5％、

　　所有権：リース期間終了後当社に無償で移転

（2）　その他の固定資産の減価償却方法

　　建物：定額法、耐用年数30年、残存価額ゼロ

　　備品：200％定率法、耐用年数8年、残存価額ゼロ、保証率0.07909、改定償却率0.334

5．試算表中の有価証券の内訳は、次のとおりである。

種　　　類	分　　　類	試算表の金額	期末市場価格	備　考
A社株式	売買目的有価証券	9,600千円（80千ドル）	78千ドル	
B社社債（額面で取得）	満期保有目的債券	5,850千円（50千ドル）	52千ドル	
C社株式（前期末に取得）	その他有価証券	4,200千円	4,500千円	注1
D社株式（議決権の20％を保有）	関連会社株式	3,800千円	―	注2

　　（注1）その他有価証券の評価に際しては、税効果会計を適用する。全部純資産直入法による。

　　（注2）D社の財政状態は著しく悪化しており、同社の20×5年3月末日の純資産は5,000千円となっている。

6．当社は、確定給付型の企業年金制度を採用している。試算表上の退職給付引当金は期首残高のままであり、期首退職給付債務は120,000千円、期首年金資産は100,000千円、数理計算上の差異は、20×2年度発生分が2,500千円（主として年金資産の運用収益額が期待運用収益額を上回ったため発生した）で、20×3年度発生分が？千円である（各自推定）。当期勤務費用は7,000千円、当期掛金拠出額は5,500千円（仮払金で処理）で、当期企業年金からの支給退職金は8,000千円であった。割引率は年2％、長期期待運用収益率は年3％である。数理計算上の差異は、発生年度の翌年度から10年で償却（費用処理）を行っている。

7．試算表中のソフトウェアは、当期中に販売目的のソフトウェアの開発に成功した際にその制作費を資産計上したものである。見込有効期間は3年である。販売開始時における見込販売収益は、それぞれ20×4年度45,000千円、20×5年度40,000千円、20×6年度35,000千円である。当社では、このソフトウェア制作費を見込販売収益にもとづいて償却することとした。また、当期の販売収益は見込みどおりであった。

8．新株予約権のうち帳簿価額20,000千円について権利行使されたため、新株350株の発行と所有する自己株式のうち150株（帳簿価額24,000千円）の処分を行っていたが、権利行使に伴う払込金54,000千円を仮受金として処理しただけで、未処理となっている。なお、会社法の定める最低額を資本金とすることとする。

9．販売費の経過分800千円、一般管理費の未経過分950千円、受取利息の経過分900千円を経過勘定として計上する。

10．当期の法人税、住民税及び事業税43,200千円を計上する。仮払法人税等は、前年度の申告額にもとづいて支払った中間納付額である。また、税効果会計を適用する。当期末において、繰延税金資産の回収可能性を評価した結果、貸借対照表に計上すべき繰延税金資産（繰延税金負債との相殺前）は10,500千円と判断された。

問題（25点）

第1問

以下の文章の空欄（　1　）～（　5　）に入る適切な語句を答案用紙に記入しなさい。

1．経営破綻又は実質的に経営破綻に陥っている債務者に対する債権を（　1　）という。

2．減損損失を認識すべきであると判定された資産又は資産グループについては、帳簿価額を（　2　）まで減額し、当該減少額を減損損失として当期の損失とする。

3．資産計上された資産除去債務に対応する除去費用は、（　3　）を通じて、当該有形固定資産の残存耐用年数にわたり、各期に費用配分する。

4．「賃貸等不動産」とは、棚卸資産に分類されている不動産以外のものであって、賃貸収益又は（　4　）の獲得を目的として保有されている不動産（ファイナンス・リース取引の貸手における不動産を除く）をいう。

5．ヘッジ会計は、原則として、時価評価されているヘッジ手段に係る損益又は評価差額を、ヘッジ対象に係る損益が認識されるまで（　5　）において繰り延べる方法による。

第2問

当社の下記資料にもとづいて、答案用紙の当期（20×7年3月期）に開示する遡及処理後の損益計算書（一部）を完成しなさい。なお、決算日は毎年3月31日（会計期間は1年）であり、当社は、2期分の財務諸表を開示している。

（資　料）

1．当期より、通常の販売目的で保有する商品の評価方法を総平均法から先入先出法に変更した。この変更は会計方針の変更に該当するため遡及適用する。なお、総平均法で評価した前期の売上原価は504,000千円であった。

	個　数	単　価
期首商品棚卸高		
総 平 均 法	20個	1,680千円
先 入 先 出 法	20個	1,800千円
当期商品仕入高（日付順）		
第1回仕入	50個	1,800千円
第2回仕入	40個	1,760千円
第3回仕入	60個	1,840千円
第4回仕入	80個	1,880千円
第5回仕入	70個	1,920千円
当期商品売上数量	290個	

2．20×3年4月1日に取得した備品24,000千円を耐用年数8年、残存価額ゼロ、定額法により前期末まで3年間減価償却してきたが、当期首に当期首からの残存耐用年数を3年に変更した。

3．20×4年4月1日に取得した機械60,000千円を耐用年数10年、残存価額ゼロ、200％定率法により前期末まで2年間減価償却してきたが、当期から減価償却方法を定額法に変更した。

受験番号 _____

2024年度

日商簿記検定試験対策

第168回試験をあてる TAC直前予想模試

1 級 － Ⅰ

商業簿記・会計学

（制限時間　1時間30分）

プラスワン予想

TAC 簿記検定講座

受験番号　＿＿＿＿＿＿＿

氏　名　＿＿＿＿＿＿＿

1 級 ①

商 業 簿 記

総 合 点		採 点 欄	
		商簿	
		簿	

貸 借 対 照 表

月商株式会社　　　　　　　　20×5年3月31日現在　　　　　　　（単位：千円）

資 産 の 部		負 債 の 部	
Ⅰ 流 動 資 産		Ⅰ 流 動 負 債	
現 金 預 金 （　　　）		支 払 手 形 （　　　）	
受 取 手 形 （　　　）		買 掛 金 （　　　）	
売 掛 金 （　　　）		未 払 法 人 税 等 （　　　）	
貸 倒 引 当 金 （　　　）		未 払 費 用 （　　　）	
有 価 証 券 （　　　）		リ ー ス 債 務 （　　　）	
商 品 （　　　）		1 年 以 内 返 済 長 期 借 入 金 （　　　）	
前 払 費 用 （　　　）		Ⅱ 固 定 負 債	
未 収 収 益 （　　　）		長 期 リ ー ス 債 務 （　　　）	
（　　　）（　　　）		長 期（　　　　　）（　　　）	
Ⅱ 固 定 資 産		退 職 給 付 引 当 金 （　　　）	
1. 有 形 固 定 資 産		負 債 合 計 （　　　）	
建 物 （　　　）		純 資 産 の 部	
減 価 償 却 累 計 額 （　　　）		Ⅰ 株 主 資 本	
備 品 （　　　）		1. 資 本 金 （　　　）	
減 価 償 却 累 計 額 （　　　）		2. 資 本 剰 余 金	
土 地 （　　　）		(1) 資 本 準 備 金 （　　　）	
2. 無 形 固 定 資 産		(2) そ の 他 資 本 剰 余 金 （　　　）	
ソ フ ト ウ ェ ア （　　　）		3. 利 益 剰 余 金	
3. 投 資 そ の 他 の 資 産		(1) 利 益 準 備 金 （　　　）	
投 資 有 価 証 券 （　　　）		(2) そ の 他 利 益 剰 余 金	
関 係 会 社 株 式 （　　　）		繰 越 利 益 剰 余 金 （　　　）	
長 期 貸 付 金 （　　　）		4.（　　　　　）（　　　）	
貸 倒 引 当 金 （　　　）		Ⅱ 評 価・換 算 差 額 等	
繰 延 税 金 資 産 （　　　）		1. そ の 他 有 価 証 券 評 価 差 額 金 （　　　）	
		2.（　　　　　）（　　　）	
		Ⅲ 新 株 予 約 権 （　　　）	
		純 資 産 合 計 （　　　）	
資 産 合 計 （　　　）		負 債・純 資 産 合 計 （　　　）	

（注）金額がマイナスの場合、△を付しなさい。

2024年度

日商簿記検定試験対策

第168回試験をあてる
TAC直前予想模試

問題用紙

1 級 －Ⅱ

工業簿記・原価計算

（制限時間 1時間30分）

プラスワン予想

TAC 簿記検定講座

工 業 簿 記

問題（25点）

当工場では原料X、YおよびZを配合して製品Aを量産しており、パーシャル・プランによる全部標準原価計算制度を採用している。当工場の原価計算制度では、原料価格差異と原料消費量差異が算出され、原料消費量差異はさらに原料配合差異と原料歩留差異に分析されている。同様に、労働賃率差異と労働時間差異が算出され、労働時間差異はさらに労働能率差異と労働歩留差異に分析され、また、消費差異と製造間接費能率差異（変動費および固定費の合計）と不働能力差異が算出され、製造間接費能率差異はさらに純粋な製造間接費能率差異と製造間接費歩留差異に分析されている。以下の〔**資料1**〕と〔**資料2**〕にもとづいて、以下の**問**に答えなさい。

〔**資料1**〕製品Aの標準原価に関するデータ

1. 原料の配合割合と歩留

　　製品Aは3種類の原料X、YおよびZを工程始点で配合して製造されており、その標準配合割合が定められている。製品Aを8kg製造するために要する原料X、YおよびZの標準配合による標準消費量の合計は10kgであり、そのうち原料Xと原料Yの標準消費量はそれぞれ3kg、5kgである。なお、減損は工程の終点で発生する。

2. 原料費

　　各原料の標準単価は、原料Xが1,000円/kg、原料Yが1,200円/kg、原料Zが　？　円/kgである。当社の経理規程は、原料価格差異を受入時に把握することとしている。

3. 直接労務費

　　直接工の標準賃率は1,600円/時間である。当工場における標準直接作業時間は、配合投入される原料10kgに対して4時間である。

4. 製造間接費

　　当工場では、製造間接費を公式法変動予算にもとづいて設定しており、直接作業時間を配賦基準としている。当工場の年間基準操業度は15,360時間として算定されている。また、基準操業度における年間固定費予算額は30,720,000円、年間変動費予算額は21,504,000円である。なお、月間操業度および月間固定費予算額は年間の12分の1として計算している。

〔**資料2**〕製品Aに関する11月の実績データ

1. 11月の生産関連データ

　　当月の製品Aの実際生産量は2,400kgであった。当工場では、月末に仕掛品が残らないように生産していることから、月初仕掛品および月末仕掛品はない。

2. 原料費の実際発生状況

　　原料の購入原価は、購入代価に引取費用（引取運賃）を加えて計算されている。当月購入量についての送状価額は、原料Xが1,015,000円、原料Yが1,569,400円、原料Zが372,600円であった。引取運賃は78,500円であり、購入量にもとづいて実際配賦する。なお、各原料の月初在庫量、当月購入量、月末在庫量および当月消費量は次のとおりであった。

原料種類	月初在庫量	当月購入量	月末在庫量	当月消費量
X	220kg	1,000kg	260kg	960kg
Y	470kg	1,330kg	390kg	1,410kg
Z	380kg	810kg	460kg	730kg

3. 直接労務費の実際発生状況

　　直接労務費の実際発生額は1,932,700円であった（実際直接作業時間は1,255時間）。

4. 製造間接費の実際発生状況

　　製造間接費の実際発生額は変動費が1,590,000円、固定費が2,600,000円であった。

受験番号 _____

2024年度

日商簿記検定試験対策

第168回試験をあてる
TAC直前予想模試

| 1 　 級 | －Ⅱ |

工業簿記・原価計算

（制限時間　1時間30分）

| プラスワン予想 |

TAC 簿記検定講座

受験番号 _____

氏　名 _____

総 合 点	採 点 欄
	工 簿

1　級　③

工　業　簿　記

〔**問1**〕（注）各差異分析表の（　　）内には、「借」または「貸」を記入する。ただし、金額が０の場合は（　　）内に「－」と記入のこと（〔**問2**〕も同様）。

原　　料　　（単位：円）

月 初 有 高	（　　　　）	当 月 消 費	（　　　　）
当 月 購 入	（　　　　）	月 末 有 高	（　　　　）
	（　　　　）		（　　　　）

仕 掛 品　　（単位：円）

直 接 材 料 費	（　　　　）	完 成 品	（　　　　）
直 接 労 務 費	（　　　　）	総 差 異	（　　　　）
製 造 間 接 費	（　　　　）		
	（　　　　）		（　　　　）

原料受入価格差異一覧表

原　料	原料受入価格差異
X	円 （　　　）
Y	円 （　　　）
Z	円 （　　　）
合　計	34,500 円 （ 借 ）

原料消費量差異分析表

原　料	原 料 消 費 量 差 異	原 料 配 合 差 異	原 料 歩 留 差 異
X	円 （　　　）	円 （　　　）	円 （　　　）
Y	円 （　　　）	円 （　　　）	円 （　　　）
Z	円 （　　　）	円 （　　　）	円 （　　　）
合　計	円 （　　　）	円 （　　　）	円 （　　　）

直接労務費差異分析表

労 働 賃 率 差 異	労 働 時 間 差 異	労 働 能 率 差 異	労 働 歩 留 差 異
円 （　　　）	円 （　　　）	円 （　　　）	円 （　　　）

製造間接費差異分析表

消 費 差 異	製造間接費能率差異	不 働 能 力 差 異
円 （　　　）	円 （　　　）	円 （　　　）
純粋な製造間接費能率差異		製造間接費歩留差異
円 （　　　）		円 （　　　）

〔**問2**〕原料消費量差異分析表

原　料	原 料 配 合 差 異	原 料 歩 留 差 異
X	円 （　　　）	円 （　　　）
Y	円 （　　　）	円 （　　　）
Z	円 （　　　）	円 （　　　）
合　計	円 （　　　）	円 （　　　）

計算用紙〜サイズは試験会場により異なります

計算用紙〜サイズは試験会場により異なります

受験番号　_____

氏　名　_____

採 点 欄	
原	
計	

1 級 ④

原 価 計 算

第1問

問1

経 済 的 発 注 量	kg

問2

発　　注　　量	kg
年 間 発 注 費	円
年 間 保 管 費	円

第2問

問1

（単位：個）

	20×5年度	20×6年度	20×7年度	20×8年度	20×9年度
製 造 ・ 販 売 量	50,000				

問2

（単位：万円）

	20×5年度末	20×6年度末	20×7年度末	20×8年度末	20×9年度末
差額キャッシュ・フロー					

正 味 現 在 価 値	万円

問3

年々の差額キャッシュ・フロー1年分	万円
プロジェクト終了にともなう差額キャッシュ・フロー	万円
正 味 現 在 価 値	万円

問4

正 味 現 在 価 値	万円

〔問1〕 答案用紙の原料勘定、仕掛品勘定および各差異分析表を完成させなさい。

〔問2〕 問1の差異分析では、原料Zの配合差異は実際配合割合が標準配合割合を上回ったため不利差異となった。だが、相対的に割安の原料Zを標準よりも多く消費しているのだから、逆に割高の他の原料の消費を抑えることとなり、結果として当工場全体の原料費はむしろ節減されているという見方もできる。そこで、加重平均標準単価を用いて、原料消費量差異を原料配合差異と原料歩留差異に分析しなさい。

原 価 計 算

問題（25点）

第1問

当社では、次期の在庫管理のために材料の経済的発注量を知る必要が生じた。そこで下記の資料にもとづき、以下の**問**に答えなさい。ただし、発注費は発注回数に比例して発生し、1kg当たりの年間保管費は平均在庫量に比例して発生するものとする。また、安全在庫量や在庫切れによる機会損失は考慮外とする。

［資　料］

(1) 材料の年間予想総消費量　　4,590,000kg

(2) 材料1kg当たりの購入原価　　2,000円

(3) 発注1回に要する発注費　　375円

(4) 材料1kg当たりの年間保管費　　560円（下記(5)は含まれていない）

(5) 材料1kg当たりの年間保管費には、購入原価の6％を資本コストとして含める。

問1　材料の経済的発注量を計算しなさい。

問2　当社保有の材料倉庫の保管能力は1,500kgしかなかったとする。1回当たりの発注量が保管能力を超える場合には、近隣にある貸倉庫を利用する。その年間賃借料が材料500kgごとに100,000円である場合、何kg単位で発注するのが最も有利になるか。また、そのときの年間発注費と年間保管費（賃借料が生じる場合は、それを含める）はいくらか。

第2問

当社では1種類の製品を現在1台の設備で製造して、販売している。この設備の生産能力は年間50,000個である。20×5年度末までの4年間は生産能力どおり製造ができていたが、今後は性能が低下していくと予想され、何もせずそのまま使用し続けた場合、次年度から1年ごとに2,500個ずつ生産能力が減少していくと見込まれる。

この製品は、1個当たり3,000円で販売している。また、生産能力が許せば、現在の販売価格のまま年間60,000個までは販売が可能であると予想される。現在の設備を使用した場合、製品1個当たりの変動費（現金支出費用）は2,000円である。この設備は20×1年度末に10,000万円にて取得したものであり、残り4年間利用可能である。残りの耐用年数4年経過後には100万円にて売却可能と予想される。今後の製造・販売量の減少について、現在、次の対応策を検討している。

（案1）年度末に500万円のメンテナンス費用（現金支出費用）をかけると、次の1年間は生産能力の減少を防ぐことができる。

したがって、毎年度末にメンテナンスを実施すれば翌年度は年間50,000個の生産能力が維持されることになる。

（案2）20×5年度末に10,000個の生産能力をもつ新しい設備を導入する。新設備では、製品1個当たりの変動費（現金支出費用）は1,800円となる。新設備の取得原価は3,000万円、耐用年数4年、4年後には250万円にて売却可能と予想される。新設備に関する追加的な現金支出費用は不要である。

現有設備も新設備も減価償却の方法は定額法、残存価額は0（ゼロ）として計算する。キャッシュ・フローは年度末にまとめて生じると仮定する。法人税等は、その法人税等を負担すべき年度の末に支払われるものと仮定する。法人税等の税率は30％で、当社は順調に利益をあげている。なお、各年度末に在庫の保有はないものとする。

加重平均資本コスト率は、５％である。５％の割引率の現価係数は以下のとおりとする。

> ５％の現価係数：
> 　１年　0.9524　　　２年　0.9070　　　３年　0.8638　　　４年　0.8227

　なお、この問題で、差額キャッシュ・フローとは「現有設備のみをそのまま使い続けるという現状維持案」を基準にして、各代替案を採用した場合に異なってくるキャッシュ・フローのことをいう。正味の差額キャッシュ・フローがキャッシュ・アウトフローになる場合には、数字の前に△をつけること。また、「現有設備のみを使い続けるという現状維持案」を基準にして、代替案のほうが不利となる場合には、正味現在価値に△をつけること。キャッシュ・フローは税引き後で考えること。

問１　現有設備のみをそのまま使い続けるという現状維持案での各年度の製造・販売量を答えなさい。

問２　案１を採用する場合に、各年度の差額キャッシュ・フローと正味現在価値はいくらになるか。

問３　案２を採用する場合に、20×6年度末から20×9年度末までの年々の差額キャッシュ・フロー１年分（20×9年度末のプロジェクト終了にともなう差額キャッシュ・フローは除く）、20×9年度末のプロジェクト終了にともなう差額キャッシュ・フロー、正味現在価値はいくらになるか。

問４　案１と案２を組み合わせて採用する場合、差額キャッシュ・フローの正味現在価値はいくらになるか。ただし、この**問**では年間販売可能量は55,000個であったとする。また、設備の利用は利益が最大になるように行うものとする。

受験番号 ＿＿＿＿＿＿＿＿＿＿＿

氏　名 ＿＿＿＿＿＿＿＿＿＿＿

1 級 ②

会　計　学

採　点　欄	
会計	

第1問

(1)	(2)	(3)
(4)	(5)	

第2問

当期（20×7年3月期）に開示する遡及処理後の損益計算書（一部）

	前期（20×6年3月期）	当期（20×7年3月期）
売　上　原　価	千円	千円
備品減価償却費	千円	千円
機械減価償却費	千円	千円

第3問

問1

(d)	千円
(e)	千円

問2

問3

繰延税金資産	千円
繰延税金負債	千円
法人税等調整額	千円

問4

第3問

次の［資料］(a)～(g)は、W株式会社における20×6年度（20×6年4月1日から20×7年3月31日まで）の決算に際して確認された、会計上の資産・負債と税務上の資産・負債との関係について説明した文章である。なお、将来の予定実効税率は、前期末において35％、当期末において30％と見積もられた。

［資料］

(a) 当期において受取配当金のうち、益金に算入されない金額が48,000千円あった。

(b) 前期末に売掛金960,000千円に対して19,200千円の貸倒引当金を設定したが、税務上は損金不算入であった。また、当期末に売掛金1,344,000千円に対して20,160千円の貸倒引当金を設定したが、税務上は損金不算入であった。

(c) 当期において寄付金のうち、損金に算入されない金額が72,000千円あった。

(d) 取得原価1,152,000千円の備品（20×4年4月1日に取得）について、残存価額はゼロ、耐用年数6年（税法上の耐用年数は8年である）とする定額法により、減価償却を行っている。

(e) 取得原価1,440,000千円（うち国庫補助金の受入れによる分が576,000千円ある）の機械（20×5年4月1日に取得）について、残存価額はゼロ、耐用年数8年（税法上も同じ）とする定額法により、減価償却を行っている。なお、当該機械は積立金方式により圧縮記帳を行っている。

(f) 20×5年3月1日に取得したその他有価証券（甲社株式）の取得原価は43,200千円、前期末の時価は44,640千円、当期末の時価は48,960千円であった。なお、その他有価証券の評価差額は全部純資産直入法により処理している。

(g) 20×7年6月に予定されている機械装置のドル建て輸入代金の支払いをヘッジするため、当期にドル買・円売の為替予約を行った。為替予約締結時点で、当該輸入取引は、実行される可能性が高く、ヘッジ会計の要件を満たしているものとする。当該為替予約の当期末時価は総額で2,400千円（借方）である。

以上の資料から、以下の**問**に答えなさい。

問1 上記の(d)と(e)について、当期末における会計上と税務上の資産簿価の差異の金額を求めなさい。

問2 上記のうち、将来減算一時差異について説明した文章はどれですか。当てはまるものを全て選び、その記号を答案用紙に記入しなさい。

問3 当期末における繰延税金資産、繰延税金負債および法人税等調整額の金額を求めなさい。なお、繰延税金資産および繰延税金負債は相殺せずに解答し、法人税等調整額が貸方残高になる場合には金額の前に△印を付すこと。

問4 繰越欠損金について、税効果会計を適用しようとする場合、とくに留意すべき事項はどのようなものであるか。以下の文章に入る適切な4文字を答えなさい。

　　　繰越欠損金について、税効果会計を適用しようとする場合、将来の ［　　　　　］ と相殺可能か否か留意する。

受験番号 _____

氏　名 _____

採　点　欄

原

計

1 級 ④

原　価　計　算

〔問１〕

製　品　A ☐ ％　　　製　品　B ☐ ％　　　製　品　C ☐ ％

〔問２〕

損益分岐点販売量 ☐ 個　　　損益分岐点売上高 ☐ 円

〔問３〕

製　品　A ☐ 個　　　製　品　B ☐ 個　　　製　品　C ☐ 個

〔問４〕

製　品　A ☐ 個　　　製　品　B ☐ 個　　　製　品　C ☐ 個

〔問５〕

製　品　A ☐ 個　　　製　品　B ☐ 個　　　製　品　C ☐ 個

〔問６〕

製　品　A ☐ 個　　　製　品　B ☐ 個　　　製　品　C ☐ 個

最適セールス・ミックスのときの営業利益 ☐ 円

〔問７〕

(1) 直接作業時間の利用可能量を10時間増強したときの増分貢献利益 ☐ 円

(2) 機械の生産能力を10時間増強したときの増分貢献利益 ☐ 円

(2) 買掛金データ（材料Ａ、Ｂ、Ｃはすべて掛で購入しており、それ以外に掛買いは行っていない。）

月 初 残 高　　11,349,000円

当月支払高　　43,000,000円

月 末 残 高　　11,821,500円

(3) 加工費

加工費は、製品生産量を配賦基準として、工程別正常配賦率を用いて配賦している。月間加工費予算は、第1工程30,480,000円、第2工程39,493,000円であり、月間製品正常生産量は、第1工程40,000kg、第2工程10,000個である。

その他：

正常仕損費の負担関係は、仕損発生点の進捗度にもとづいて決定している。

[問1] 下記の条件にもとづいて、答案用紙に示された仕掛品勘定を記入しなさい。なお、計算上端数が生じる場合は、解答の最終段階で円未満を四捨五入すること。

正常仕損費の処理は非度外視法による。各工程の月末仕掛品および完成品への原価配分の方法は、先入先出法を採用している。なお、各工程の仕損および減損は当月投入分から生じているものとする。

[問2] 第2工程における計算条件を、正常仕損費の処理について度外視法に、月末仕掛品および完成品への原価配分の方法について平均法に変更する。そこで、第2工程異常減損費、第2工程月末仕掛品原価、完成品総合原価を求めなさい。なお、計算上端数が生じる場合は、解答の最終段階で円未満を四捨五入すること。配分すべき原価の総額と配分された個々の原価の合計額が、四捨五入を行うことで一致しないとしても、そのまま解答してよい。

第2問

下記の文章は「原価計算基準」からの抜粋である。次の語群の中から（　）内に入る適切な用語を選択し、答案用紙に記入しなさい。なお、同じ番号には同じ用語が入る。

等級別総合原価計算は、（　①　）において、（　②　）を連続生産するが、その製品を形状、大きさ、品位等によって等級に区別する場合に適用する。

等級別総合原価計算にあっては、各等級製品について適当な（　③　）を定め、一期間における完成品の（　④　）又は一期間の（　⑤　）を（　③　）に基づき各等級製品にあん分してその製品原価を計算する。

（　③　）の算定およびこれに基づく等級製品原価の計算は、次のいずれかの方法による。

(一)　～省略～

(二)　一期間の（　⑤　）を構成する各（　⑥　）につき、又はその性質に基づいて分類された数個の（　⑥　）群につき、各等級製品の標準材料消費量、標準作業時間等各（　⑥　）又は（　⑥　）群の発生と関連ある物量的数値等に基づき、それぞれの（　③　）を算定し、これを各等級製品の一期間における生産量に乗じた（　⑦　）の比をもって、各（　⑥　）又は（　⑥　）群をあん分して、各等級製品の一期間の（　⑤　）を計算し、この（　⑤　）と各等級製品の期首仕掛品原価とを、当期における各等級製品の完成品とその期末仕掛品とに分割することにより、当期における各等級製品の（　④　）を計算し、これを製品単位に均分して単位原価を計算する。

（語群）

製品原価、予定配賦率、等価係数、投入量、同一工程、原価管理、同種製品、総合原価、工程、積数、
原価要素、原価標準、異種製品、製造費用、種類、単一工程、工程別、直接材料費、組製品

原 価 計 算

問題 （25点）

　　当社は、製品Ａ、製品Ｂおよび製品Ｃを生産販売する企業であり、現在、翌期の予算を編成中である。そこで下記の**資料**にもとづき、以下の**問**に答えなさい。

〔資　料〕

1．製品Ａ、製品Ｂおよび製品Ｃの販売単価はそれぞれ4,000円、4,500円および3,400円である。

2．原料は各製品に共通のものを使用しており、消費単価は300円で、製品Ａ、製品Ｂおよび製品Ｃの1個あたりの標準消費量はそれぞれ2kg、5kgおよび2.5kgである。

3．直接工の消費賃率は800円であり、製品Ａ、製品Ｂおよび製品Ｃの1個あたりの標準直接作業時間はそれぞれ0.6時間、0.4時間および0.4時間である。

4．製造間接費は機械稼働時間を配賦基準としており、製品Ａ、製品Ｂおよび製品Ｃの1個あたりの標準機械稼働時間はそれぞれ0.5時間、0.3時間および0.4時間である。また、当社で使用している機械の最大生産能力は3,500時間である。なお、機械稼働時間が1,600時間のときは4,445,000円、3,500時間のときは5,775,000円が翌期の許容予算である。

5．製品Ａ、製品Ｂおよび製品Ｃの1個あたりの変動販売費は、それぞれ120円、130円および180円である。

6．固定販売費および一般管理費（全額固定費）予算は8,327,100円である。

7．需要限度等を考慮した結果、当社製品の翌期における最大販売可能量は製品Ａが4,000個、製品Ｂが2,500個、製品Ｃが4,500個と見積もられている。

〔問1〕各製品の貢献利益率を求めなさい。

〔問2〕貢献利益率の高い順に生産販売したときの損益分岐点販売量およびそのときの売上高を求めなさい。なお、損益分岐点販売量については製品Ａ、製品Ｂおよび製品Ｃの合計量を解答し、端数が生じる場合は小数点以下を切り上げること（端数処理については以下同様）。

〔問3〕仮に製品Ａ、製品Ｂおよび製品Ｃの販売量を3：2：5の割合で販売するとした場合の、各製品の損益分岐点販売量を求めなさい。

〔問4〕〔問3〕の条件のもとで、資本回収点販売量（売上高と投下資本が等しくなる販売量）を求めなさい。ただし、投下資本は売上高に比例して30％（変動的資本率）の割合で増加する部分と、売上高の増減に関係なく一定額（固定的資本）の19,950千円の部分とから構成されているとする。

〔問5〕仮に製品Ａを1,200個、製品Ｂを800個および製品Ｃを1,950個最低限販売するとした場合の最適セールス・ミックスを求めなさい。

〔問6〕〔問5〕の条件の他に、さらに直接作業時間の最大利用可能量が4,000時間であったとしたときの最適セールス・ミックスおよびそのときの営業利益を求めなさい。

〔問7〕〔問6〕の条件のもとで、(1)直接作業時間の利用可能量を10時間増強したときの増分貢献利益、および(2)機械の生産能力を10時間増強したときの増分貢献利益をそれぞれ求めなさい。

受験番号 ＿＿＿＿＿＿＿＿＿

氏　名 ＿＿＿＿＿＿＿＿＿

1 級 ②

会 計 学

採 点 欄	
会	
計	

第1問

1	
2	
3	
4	
5	

第2問

a	b	c

d	e

第3問

	A 工 事		B 工 事	
	20×2年度	20×3年度	20×2年度	20×3年度
工 事 収 益	千円	千円	千円	千円
工 事 原 価	千円	千円	千円	千円
工 事 損 益	千円	千円	千円	千円

第3問

　C株式会社（決算は年1回、3月31日）は、20×1年度の期首にA工事について契約を締結し、20×2年度の期首にB工事についての契約を締結した。A工事およびB工事ともに20×4年度中の完成を予定している。次の【A工事に関する資料】および【B工事に関する資料】にもとづいて、20×2年度および20×3年度の損益計算書（工事損益まで）を作成しなさい。なお、工事に損失が見込まれる場合には、損失が見込まれることが判明した期から工事損失引当金を設定し、工事損失となる場合には、金額の前に△印を付すこと。

【A工事に関する資料】各年度で見積もられた工事収益総額、工事原価総額等

	20×1年度	20×2年度	20×3年度
契約締結時点での工事収益総額	960,000千円	960,000千円	960,000千円
変　更　額	—	—	40,000千円
工事収益総額（変更後）	960,000千円	960,000千円	1,000,000千円
当期に発生した工事原価	134,400千円	470,400千円	324,000千円
契約締結時点での工事原価総額	672,000千円	672,000千円	672,000千円
変　更　額	—	336,000千円	360,000千円
工事原価総額（変更後）	672,000千円	1,008,000千円	1,032,000千円

注1　20×2年度から建築資材の需給が悪化しはじめ、20×2年度に工事原価総額の見積りが1,008,000千円へと増加し、20×3年度にはさらに悪化して1,032,000千円へと増加したため、同年に工事収益総額を1,000,000千円とする契約条件の変更を行った。
　2　工事の進捗度を合理的に見積もることができるため、進捗度にもとづいて収益を認識する。
　3　決算日における工事の進捗度を原価比例法によって算定する。

【B工事に関する資料】各年度で見積もられた工事収益総額、工事原価総額等

	20×2年度	20×3年度
工事収益総額	624,000千円	624,000千円
当期に発生した工事原価	129,600千円	331,200千円
工事原価総額	不　明	576,000千円

注1　20×2年度において工事の進捗度を合理的に見積ることができないが、履行義務を充足する際に発生する費用の回収は見込まれる。
　2　20×3年度において工事の進捗度を合理的に見積ることができるようになったため、20×3年度より進捗度にもとづいて収益を認識する。
　3　決算日における工事の進捗度を原価比例法によって算定する。

2024年度
第168回試験をあてる　ＴＡＣ直前予想模試
第2予想答案用紙

受験番号　＿＿＿＿＿＿＿＿

氏　名　＿＿＿＿＿＿＿＿

採点欄
原
計

1 級 ④
原 価 計 算

〔問1〕 （単位：千円）

	製 品 A	製 品 B	合 計
売 上 高	（　　）	（　　）	（　　）
変 動 費			
製 造 原 価	（　　）	（　　）	（　　）
販 売 費	（　　）	（　　）	（　　）
計	（　　）	（　　）	（　　）
貢 献 利 益	（　　）	（　　）	（　　）
個別自由裁量製造固定費	（　　）	（　　）	（　　）
管 理 可 能 利 益	（　　）	（　　）	（　　）
個別拘束製造固定費	（　　）	（　　）	（　　）
製 品 貢 献 利 益	（　　）	（　　）	（　　）
共 通 固 定 費			
拘 束 製 造 固 定 費			（　　）
自由裁量販売・一般管理固定費			（　　）
拘束販売・一般管理固定費			（　　）
計			（　　）
営 業 利 益			（　　）

〔問2〕 損益分岐点販売量

製品A＝ ＿＿＿＿＿＿ 個　　　製品B＝ ＿＿＿＿＿＿ 個

〔問3〕

売 上 高	標準変動製造原価	実際貢献利益	固定販売費・一般管理費
千円	千円	千円	千円

〔問4〕 差異分析表：変動費差異の分析 （単位：千円）

	製 品 A	製 品 B	合 計
直 接 材 料 費 差 異	（　　）	（　　）	（　　）
直 接 労 務 費 差 異	（　　）	（　　）	（　　）
変動製造間接費差異	（　　）	（　　）	（　　）
変 動 販 売 費 差 異	（　　）	（　　）	（　　）

〔問5〕

	予 算		実 績	
	製品A	製品B	製品A	製品B
(1) 投資利益率	＿＿ ％	＿＿ ％	＿＿ ％	＿＿ ％
(2) 残 余 利 益	＿＿ 千円	＿＿ 千円	＿＿ 千円	＿＿ 千円

〔問6〕 投資利益率が（　　　　）％ 〔増加／減少〕するので、この投資案を採用〔すべきである。／すべきでない。〕
残余利益が（　　　　）円

（注）｛　｝内のいずれか不要な方を二重線で消し、文章を完成させなさい。

⑦　各製品の原価標準

	製　品　Ａ	製　品　Ｂ
直接材料費	500円×5単位 …… 2,500円	250円× 2単位 …… 500円
直接労務費	1,500円×2時間 …… 3,000円	1,500円×0.5時間 …… 750円
変動製造間接費	1,000円×2時間 …… 2,000円	1,500円×0.5時間 …… 750円

⑧　製品別実際変動製造原価：（　　　　）内は、実際数量。

	製　品　Ａ	製　品　Ｂ
直接材料費	147,950,000円（291,000単位）	38,400,000円（128,000単位）
直接労務費	156,350,000円（106,000時間）	44,580,000円（ 30,000時間）
変動製造間接費	108,650,000円（106,000時間）	44,520,000円（ 30,000時間）

⑨　次年度計画データ

　　次年度において製品Ｃをラインナップに加える可能性を検討中である。この製品の導入に要する投資額は8,000千円、販売単価は15,000円であり、予想販売量は10,500個である。また、この製品の製造・販売に要する原価は、製造・販売量が4,000個のときは91,300,000円、8,000個のときは131,300,000円と予測された。

⑩　法人税率と資本コスト率

　　この計算上、法人税率は30％とする。また当社の全社的資本調達源泉別の資本コスト率は下記のとおりである。

資本源泉	構成割合	源泉別資本コスト率
負　　債	40％	6％（支払利子率）
資　　本	60％	10.4％
	100％	

⑪　棚卸資産の状況

　　各年度の期首・期末において、在庫はないものとする。

〔問1〕答案用紙の製品別予算損益計算書を作成しなさい。

〔問2〕20×2年度の予算にもとづいて、貢献利益率の高い製品から優先して販売するものとして、損益分岐点販売量を求めなさい。ただし、この計算では当社の固定費総額を回収することを前提に計算すること。

〔問3〕実際損益計算書の各金額を計算しなさい。

〔問4〕答案用紙の差異分析表を作成しなさい。なお、各差異分析表の（　　　）内には、不利差異であれば「U」、有利差異であれば「F」と記入しなさい。差異が0の場合は「－」と記入すればよい。

〔問5〕(1)予算と実績の投資利益率を税引後製品貢献利益を用いて計算しなさい。以下、業績測定尺度の計算にあたっては、すべて税引後製品貢献利益を用いて計算すること。また、(2)全社的加重平均資本コスト率を用いて、予算および実績の残余利益を計算しなさい。なお、残余利益がマイナスの場合は、金額の前に△を付すこと。また、解答にあたって端数が生じたさいには、金額については千円未満四捨五入、比率については％未満第3位を四捨五入すること。

〔問6〕次年度において製品Ｃをラインナップに加える投資案を検討中である。全社的目標整合性の観点からこの投資案の採否について検討しなさい。なお、製品Ｃは変動販売費及び固定販売・一般管理費は発生せず、固定製造原価は、すべて個別固定費であるものとする。

受験番号 ＿＿＿＿＿＿＿

氏　名 ＿＿＿＿＿＿＿

1 級 ②

会 計 学

採 点 欄	
会	
計	

第1問

（ア）	（イ）	（ウ）

（エ）	（オ）

第2問

問1	問2	問3
千円	千円	千円

問4	問5
千円	千円

第3問

問1

Ⅰ　営業活動によるキャッシュ・フロー　　　　　　（単位：千円）

税 引 前 当 期 純 利 益	（　　　　　）
（　　　　　　　　　　　　　）	（　　　　　）
貸 倒 引 当 金 の 減 少 額	（　　　　　）
受 取 利 息 配 当 金	（　　　　　）
支 払 利 息	（　　　　　）
売 上 債 権 の 減 少 額	（　　　　　）
棚 卸 資 産 の 減 少 額	（　　　　　）
前 払 費 用 の 増 加 額	（　　　　　）
仕 入 債 務 の 増 加 額	（　　　　　）
未 払 費 用 の 減 少 額	（　　　　　）
小　　　計	（　　　　　）

問2

営業活動によるキャッシュ・フロー	千円
投資活動によるキャッシュ・フロー	千円
財務活動によるキャッシュ・フロー	千円

第3問 下記の資料にもとづいて、キャッシュ・フロー計算書に関する以下の**問**に答えなさい。なお、貸借対照表における現金預金を現金及び現金同等物とし、利息・配当金の受取額および利息の支払額は営業活動によるキャッシュ・フローに含めること。また、商品の仕入・売上はすべて掛取引で行われており、貸倒引当金はすべて売上債権に対するものである。解答上、キャッシュ・フローの減少となる場合には、金額の前に△印を付すこと。

問1 営業活動によるキャッシュ・フローの区分（小計まで）を間接法により作成しなさい。

問2 答案用紙の各項目の金額を答えなさい。

（資料1）財務諸表（単位：千円）

損 益 計 算 書

売 上 高	355,200
売 上 原 価 △	216,960
給 料 △	47,520
貸倒引当金繰入 △	180
減 価 償 却 費 △	4,320
その他の営業費 △	38,520
営 業 利 益	47,700
受取利息配当金	1,920
支 払 利 息 △	1,680
税引前当期純利益	47,940
法 人 税 等 △	15,120
当 期 純 利 益	32,820

貸 借 対 照 表 （一部）

資 産	前 期 末	当 期 末	負債・純資産	前 期 末	当 期 末
現 金 預 金	32,400	各自推定	仕 入 債 務	20,760	22,800
売 上 債 権	66,000	57,000	未払法人税等	5,760	7,560
貸 倒 引 当 金	△ 1,320	△ 1,140	未 払 利 息	840	420
商 品	13,800	9,360	未 払 給 料	480	360
貸 付 金	2,880	3,480	借 入 金	18,000	15,600
前 払 営 業 費	300	480	資 本 金	108,000	144,000
未 収 利 息	360	240	資 本 準 備 金	36,000	36,000
有 形 固 定 資 産	76,800	105,600			
減価償却累計額	△ 39,360	△ 43,680			

（資料2）その他の事項

1. 前期に計上した売上債権360千円が貸し倒れた。
2. 当期に通常の新株発行による増資 各自推定 千円を行った。
3. 当期に利益剰余金を財源とする配当6,000千円を行っている。

受験番号 ＿＿＿＿＿＿＿＿

氏　名 ＿＿＿＿＿＿＿＿

1　級　④

原　価　計　算

採　点　欄	
原	
計	

問1 (1) ☐ 円/個　　(2) ☐ 円

問2 (1) ☐ 円/個　　(2) ☐ 円

問3　月間の必要量が4,200個の場合、内製する方が、購入する場合に比べて ☐ 円だけ

　　（　有利　・　不利　）である。

　　（注）☐内に適当な金額を記入し、（　　　）内の不要な文字を二重線で消しなさい。以下同様。

問4 (1)　月間の必要量が4,500個の場合、内製する方が、購入する場合に比べて ☐ 円だけ

　　　　（　有利　・　不利　）である。

　　 (2)　月間の必要量が5,050個の場合、内製する方が、購入する場合に比べて ☐ 円だけ

　　　　（　有利　・　不利　）である。

問5　臨時注文を引き受けた方が、引き受けない場合に比べて月間で ☐ 円だけ

　　（　有利　・　不利　）である。

問6　臨時注文を引き受けた方が、引き受けない場合に比べて月間で ☐ 円だけ

　　（　有利　・　不利　）である。

倉庫リース料も含める。**問2**も同様。）を計算しなさい。

問2 部品Zの月間生産量が5,000個の場合の(1)部品Zの1個あたり変動製造原価、(2)月間の固定製造間接費を計算しなさい。

問3 かねて取引関係のあるP澤工業（以下、P社という）から、部品Zを1個あたり6,200円で売りたいという申し入れがあった。P社製品の品質水準は高く、当社が内製した場合と比較して品質に差はない。購入の場合に生じる諸経費は少額なので無視できる。また、購入に切り替えた場合、固定製造間接費はすべて回避可能である。この条件のもとで、部品Zの月間必要量が4,200個の場合、内製する方が有利か、購入する方が有利か、答案用紙の形式にしたがい答えなさい（以下同様）。

問4 問3の条件を前提にして、さらに次の条件を追加する。問3のP社から、部品Z1個あたりの販売価格について、次のような値引きをするとの引き合いがあった。

部品Z月間購入量	値引率
4,000個まで	値引なし
4,000個超　4,500個まで	3 %
4,500個超	15%

すなわち、当社の月間購入量が4,000個までであれば部品Z1個あたりの販売価格は6,200円のままであるが、4,001個から4,500個までは3％値引し、4,501個からは15％値引するという条件である。したがって、たとえば当社の月間購入量が5,000個であれば最初の4,000個は1個あたり6,200円、次の500個は1個あたり6,200円の3％引き、最後の500個は1個あたり6,200円の15％引きされた金額を支払うことになる。

以上の条件を勘案した場合、(1)部品Zの月間必要量が4,500個の場合および(2)部品Zの月間必要量が5,050個の場合、内製する方が有利か、あるいは購入する方が有利か、答えなさい。

問5 これまでの条件を変更して当社は部品Zをコピー機用に自家消費せず、1個あたり6,070円ですべて外部販売しているものとする。なお、現時点における部品Zの月間生産量は5,100個である。ここで、今まで取引のないQ沢物産から、部品Zを1個あたり5,000円にて1,200個販売してほしいという申し入れがあった。

以上の条件を勘案した場合、この臨時注文を引き受けるべきか否か、答えなさい。なお、この臨時注文を引き受けた場合であっても、既存の外部販売の販売価格には影響を与えないものとする。

問6 問5を前提にして、さらに次の条件を追加する。当社が所有する部品Zの専用製造用機械と同等の生産能力をもつ機械を他社からリースすることによって、生産能力をさらに月間で1,000時間増強する。この場合、リース料が月間で800,000円発生する。また、直接労務費について、7,000直接作業時間を超える作業に対しては、割増賃金を支払わなければならない。割増賃金は、基本賃金に対して40％増で支払われることとなる。

以上の条件を勘案した場合、この臨時注文を引き受けるべきか否か、答えなさい。

受験番号 ＿＿＿＿＿＿＿＿＿＿

氏　名 ＿＿＿＿＿＿＿＿＿＿

1 級 ②

会 計 学

採 点 欄

会

計

第１問

(1)	
(2)	
(3)	
(4)	
(5)	

第２問

連 結 損 益 計 算 書　　　　　　（単位：千円）

Ⅰ	売　　上　　高		(　　　　　　)
Ⅱ	売　上　原　価		(　　　　　　)
	売　上　総　利　益		(　　　　　　)
Ⅲ	販売費及び一般管理費		
	1. 広　告　宣　伝　費	(　　　　　　)	
	2. 減　価　償　却　費	(　　　　　　)	
	3. の　れ　ん　償　却	(　　　　　　)	
	4. その他の営業費用	(　　　　　　)	(　　　　　　)
	営　業　利　益		(　　　　　　)
Ⅳ	営　業　外　収　益		
	1. 受　取　配　当　金	(　　　　　　)	
	2. 受　取　利　息	(　　　　　　)	(　　　　　　)
Ⅴ	営　業　外　費　用		
	1. 支　払　利　息		(　　　　　　)
	経　常　利　益		(　　　　　　)
Ⅵ	特　別　利　益		
	1. 固　定　資　産　売　却　益		(　　　　　　)
	税金等調整前当期純利益		(　　　　　　)
	法　人　税　等	(　　　　　　)	
	法　人　税　等　調　整　額	(　　　　　　)	(　　　　　　)
	当　期　純　利　益		(　　　　　　)
	非支配株主に帰属する当期純利益		(　　　　　　)
	親会社株主に帰属する当期純利益		(　　　　　　)

第３問

売 買 目 的 有 価 証 券	千円
子 会 社 株 式	千円
満 期 保 有 目 的 債 券	千円
そ の 他 有 価 証 券	千円
その他有価証券評価差額金	千円
有 価 証 券 運 用 損 益	千円
有 価 証 券 利 息	千円
為 替 差 損 益	千円

（注）有価証券運用損益および為替差損益が損失となる場合には、金額の前に△印を付すこと。

第3問 当社が保有する有価証券に関する次の資料にもとづいて、答案用紙に示した当期（20×5年4月1日から20×6年3月31日まで）の財務諸表に記載される各項目の金額を求めなさい。

〔資料Ⅰ〕計算上の留意事項

1. 1ドル当たりの為替相場は、以下のとおりである。

    20×5年4月1日（当期首）：1ドル当たり100円

    20×6年3月31日（当期末）：1ドル当たり120円

    20×5年4月1日から20×6年3月31日の期中平均相場：1ドル当たり110円

2. 売買目的有価証券に関連する損益は、すべて有価証券運用損益で処理する。その他有価証券は部分純資産直入法により処理する。

3. 金額の計算上端数が生じた場合には、千円未満を四捨五入する。外貨建有価証券についてはドル建てでは端数処理を行わず、円換算した後で端数処理を行うものとする。

4. 税効果会計や連結会計は考慮しなくてよい。

〔資料Ⅱ〕当期末に保有する有価証券に関する取引の明細

1. A社株式

    A社株式は、売買目的有価証券であり、20×5年8月1日に1株当たり500千円で100株取得した。20×6年3月31日の時価は1株当たり454千円であった。

2. B社株式

    B社株式は、売買目的有価証券であり、20×5年5月1日に1株当たり200千円で30株取得した。20×5年10月1日に1株を2株にする株式分割が行われた。株式分割後の20×6年2月1日に1株当たり160千円で12株を売却した。20×6年3月31日の時価は1株当たり165千円であった。

3. C社株式

    C社株式は、売買目的有価証券であり、20×6年3月30日に10,000千円で取得する売買契約を締結した（当該有価証券の受渡しと対価の支払いは20×6年4月4日に行われた）。なお、当社は修正受渡日基準を採用している。20×6年3月31日の時価は10,200千円であった。

4. D社株式

    D社株式は、子会社株式であり、20×5年5月1日に100,000千円で取得した。20×5年12月31日にD社から7,000千円の配当金（その他資本剰余金を財源とするもの）を受け取った。20×6年3月31日の時価は104,000千円であった。

5. E社株式

    E社株式は、20×5年1月1日に1株当たり100千円で100株取得し、その他有価証券として保有していた。20×5年3月31日の時価は1株当たり80千円であった。20×5年9月1日に1株当たり130千円（時価）で2,000株を追加取得し、保有目的を子会社株式に変更した。20×6年3月31日の時価は1株当たり145千円であった。

6. F社社債

    F社社債は、満期保有目的債券であり、20×5年2月1日に18,500千円で取得した。額面金額は20,000千円、償還期間は取得日から5年後、クーポン利子率は年6％（利払日は年2回、毎年1月と7月末日）、実効利子率は年7.84％（半年複利）である。取得差額は金利調整差額であり、償却原価法（利息法）を適用する。

7. G社社債

    G社社債は、外貨建満期保有目的債券であり、20×5年4月1日に140千ドルで取得した。額面金額は200千ドル、償還期間は取得日から3年後、クーポン利子率は年0％、実効利子率は年12.62％である。取得差額は金利調整差額であり、償却原価法（利息法）を適用する。20×6年3月31日の時価は155千ドルであった。

8. H社社債

    H社社債は、外貨建その他有価証券であり、20×5年4月1日に840千ドルで取得した。額面金額は1,000千ドル、償還期間は取得日から4年後、クーポン利子率は年2％（利払日は年1回、毎年3月末日）である。取得差額は金利調整差額であり、償却原価法（定額法）を適用する。なお、20×6年3月31日の時価は885千ドルであった。